contents 차례

I 집합과 명제

II 함수

III 경우의 수

I. 집합과 명제

01 집합의 뜻과 표현

출제경향 집합은 수학적 대상을 논리적으로 표현하고 이해하는 도구이다. 출제자들이 선호하는 내용으로 집합 단원뿐만 아니라 다른 단원에서도 연계되어 출제되므로 집합의 개념, 집합의 표현, 두 집합 사이의 포함 관계를 이해하고 있어야 한다.

핵심개념 1 집합과 원소

(1) 집합과 원소

① 집합 : 어떤 조건에 의하여 그 대상을 분명하게 정할 수 있는 것들의 모임

② 원소 : 집합을 이루는 대상 하나하나

$a \in A$ (원소 a, 집합 A)

일반적으로 집합은 영어의 알파벳 대문자 $A, B, C, \cdots$로 나타내고, 원소는 알파벳 소문자 $a, b, c, \cdots$로 나타낸다.

(2) 집합과 원소 사이의 관계

원소를 뜻하는 'Element'의 첫 글자 E를 기호화한 거야.

① a가 집합 A의 원소일 때 a는 집합 A에 속한다고 하고, 기호로 $\boldsymbol{a \in A}$와 같이 나타낸다.

② b가 집합 B의 원소가 아닐 때 b는 집합 B에 속하지 않는다고 하고, 기호로 $\boldsymbol{b \notin B}$와 같이 나타낸다.

01 다음 [보기]에서 집합인 것의 개수를 구하시오. [2점]

| 보기 |

ㄱ. 운동을 잘하는 학생의 모임 ㄴ. 8의 양의 약수의 모임 ㄷ. 35의 소인수의 모임 ㄹ. 재미있는 영화의 모임

핵심개념 2 집합의 표현

(1) 원소나열법 : { } 안에 집합에 속하는 모든 원소를 나열하여 집합을 나타내는 방법 예 $A=\{1, 3, 5, \cdots, 99\}$

집합을 원소나열법으로 나타낼 때,
① 원소를 나열하는 순서는 상관없다.
② 같은 원소는 중복하여 쓰지 않는다.
③ 원소가 많고 원소 사이에 일정한 규칙이 있을 때는 '⋯'을 사용하여 원소의 일부를 생략할 수 있다.

(2) 조건제시법 : { } 안에 집합에 속하는 원소들이 갖는 공통된 성질을 조건으로 제시하여 집합을 나타내는 방법

예 $A=\{x|x$는 100 이하의 홀수$\}$

$\{x|$ x는 100 이하의 홀수$\}$ — x: 원소를 대표하는 문자, x는 100 이하의 홀수: 원소들의 공통된 성질

(3) 벤다이어그램 : 집합을 나타낸 그림

B: 1, 3, 6, 10

02 두 집합 $A=\{1, 2\}$, $B=\{-1, 1\}$에 대하여 $C=\{z|z=x-y, x\in A, y\in B\}$일 때, 집합 C의 모든 원소의 합을 구하시오. [3점]

핵심개념 3 집합의 원소의 개수

(1) 원소의 개수에 따른 집합의 분류

① 유한집합 : 원소가 유한개인 집합 ② 무한집합 : 원소가 무수히 많은 집합

③ 공집합 : 원소가 하나도 없는 집합으로 기호 $\varnothing$과 같이 나타낸다.

(2) 유한집합의 원소의 개수

$n(A)$에서 n은 개수를 뜻하는 'number'의 첫 글자를 쓴 거야.

① 유한집합 A의 원소의 개수를 기호 $\boldsymbol{n(A)}$로 나타낸다. ② $A=\varnothing$이면 $n(A)=0$, $n(A)=0$이면 $A=\varnothing$

[2018학년도 교육청]

03 집합 $A=\{-1, 0, 1, 2\}$에 대하여 $n(A)$의 값은? [2점]

① 1 ② 2 ③ 3 ④ 4 ⑤ 5

핵심개념 4 부분집합

(1) 부분집합

① 집합 A의 모든 원소가 집합 B에 속할 때 집합 A는 집합 B의 부분집합이라 하고, 기호로 $\boldsymbol{A \subset B}$와 같이 나타낸다.

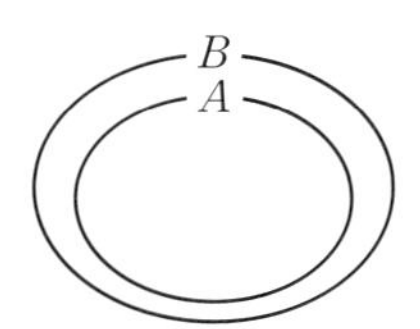

② 집합 A가 집합 B의 부분집합이 아닐 때, 기호로 $\boldsymbol{A \not\subset B}$와 같이 나타낸다.

(2) 부분집합의 성질

공집합은 모든 집합의 부분집합이고, 모든 집합은 자기 자신의 부분집합이다.

⇨ 즉 임의의 집합 A에 대하여 $\varnothing \subset A$, $A \subset A$

> 임의의 세 집합 A, B, C에 대하여 $A \subset B$이고 $B \subset C$이면 ⇨ $A \subset C$

[2019학년도 수능 모의평가]

04 두 집합 $A=\{1, 7\}$, $B=\{1, 2, a\}$에 대하여 $A \subset B$ 일 때, 상수 a의 값은? [2점]

① 5　② 6　③ 7　④ 8　⑤ 9

핵심개념 5 서로 같은 집합

(1) 서로 같은 집합

① 두 집합 A, B가 $A \subset B$이고 $B \subset A$를 만족시킬 때, 두 집합 A, B는 서로 같다고 하며 기호로 $\boldsymbol{A=B}$와 같이 나타낸다.

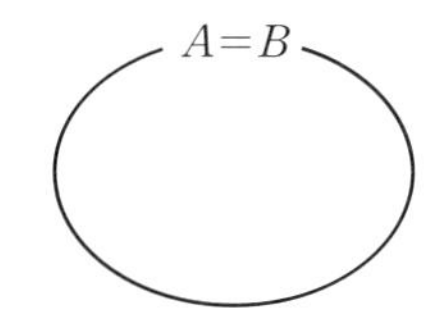

② 두 집합 A, B가 서로 같지 않을 때, 기호로 $\boldsymbol{A \neq B}$와 같이 나타낸다.

(2) 진부분집합

집합 A가 집합 B의 부분집합이고 서로 같지 않을 때, 즉 $A \subset B$이고 $A \neq B$일 때, 집합 A를 집합 B의 진부분집합이라 한다.

[2018학년도 수능]

05 두 집합 $A=\{2, a+1, 5\}$, $B=\{2, 3, b\}$가 $A=B$를 만족시킬 때, $a+b$의 값은? (단, a, b는 실수이다.) [2점]

① 4　② 5　③ 6　④ 7　⑤ 8

핵심개념 6 부분집합의 개수

(1) 집합 A의 원소의 개수가 m일 때, 즉 $n(A)=m$일 때

① A의 부분집합의 개수 : 2^m

► m개의 원소가 각각 집합 A에 속하는 경우와 속하지 않는 경우가 2가지씩 있으므로 총 경우의 수는 2^m이 되겠지?

② A의 진부분집합의 개수 : 2^m-1

► 집합 A의 모든 부분집합 중에서 자기 자신을 제외한 집합의 개수야!

(2) A의 특정한 원소 x개를 반드시 포함하지 않는 A의 부분집합의 개수 : 2^{m-x}

(3) A의 특정한 원소 y개를 반드시 포함하는 A의 부분집합의 개수 : 2^{m-y}

► 특정한 원소 y개를 따로 빼 놓았다가 나중에 포함시켜도 부분집합의 개수는 똑같다.

(4) 특정한 원소 x개를 포함하고 y개를 포함하지 않는 부분집합의 개수 : 2^{m-x-y}

[2018학년도 교육청]

06 전체집합 $U=\{1, 2, 3, 4, 5\}$의 부분집합 $A=\{1, 2\}$에 대하여 $A \subset B$를 만족시키는 U의 부분집합 B의 개수는? [3점]

① 4　② 6　③ 8　④ 10　⑤ 12

유형따라잡기

기출유형 01 집합과 원소 및 부분집합 사이의 관계

집합 $A=\{0, \varnothing, \{\varnothing\}\}$일 때, 다음 중 옳지 <u>않은</u> 것은? [2점]

① $\varnothing\in A$ ② $\varnothing\subset A$ ③ $\{\varnothing\}\in A$ ④ $\{\varnothing\}\subset A$ ⑤ $\{0\}\in A$

Act ①
어떤 대상이 주어진 집합의 원소이면 $\in$, 부분집합이면 $\subset$을 사용한다.

해결의 실마리

(1) 기호 $\in$, $\notin$는 집합과 원소 사이의 관계를 나타낼 때 사용하고, 기호 $\subset$, $\not\subset$는 집합과 집합 사이의 관계를 나타낼 때 사용한다.

(2) 공집합은 모든 집합의 부분집합이고, 모든 집합은 자기 자신의 부분집합이다.
즉 임의의 집합 A에 대하여 $\varnothing\subset A$, $A\subset A$

01

[2006학년도 교육청]

집합 $A=\{1, 2, \{2,3\}, \varnothing\}$에 대하여 다음 중 옳은 것은? [2점]

① $\{\varnothing\}\subset A$ ② $3\in A$ ③ $\{1\}\in A$
④ $\{1,2\}\in A$ ⑤ $\{2,3\}\subset A$

02

[2006학년도 교육청]

집합 $A=\{1, 2, 3, \{1,2\}\}$에 대하여 다음 중 옳지 <u>않은</u> 것은? [2점]

① $\varnothing\subset A$ ② $\{1\}\subset A$ ③ $\{1, 2\}\subset A$
④ $\{2, 3\}\subset A$ ⑤ $\{\{3\}, \{1, 2\}\}\subset A$

03

집합 $A=\{\varnothing, a, \{a\}\}$에 대하여 다음 중 옳지 <u>않은</u> 것은? [2점]

① $a\in A$ ② $\{a\}\in A$ ③ $\varnothing\in A$
④ $\{\varnothing, a\}\in A$ ⑤ $\{a\}\subset A$

04

집합 $S=\{▲, ■, \{▲\}\}$에 대하여 다음 중 옳지 <u>않은</u> 것은? [2점]

① $▲\in S$ ② $\{▲\}\in S$ ③ $\{▲\}\subset S$
④ $\{▲, ■\}\in S$ ⑤ $\{▲, \{▲\}\}\subset S$

기출유형 02 집합의 포함 관계를 이용한 미지수 구하기

두 집합 $A=\{a, 1\}$, $B=\{2a+1, 1, 4\}$에 대하여 $A\subset B$를 만족시키는 모든 정수 a의 값의 합은? [3점]

① -1 ② 0 ③ 1 ④ 2 ⑤ 3

Act①
$A\subset B$이므로 집합 B의 원소 중에 집합 A의 원소인 a가 있어야 함을 이용한다.

해결의 실마리

집합의 포함 관계를 이용하여 미지수를 구할 때는

(1) 집합을 원소나열법으로 나타내어 각 원소를 비교한다.

⇨$A\subset B$일 때, A의 모든 원소는 B의 원소이다. 즉 $x\in A$이면 $x\in B$

(2) 부등식으로 표현되어 있을 때는 각 집합을 수직선 위에 나타내고 포함 관계가 성립할 조건을 찾는다.

05

[2018학년도 교육청]

자연수 전체의 집합의 두 부분집합

$$A=\{1, 2a\}, B=\{x|x\text{는 8의 약수}\}$$

에 대하여 $A\subset B$를 만족시키는 모든 자연수 a의 값의 합을 구하시오. [3점]

06

[2018학년도 교육청]

두 집합

$$A=\{-5, 0, 4, 6\}, B=\{x|-a<x<a\}$$

에 대하여 $A\subset B$를 만족하는 자연수 a의 최솟값은?

① 4 ② 5 ③ 6
④ 7 ⑤ 8

07

[2018학년도 교육청]

두 집합

$$A=\{a^2-1, 2\}, B=\{a+1, 0, a^2-7\}$$

에 대하여 $A\subset B$를 만족시키는 실수 a의 값은? [3점]

① 1 ② 2 ③ 3
④ 4 ⑤ 5

08

[2018학년도 교육청]

실수 전체의 집합의 두 부분집합

$$A=\{a-3, 2\}, B=\{a+2, 0, a^2-7\}$$

에 대하여 $A\subset B$일 때, 집합 B의 모든 원소의 합을 구하시오. [3점]

기출유형 03 서로 같은 집합에서 미지수 구하기

두 집합

$$A=\{2,\ 4,\ 6,\ 1+a\},\ B=\{2,\ b,\ 6,\ 8\}$$

에 대하여 $A=B$일 때, ab의 값은? (단, a, b는 자연수) [2점]

① 7 ② 14 ③ 21 ④ 28 ⑤ 35

Act①
$A=B$이므로 두 집합의 원소가 서로 같음을 이용한다.

해결의 실마리
$A\subset B$이고 $B\subset A$이면 $A=B$이므로 두 집합 A, B의 원소가 모두 같음을 이용하여 미지수를 구한다.

09
[2015학년도 교육청]

두 집합

$$A=\{2,\ 3,\ x\},\ B=\{3,\ 4,\ 2y\}$$

에 대하여 $A=B$일 때, $x+y$의 값은? [2점]

① 1 ② 2 ③ 3
④ 4 ⑤ 5

10
[2013학년도 교육청]

두 집합

$$A=\{1,\ 20,\ a\},\ B=\{1,\ 5,\ a+b\}$$

에 대하여 $A\subset B$이고 $B\subset A$일 때, b의 값은? [3점]

① 5 ② 10 ③ 15
④ 20 ⑤ 25

11
[2015학년도 교육청]

두 집합

$$A=\{a+2,\ a^2-2\},\ B=\{2,\ 6-a\}$$

에 대하여 $A=B$일 때, a의 값은? [3점]

① -2 ② -1 ③ 0
④ 1 ⑤ 2

12
[2015학년도 교육청]

두 집합

$$A=\{x\,|\,x\text{는 8의 약수}\},\ B=\{1,\ a+2,\ a^2-2,\ 8\}$$

에 대하여 $A\subset B$, $B\subset A$일 때, 상수 a의 값은? [3점]

① 1 ② 2 ③ 3
④ 4 ⑤ 5

기출유형 04 부분집합의 개수

집합 $A=\{1, 2, 3, 4, 5, 6\}$에 대하여 $2\in X$, $3\in X$, $5\notin X$를 만족시키는 집합 A의 부분집합 X의 개수는? [3점]

① 2 ② 4 ③ 8 ④ 16 ⑤ 32

Act ①
2, 3은 반드시 포함하고, 5는 포함하지 않는 부분집합 X의 개수를 구한다.

해결의 실마리

원소의 개수가 n인 집합 $A=\{a_1, a_2, a_3, \cdots, a_n\}$에 대하여

(1) A의 부분집합의 개수 ⇨ 2^n, A의 진부분집합의 개수 ⇨ 2^n-1

(2) A의 특정한 원소 m개를 반드시 갖는(갖지 않는) A의 부분집합의 개수 ⇨ 2^{n-m} (단, $m<n$)

(3) A의 특정한 원소 중 m개는 반드시 원소로 갖고 l개는 원소로 갖지 않는 부분집합의 개수 ⇨ 2^{n-m-l} (단, $m+l<n$)

(4) 특정한 원소 k개 중 적어도 한 개를 원소로 갖는 부분집합의 개수 ⇨ 2^n-2^{n-k} (단, $k<n$)

└특정한 원소 k개를 모두 포함하지 않는 부분집합의 개수를 뺀 거야.

13

[2018학년도 교육청]

집합 $A=\{x|x$는 6의 양의 약수$\}$의 모든 부분집합의 개수를 구하시오. [3점]

14

집합 $A=\{x|x$는 10 이하의 홀수$\}$의 부분집합 중에서 1, 2는 원소로 포함하고, 3은 원소로 포함하지 않는 집합의 개수를 구하시오. [3점]

15

[2013학년도 교육청]

집합 $A=\{1, 2, 3, 4, 5\}$의 부분집합 중에서 홀수가 한 개 이상 속해 있는 집합의 개수는? [3점]

① 16 ② 20 ③ 24
④ 28 ⑤ 32

16

집합 $A=\{x|x$는 12의 양의 약수$\}$의 부분집합 중 짝수가 한 개 이상 속해 있는 집합의 개수는? [3점]

① 48 ② 52 ③ 56
④ 60 ⑤ 64

기출유형 05 $A\subset X\subset B$를 만족시키는 집합 X의 개수

두 집합 $A=\{2, 3\}$, $B=\{x|1<x<10, x$는 소수$\}$에 대하여 $A\subset X\subset B$를 만족시키는 모든 집합 X의 개수를 구하시오. [3점]

Act①
$A\subset X\subset B$인 집합 X는 집합 B의 부분집합 중 집합 A의 모든 원소를 포함하는 집합임을 이용한다.

해결의 실마리

$A\subset X\subset B$를 만족시키는 집합 X의 개수

⇨ B의 부분집합 중 집합 A의 모든 원소를 반드시 원소로 갖는 집합의 개수

⇨ 집합 B에서 A의 원소를 제외한 집합의 부분집합의 개수

X는 A를 포함한다.
$A\subset X\subset B$
X는 B의 부분집합이다.

17

두 집합

$$A=\{1, 3, 5, 7, 9\},\ B=\{3, 5, 7\}$$

에 대하여 $B\subset X\subset A$를 만족시키는 집합 X의 개수는? [3점]

① 2 ② 4 ③ 8 ④ 16 ⑤ 32

18

[2017학년도 평가원]

전체집합 $U=\{1, 2, 3, 4, 5\}$에 대하여 $\{1, 2\}\subset X$를 만족시키는 U의 모든 부분집합 X의 개수는? [3점]

① 2 ② 4 ③ 6 ④ 8 ⑤ 10

19

[2016학년도 교육청]

두 집합

$$A=\{1, 2, 3, 4, 5\},\ B=\{1, 2\}$$

에 대하여 $B\subset X\subset A$를 만족시키는 모든 집합 X의 개수를 구하시오. [3점]

20

두 집합

$$A=\{x|x^2-4x+3=0\},\ B=\{x|x\text{는 한 자리의 홀수}\}$$

에 대하여 $A\subset X\subset B$를 만족시키는 집합 X의 개수는? [3점]

① 2 ② 4 ③ 8 ④ 16 ⑤ 32

Very Important Test

01

집합 $A=\{x|x$는 15의 약수$\}$일 때, [보기]에서 옳은 것만을 있는 대로 고른 것은? [2점]

| 보기 |

ㄱ. $1\in A$　　ㄴ. $3\notin A$　　ㄷ. $4\notin A$

① ㄱ　② ㄱ, ㄴ　③ ㄱ, ㄷ
④ ㄴ, ㄷ　⑤ ㄱ, ㄴ, ㄷ

02

두 집합

$A=\{-3,\ -2,\ -1,\ 0,\ 1,\ 2\}$,
$B=\{k|k=xy,\ x\in A,\ y\in A\}$

에 대하여 다음 중 옳지 않은 것은? [2점]

① $0\in B$　② $1\in B$　③ $3\in B$
④ $5\in B$　⑤ $6\in B$

03

두 집합

$A=\{a|a=n+1,\ n\le 3$ 인 자연수$\}$,
$B=\{b|b=a^2-1,\ a\in A\}$

에 대하여 집합 B의 모든 원소의 합을 구하시오. [3점]

04

두 집합 $A=\{0,\ 1,\ 2,\ 3,\ 4\}$, $B=\{2,\ 3\}$에 대하여 집합 $C=\{z|z=x+y,\ x\in A,\ y\in B\}$일 때, 집합 C의 모든 원소의 합은? [3점]

① 23　② 25　③ 27
④ 29　⑤ 31

05

[보기]에서 옳은 것만을 있는 대로 고른 것은? [3점]

| 보기 |

ㄱ. $A=\{0\}$이면 $n(A)=0$

ㄴ. $B=\varnothing$이면 $n(B)=0$

ㄷ. $n(\{3\})-n(\{1\})=2$

① ㄱ　② ㄴ　③ ㄱ, ㄴ
④ ㄴ, ㄷ　⑤ ㄱ, ㄴ, ㄷ

06

세 집합

$A=\{-1,\ 0,\ 1,\ 2\}$,
$B=\{x\ |\ x$는 6의 양의 약수$\}$,
$C=\{x\ |\ x$는 2보다 작은 소수$\}$

에 대하여 $n(A)+n(B)+n(C)$의 값은? [2점]

① 5　② 6　③ 7
④ 8　⑤ 9

07

자연수 전체집합의 부분집합 A가 다음 두 조건을 모두 만족할 때, 집합 A의 개수는? [3점]

> (가) $A \neq \varnothing$이고 A는 자연수를 원소로 갖는다.
>
> (나) $a \in A$이면 $\frac{16}{a} \in A$

① 5　② 6　③ 7　④ 8　⑤ 9

08

세 집합 $A=\{-1, 0, 1\}$, $B=\{x|x$는 $-1<x<1$인 정수$\}$, $C=\{-1, 0, 1, 2\}$ 사이의 포함 관계를 바르게 나타낸 것은? [2점]

① $A \subset B \subset C$　② $A \subset C \subset B$　③ $B \subset A \subset C$　④ $B \subset C \subset A$　⑤ $C \subset B \subset A$

09

두 집합 $A=\{a, a+2\}$, $B=\{2, 3, 4, 5\}$에 대하여 $A \subset B$가 되도록 하는 모든 실수 a의 값의 합은? [3점]

① 4　② 5　③ 6　④ 7　⑤ 8

10

두 집합 $A=\{2, 4, 2+a\}$, $B=\{2, b-1, 6\}$이 서로 같을 때, 상수 a, b의 합 $a+b$ 값은? [3점]

① 6　② 7　③ 8　④ 9　⑤ 10

11

두 집합

$$A=\{x|ax^2-x-6=0\},\ B=\{-2, b\}$$

에 대하여 $A \subset B$, $B \subset A$일 때, $a+b$의 값은?

(단, a, b는 상수) [3점]

① -6　② -3　③ 4　④ 8　⑤ 12

12

집합 $A=\{1, a^2+a\}$, $B=\{a^2, 2\}$에 대하여 $A \subset B$이고 $B \subset A$일 때, 실수 a의 값을 구하시오. [3점]

13

세 집합 $A=\{x|-2<x<3\}$, $B=\{x|a\le x\le b\}$, $C=\{x|-1\le x<2\}$에 대하여 $C\subset B\subset A$가 성립하도록 정수 a, b의 값을 정할 때, $b-a$의 값을 구하시오 [3점]

14

집합 $A=\{x|x$는 10 이하의 자연수$\}$의 부분집합 중 소수를 모두 포함하는 것의 개수를 구하시오. [3점]

15

집합 $\{2, 4, 6, 8, 10\}$의 부분집합 중에서 4의 배수가 한 개 이상 속해 있는 집합의 개수는? [3점]

① 20 ② 22 ③ 24 ④ 26 ⑤ 28

16

전체집합 $U=\{x|x$는 자연수$\}$의 두 부분집합 A, B에 대하여 $A=\{x|x$는 4의 약수$\}$, $B=\{x|x$는 12의 약수$\}$일 때, $A\subset X\subset B$를 만족시키는 집합 X의 개수를 구하시오. [3점]

17

집합 $A=\{1, 2, 3, 4, 5\}$의 부분집합 중 원소 1 또는 2를 포함하는 것의 개수를 구하시오. [3점]

18

집합 $X=\{a, b, c, d\}$의 부분집합 중에서 a 또는 b를 원소로 갖는 집합의 개수는? [3점]

① 8 ② 10 ③ 12 ④ 14 ⑤ 16

02 집합의 연산

출제경향 합집합과 교집합, 서로소, 차집합의 개념 문제와 집합의 연산법칙과 유한집합의 원소의 개수에 대한 문제가 자주 출제된다. 집합의 연산법칙은 벤다이어그램으로도 연산의 결과를 확인해 본다.

핵심개념 1 합집합과 교집합

(1) **합집합** : 집합 A에 속하거나 집합 B에 속하는 모든 원소로 이루어진 집합을 A와 B의 합집합이라 하고, 기호로 $\boldsymbol{A\cup B}$와 같이 나타낸다. 즉

$A\cup B=\{x|x\in A$ 또는 $x\in B\}$

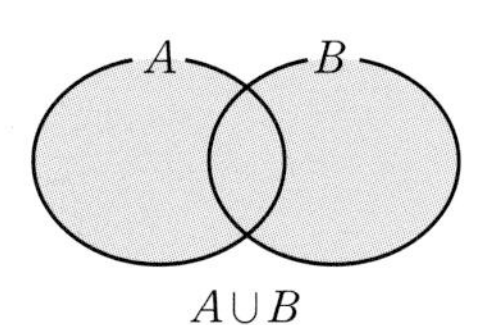

$A\cup B$

(2) **교집합** : 집합 A에도 속하고 집합 B에도 속하는 모든 원소로 이루어진 집합을 A와 B의 교집합이라 하고, 기호로 $\boldsymbol{A\cap B}$와 같이 나타낸다. 즉

$A\cap B=\{x|x\in A$ 그리고 $x\in B\}$

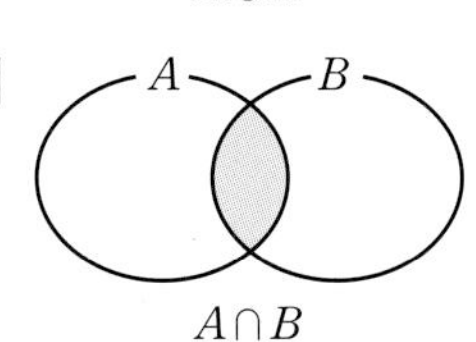

$A\cap B$

(3) **서로소** : 두 집합 A, B에서 공통인 원소가 하나도 없을 때, 즉 $A\cap B=\varnothing$일 때, 두 집합 A와 B는 서로소라 한다.

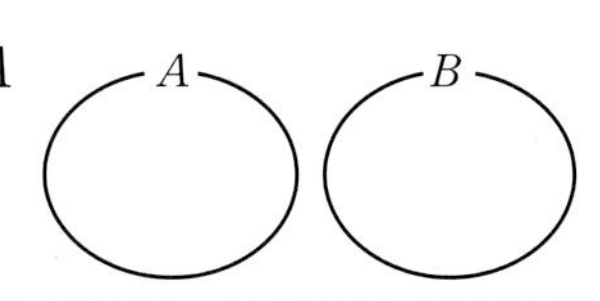

[2018학년도 교육청]

01 두 집합 $A=\{1, 2, 3, 4\}$, $B=\{1, 3, 5\}$에 대하여 집합 $A\cap B$의 모든 원소의 합은? [2점]

① 1 ② 2 ③ 3 ④ 4 ⑤ 5

[2017학년도 교육청]

02 두 집합 $A=\{1, 2, 3, 4\}$, $B=\{1, 3, 5\}$에 대하여 $n(A\cup B)$의 값은? [2점]

① 3 ② 4 ③ 5 ④ 6 ⑤ 7

핵심개념 2 여집합과 차집합

(1) **전체집합** : 주어진 어떤 집합에서 그 부분집합을 생각할 때 처음에 주어진 집합을 전체집합이라 하고, 기호로 $\boldsymbol{U}$와 같이 나타낸다.

(2) **여집합** : 전체집합 U와 그 부분집합 A가 있을 때, U의 원소 중에서 A에 속하지 않는 모든 원소로 이루어진 집합을 U에 대한 A의 여집합이라 하고, 기호로 $\boldsymbol{A^C}$와 같이 나타낸다. 즉

$A^C=\{x|x\in U$ 그리고 $x\notin A\}$

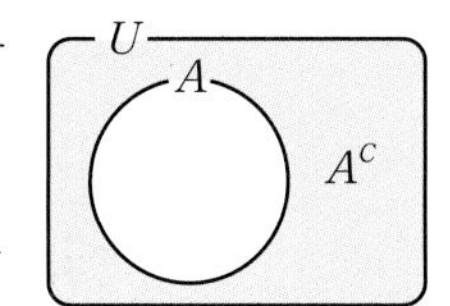

(3) **차집합** : 두 집합 A, B가 있을 때, 집합 A에는 속하지만 집합 B에는 속하지 않는 모든 원소로 이루어진 집합을 A에 대한 B의 차집합이라 하고, 기호로 $\boldsymbol{A-B}$와 같이 나타낸다. 즉

$A-B=\{x|x\in A$ 그리고 $x\notin B\}$

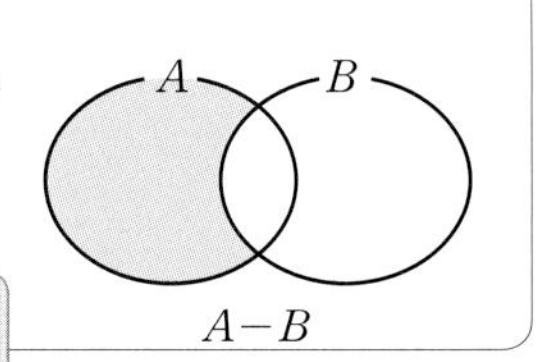

$A-B$

집합 A의 여집합 A^C는 전체집합 U에 대한 집합 A의 차집합으로 생각할 수 있다. 즉 $A^C=U-A$

[2019학년도 수능]

03 두 집합 $A=\{3, 5, 7, 9\}$, $B=\{3, 7\}$에 대하여 $A-B=\{a, 9\}$일 때, a의 값은 [2점]

① 1 ② 2 ③ 3 ④ 4 ⑤ 5

[2018학년도 수능 모의평가]

04 두 집합 $A=\{1, 3, 5, 7\}$, $B=\{1, 5\}$에 대하여 집합 $A-B$의 모든 원소의 합은? [2점]

① 8 ② 9 ③ 10 ④ 11 ⑤ 12

핵심개념 3 집합의 연산에 대한 성질

전체집합 U와 그 부분집합 A, B가 있을 때

(1) 합집합과 교집합의 성질

① $A\cup A=A$, $A\cap A=A$ ② $A\cup\varnothing=A$, $A\cap\varnothing=\varnothing$

③ $A\cup U=U$, $A\cap U=A$ ④ $A\cap(A\cup B)=A$, $A\cup(A\cap B)=A$

(2) 여집합과 차집합의 성질

① $A\cup A^C=U$, $A\cap A^C=\varnothing$ ② $U^C=\varnothing$, $\varnothing^C=U$

③ $A-B=A\cap B^C$ ④ $(A^C)^C=A$

[2010학년도 교육청]

05 $A\cap B^C=\varnothing$일 때, 항상 옳은 것은? (단, U는 전체집합) [2점]

① $A\subset B$ ② $B\subset A^C$ ③ $A\cap B=B$ ④ $A\cup B=U$ ⑤ $B-A=\varnothing$

핵심개념 4 집합의 연산법칙

(1) 집합의 연산법칙 : 세 집합 A, B, C에 대하여

① 교환법칙 : $A\cup B=B\cup A$, $A\cap B=B\cap A$

② 결합법칙 : $(A\cup B)\cup C=A\cup(B\cup C)$, $(A\cap B)\cap C=A\cap(B\cap C)$

③ 분배법칙 : $A\cap(B\cup C)=(A\cap B)\cup(A\cap C)$, $A\cup(B\cap C)=(A\cup B)\cap(A\cup C)$

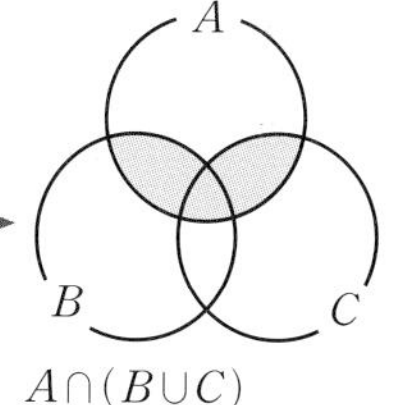

$A\cap(B\cup C)$
$=(A\cap B)\cup(A\cap C)$

(2) 드모르간의 법칙 : 전체집합 U의 두 부분집합 A, B에 대하여

$(A\cup B)^C=A^C\cap B^C$, $(A\cap B)^C=A^C\cup B^C$

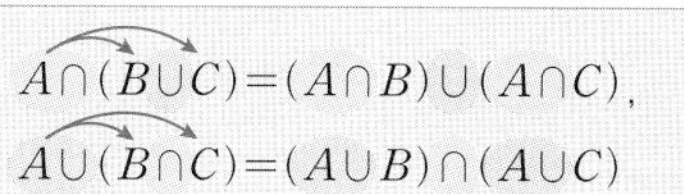

[2012학년도 교육청]

06 전체집합 U의 임의의 두 부분집합 A, B에 대하여 $(A-B)^C$과 같은 집합은? [2점]

① $A\cap B^C$ ② $A^C\cap B$ ③ $A\cup B^C$ ④ $A^C\cup B$ ⑤ $A^C\cup B^C$

[2013학년도 교육청]

07 전체집합 $U=\{1, 2, 3, 4, 5\}$의 두 부분집합 $A=\{1, 2, 3\}$, $B=\{2, 4\}$에 대하여 집합 $(A^C\cap B)^C$의 모든 원소의 합은? [2점]

① 5 ② 7 ③ 9 ④ 11 ⑤ 13

핵심개념 5 유한집합의 원소의 개수

전체집합 U의 두 부분집합 A, B에 대하여

(1) 교집합과 합집합의 원소의 개수

$n(A\cup B)=n(A)+n(B)-n(A\cap B)$

► 교집합의 원소의 개수가 중복해서 더해졌으니까 중복된 만큼을 빼 주어야겠지?

$n(A)=3$ + $n(B)=4$ − $n(A\cap B)=2$ = $n(A\cup B)=5$

(2) 여집합과 차집합의 원소의 개수

① $n(A^C)=n(U)-n(A)$

② $n(A-B)=n(A)-n(A\cap B)=n(A\cup B)-n(B)$

[2015학년도 교육청]

08 전체집합 U의 두 부분집합 A, B에 대하여 $n(U)=40$, $n(A\cap B)=6$일 때, $n(A^C\cup B^C)$의 값을 구하시오. [3점]

유형따라잡기

기출유형 01 합집합과 교집합

[2018학년도 수능 모의평가]

두 집합 $A=\{1, 2\}$, $B=\{1, 2, 4\}$에 대하여 집합 $A\cup B$의 모든 원소의 합은? [2점]

① 4 ② 5 ③ 6 ④ 7 ⑤ 8

Act ①

합집합을 구할 때 원소가 빠지거나 중복되지 않도록 한다.

해결의 실마리

(1) $A\cup B$ ⇨ 두 집합 A, B의 모든 원소로 이루어진 집합

(2) $A\cap B$ ⇨ 두 집합 A, B에 공통으로 들어 있는 원소로 이루어진 집합

(3) 서로소인 두 집합은 공통인 원소가 하나도 없어야 한다. ⇨

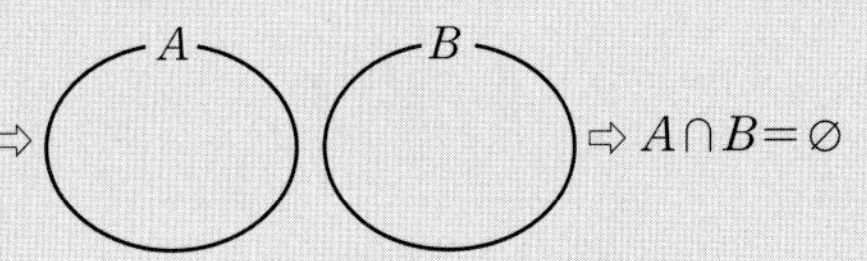

⇨ $A\cap B=\varnothing$

01

[2017학년도 수능]

두 집합

$$A=\{1, 2, 3, 4, 5\}, B=\{2, 4, 6, 8, 10\}$$

에 대하여 $n(A\cup B)$의 값은? [2점]

① 6 ② 7 ③ 8 ④ 9 ⑤ 10

02

[2017학년도 수능 모의평가]

두 집합

$$A=\{1, 2, 3, 4, 5\}, B=\{3, 4, 5, 6, 7\}$$

에 대하여 $n(A\cap B)$의 값은? [2점]

① 1 ② 2 ③ 3 ④ 4 ⑤ 5

03

[2011학년도 교육청]

다음 중 집합 $A=\{3, 4\}$와 서로소인 집합은? [2점]

① $\{4\}$

② $\{1, 3, 5\}$

③ $\{x|x$는 10 이하의 홀수$\}$

④ $\{x|x$는 10 이하의 3의 배수$\}$

⑤ $\{x|x$는 7의 양의 약수$\}$

04

[2012학년도 교육청]

집합 $S=\{1, 2, 3, 4, 5\}$의 부분집합 중에서 집합 $\{1, 2\}$와 서로소인 집합의 개수는? [3점]

① 1 ② 2 ③ 4 ④ 7 ⑤ 8

친절한 해설 6쪽

기출유형 02 여집합과 차집합

[2012학년도 교육청]

전체집합 U의 두 부분집합 A, B에 대하여 $A=\{2, 3, 4, 5, 6\}$, $A-B=\{2, 6\}$일 때, 집합 $A\cap B$의 모든 원소의 합을 구하시오. [2점]

Act ①
집합 A의 원소를 A에만 속하는 원소와 그렇지 않은 원소로 구분해서 풀면 쉽다.

해결의 실마리

(1) U에 대한 A의 여집합 A^C ⇨ 전체집합 U에서 집합 A의 원소를 제외한다.
(A^C: U에서 A에 속하지 않는 원소들만 생각하면 돼.)

(2) 차집합 $A-B$ ⇨ 집합 A의 원소에서 B의 원소를 제외한다.
($-$: A에만 속하는 원소들만 생각하면 돼.)

05

[2016학년도 교육청]

전체집합 $U=\{x\,|\,x$는 8 이하의 자연수$\}$의 부분집합

$$A=\{2, 4, 6, 8\}$$

에 대하여 집합 A^C의 모든 원소의 합은? [2점]

① 10 ② 12 ③ 14 ④ 16 ⑤ 18

06

[2015학년도 교육청]

전체집합 $U=\{1, 2, 3, 4, 5\}$의 두 부분집합

$$A=\{1, 2\},\ B=\{2, 3, 4\}$$

에 대하여 집합 $A^C\cup B$의 원소의 개수는? [2점]

① 1 ② 2 ③ 3 ④ 4 ⑤ 5

07

[2018학년도 교육청]

전체집합 U의 두 부분집합

$$A=\{1, 2, 3, 4, 5\},\ B=\{4, 5, 6\}$$

에 대하여 집합 $A-B$의 모든 원소의 합은? [2점]

① 6 ② 7 ③ 8 ④ 9 ⑤ 10

08

[2017학년도 교육청]

두 집합

$$A=\{1, 2, 3, 6\},\ B=\{2, 4, 6, 8\}$$

에 대하여 집합 $(A\cup B)-(A\cap B)$의 모든 원소의 합은? [3점]

① 12 ② 14 ③ 16 ④ 18 ⑤ 20

기출유형 03 집합의 연산에 대한 성질

[2017학년도 수능]

전체집합 $U=\{x|x$는 9 이하의 자연수$\}$의 두 부분집합

$$A=\{3, 6, 7\}, B=\{a-4, 8, 9\}$$

에 대하여 $A\cap B^C=\{6, 7\}$이다. 자연수 a의 값을 구하시오. [3점]

Act ①
$A\cap B^C=A-B=\{6, 7\}$이므로 A의 원소 3은 B에도 속한다.

해결의 실마리 ┌ 벤다이어그램에서 알 수 있는 집합의 연산에 대한 성질들이야.

집합의 연산에 대한 성질 : 전체집합 U와 그 부분집합 A, B가 있을 때

(1) 합집합과 교집합의 성질

① $A\cup A=A$, $A\cap A=A$ ② $A\cup\varnothing=A$, $A\cap\varnothing=\varnothing$

③ $A\cup U=U$, $A\cap U=A$ ④ $A\cap(A\cup B)=A$, $A\cup(A\cap B)=A$

(2) 여집합과 차집합의 성질

① $A\cup A^C=U$, $A\cap A^C=\varnothing$ ② $U^C=\varnothing$, $\varnothing^C=U$

③ $A-B=A\cap B^C$  ④ $(A^C)^C=A$

└ 벤다이어그램을 그려 보면 알 수 있어. 자주 이용되는 성질이니까 암기해 두자.

집합의 연산 성질과 집합의 포함 관계
(1) $A\cap B=A$ 또는 $A\cup B=B$ ⇨ $A\subset B$
(2) $A-B=\varnothing$ ⇨ $A\subset B$

09

[2010학년도 교육청]

전체집합 U의 공집합이 아닌 두 부분집합 A, B가 서로소일 때, 다음 중 옳은 것은? [2점]

① $A\subset B^C$ ② $B\subset A$ ③ $A\cap B^C=\varnothing$
④ $B-A=\varnothing$ ⑤ $A\cup B=U$

10

전체집합 $U=\{x|x$는 10 이하의 자연수$\}$의 두 부분집합 A, B에 대하여

$A=\{x|x$는 8의 양의 약수$\}$,
$(A\cap B^C)\cup(A^C\cap B)=\{1, 3, 4, 7, 10\}$

일 때, 집합 B의 모든 원소의 합은? [3점]

① 22 ② 24 ③ 26
④ 28 ⑤ 30

11

[2017학년도 교육청]

두 집합 $A=\{1, 2, 3, 4, 5\}$, $B=\{1, 3, 5, 9\}$에 대하여

$(A-B)\cap C=\varnothing$, $A\cap C=C$

를 만족시키는 집합 C의 개수를 구하시오. [3점]

12

전체집합 $U=\{x|x$는 10 이하의 자연수$\}$의 세 부분집합 A, B, C에 대하여

$A=\{5, 10\}$, $B=\{x|x$는 6의 양의 약수$\}$

일 때, $A\cap C\neq\varnothing$, $B\cap C=\varnothing$을 만족시키는 집합 C의 개수는? [3점]

① 16 ② 32 ③ 48
④ 64 ⑤ 80

친절한 해설 7쪽

기출유형 04 집합의 연산법칙

[2012학년도 교육청]

전체집합 $U=\{1, 2, 3, 4, 5, 6\}$의 두 부분집합 $A=\{1, 2, 3, 4\}$, $B=\{3, 4, 5\}$에 대하여 집합 $A\cap(A^C\cup B)$의 모든 원소의 합은? [3점]

① 5 ② 6 ③ 7 ④ 8 ⑤ 9

Act①
집합의 분배법칙을 이용하여 집합의 포함 관계를 간단히 나타낸다.

해결의 실마리

(1) 집합의 연산법칙 : 세 집합 A, B, C에 대하여
① 교환법칙 : $A\cup B=B\cup A$, $A\cap B=B\cap A$
② 결합법칙 : $(A\cup B)\cup C=A\cup(B\cup C)$, $(A\cap B)\cap C=A\cap(B\cap C)$
③ 분배법칙 : $A\cap(B\cup C)=(A\cap B)\cup(A\cap C)$, $A\cup(B\cap C)=(A\cup B)\cap(A\cup C)$

(2) 드모르간의 법칙 : 전체집합 U의 두 부분집합 A, B에 대하여 $(A\cup B)^C=A^C\cap B^C$, $(A\cap B)^C=A^C\cup B^C$

13

[2015학년도 교육청]

그림은 전체집합 U의 서로 다른 두 부분집합 A, B 사이의 관계를 벤 다이어그램으로 나타낸 것이다.
다음 중 어두운 부분을 나타낸 집합과 같은 것은? [3점]

① $A\cap B^C$ ② $(A\cap B)\cup B^C$
③ $(A\cap B^C)\cup A^C$ ④ $(A\cup B)\cap(A\cap B)^C$
⑤ $(A-B)\cup(A^C\cap B^C)$

14

[2017학년도 교육청]

전체집합 U의 두 부분집합 A, B가

$$A^C\cap B^C=\{1\},\ B^C=\{1, 5, 7\}$$

을 만족시킬 때, 집합 $A-B$의 모든 원소의 합을 구하시오. [3점]

15

[2015학년도 교육청]

전체집합 $U=\{x|x$는 9 이하의 자연수$\}$의 두 부분집합 A, B에 대하여
$A\cap B=\{1, 2\}$, $A^C\cap B=\{3, 4, 5\}$, $A^C\cap B^C=\{8, 9\}$
를 만족시키는 집합 A의 모든 원소의 합은? [3점]

① 8 ② 10 ③ 12
④ 14 ⑤ 16

16

[2011학년도 교육청]

전체집합 U의 세 부분집합 A, B, C에 대하여 옳은 것만을 [보기]에서 있는 대로 고른 것은? [3점]

| 보기 |
ㄱ. $A-B^C=A\cap B$
ㄴ. $(A-B)-C=A-(B\cup C)$
ㄷ. $\{A\cap(B-A)^C\}\cup\{(B-A)\cap A\}=A$

① ㄱ ② ㄷ ③ ㄱ, ㄴ
④ ㄴ, ㄷ ⑤ ㄱ, ㄴ, ㄷ

기출유형 05 유한집합의 원소의 개수

[2008학년도 교육청]

전체집합 $U=\{1, 2, 3, 4, 5\}$의 두 부분집합 $A=\{1, 2, 4\}$, $B=\{4, 5\}$에 대하여 집합 $A\cup B^C$의 원소의 개수는? [3점]

① 1　② 2　③ 3　④ 4　⑤ 5

Act ①
벤다이어그램을 그려 각 부분에 원소가 중복되지 않도록 써넣는다.

해결의 실마리

유한집합 A, B의 원소의 개수 (단, U는 전체집합)

$n(A\cup B)=n(A)+n(B)-n(A\cap B)$

$n(A^C)=n(U)-n(A)$　← 중복되는 개수만큼 빼 준 거야.

$n(A-B)=n(A)-n(A\cap B)=n(A\cup B)-n(B)$

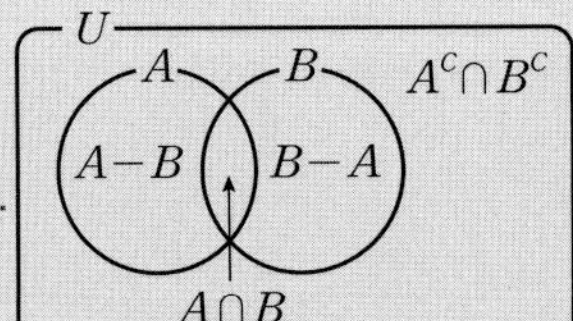

중요
전체집합 U와 두 부분집합 A, B가 주어질 때 각각의 원소는 왼쪽 벤다이어그램의 네 부분에 중복되지 않게 속한다. 따라서 유한집합의 원소의 개수를 구할 때 중복되는 부분이 없도록 주의한다.

17
[2009학년도 교육청]

전체집합 U의 두 부분집합 A, B에 대하여 $n(U)=80$, $n(A)=45$, $n(B-A)=25$일 때, 벤 다이어그램의 어두운 부분이 나타내는 집합의 원소의 개수를 구하시오. (단, $n(X)$는 집합 X의 원소의 개수이다.) [3점]

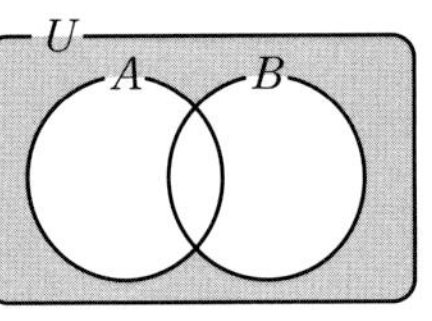

18
[2017학년도 교육청]

전체집합 $U=\{x|x$는 10 이하의 자연수$\}$의 두 부분집합 A, B에 대하여

$A-B=\{2, 3\}$, $B-A=\{1, 4\}$, $(A\cup B)^C=\{6, 7, 8\}$

을 만족시키는 집합 A의 모든 부분집합의 개수를 구하시오. [3점]

19
[2015학년도 교육청]

전체집합 U의 두 부분집합 A, B에 대하여

$$n(U)=50,\ n(A\cap B)=12,\ n(A^C\cap B^C)=5$$

일 때, $n((A-B)\cup(B-A))$의 값은? [3점]

① 30　② 31　③ 32
④ 33　⑤ 34

20
[2010학년도 교육청]

집합 A, B에 대하여

$$n(A)-n(B)=3,\ n(A-B)=10,\ n(A\cap B)=5$$

일 때, $n(A\cup B)$의 값을 구하시오. (단, $n(X)$는 집합 X의 원소의 개수이다.) [3점]

친절한 해설 9쪽

기출유형 06 유한집합의 원소의 개수의 활용

[2014학년도 교육청]

어느 회사의 전체 신입사원 200명 중에서 소방안전 교육을 받은 사원은 120명, 심폐소생술 교육을 받은 사원은 115명, 두 교육을 모두 받지 않은 사원은 17명이다. 이 회사의 전체 신입사원 200명 중에서 심폐소생술 교육만을 받은 사원의 수는? [3점]

① 60 ② 63 ③ 66 ④ 69 ⑤ 72

Act①
주어진 조건을 집합과 그 원소의 개수로 나타낸다.

Act②
$n(A\cup B)=n(A)+n(B)-n(A\cap B)$
를 이용하여 구하는 집합의 원소의 개수를 구한다.

해결의 실마리
주어진 조건을 집합과 그 원소의 개수로 나타내고, 유한집합의 원소의 개수 공식 $n(A\cup B)=n(A)+n(B)-n(A\cap B)$를 이용한다.

21

[2010학년도 교육청]

어느 반 학생 34명은 모두 지난 겨울 방학 동안 국내 체험활동 또는 해외 체험활동에 참가했다. 국내 체험활동에 참가한 학생은 31명이었고, 해외 체험활동에 참가한 학생은 8명이었다. 국내 체험활동과 해외 체험활동에 모두 참가한 학생 수는? [3점]

① 5 ② 6 ③ 7
④ 8 ⑤ 9

22

[2017학년도 교육청]

어느 야구팀에서 등 번호가 2의 배수 또는 3의 배수인 선수는 모두 25명이다. 이 야구팀에서 등 번호가 2의 배수인 선수의 수와 등 번호가 3의 배수인 선수의 수는 같고, 등 번호가 6의 배수인 선수는 3명이다. 이 야구팀에서 등 번호가 2의 배수인 선수의 수는? (단, 모든 선수는 각각 한 개의 등 번호를 갖는다.) [3점]

① 6 ② 8 ③ 10
④ 12 ⑤ 14

23

[2018학년도 교육청]

어느 학급 전체 학생 30명이 있다. 이 학급의 학생들 중 방과 후 수업으로 수학을 신청한 학생이 24명, 영어를 신청한 학생이 15명이라 하자. 이 학급의 학생 중에서 수학과 영어를 모두 신청한 학생의 수의 최댓값과 최솟값의 합은? [3점]

① 20 ② 21 ③ 22
④ 23 ⑤ 24

Very Important Test

01

세 집합 A, B, C에 대하여

$A\cup B=\{-2,\ -1,\ 0,\ 1\}$, $A\cup C=\{-2,\ 1,\ 4,\ 5\}$

일 때, 집합 $A\cup(B\cap C)$의 모든 원소의 합은? [2점]

① -2 ② -1 ③ 0
④ 1 ⑤ 2

02

전체집합 U의 두 부분집합 A, B에 대하여

$A\cup B=\{1,\ 3,\ 5,\ 7,\ 9\}$, $A^C=\{3,\ 6,\ 9,\ 12\}$

일 때, 집합 $B-A$의 모든 원소의 합은? [2점]

① 6 ② 9 ③ 12
④ 15 ⑤ 18

03

집합 $A=\{1,\ 2,\ a+1\}$, $B=\{3,\ a-2\}$에 대하여 $A\cap B=\{3\}$일 때, $A\cup B$의 모든 원소의 합은? [3점]

① 3 ② 4 ③ 5
④ 6 ⑤ 7

04

집합 $A=\{a,\ b,\ c\}$에 대하여 $\{a,\ b\}\cap X\neq\varnothing$을 만족하는 집합 A의 부분집합 X의 개수를 구하시오. [3점]

05

전체집합 $U=\{x\mid x$는 $1\le x\le 8$인 자연수$\}$의 두 부분집합 A, B에 대하여

$A\cap B=\{1,\ 3\}$, $A\cap B^C=\{5\}$

일 때, 집합 A^C의 원소의 개수는? [3점]

① 2 ② 3 ③ 4
④ 5 ⑤ 6

06

전체집합 $U=\{2,\ 3,\ 4,\ 5,\ 6\}$의 두 부분집합 A, B가 다음 두 조건을 만족한다.

(가) $A\cup B=U$
(나) $A\cap B=\{2,\ 3,\ 5\}$

집합 X의 원소의 합을 $f(X)$라 할 때, $f(A)\times f(B)$의 최댓값은? [3점]

① 200 ② 214 ③ 220
④ 224 ⑤ 244

07

두 집합

$A=\{1,\ 3,\ 5,\ 2a-b\}$, $B=\{1,\ 8,\ -a+2b\}$

에 대하여 $A-B=\{3\}$일 때, $a+b$의 값은?

(단, a, b는 실수이고, $n(A)=4$이다.) [3점]

① 11 ② 12 ③ 13
④ 14 ⑤ 15

08

전체집합 $U=\{1,\ 2,\ 3,\ 4,\ 5\}$의 두 부분집합 A, B에 대하여 $A=\{1,\ 3\}$일 때, 다음 조건을 만족하는 집합 B의 개수는? [3점]

(가) $A\cap B\neq\varnothing$

(나) $x\in A^C$이면 $x\in B$이다.

① 1 ② 3 ③ 5
④ 7 ⑤ 9

09

전체집합 U의 세 부분집합 A, B, C에 대하여 [보기] 중 옳은 것만을 있는 대로 고른 것은? [3점]

보기

ㄱ. $A\cap(A\cap B)^C=A-B$

ㄴ. $(A-C)\cup(B-C)=(A\cup B)-C$

ㄷ. $(A-B)-C=A-(B-C)$

① ㄱ ② ㄷ ③ ㄱ, ㄴ
④ ㄴ, ㄷ ⑤ ㄱ, ㄴ, ㄷ

10

전체집합 U의 두 부분집합 A, B에 대하여 $n(U)=60$, $n(A)=37$, $n(A\cap B)=22$, $n(A^C\cap B^C)=5$일 때, $n(B)$는? [3점]

① 36 ② 37 ③ 38
④ 39 ⑤ 40

11

전체집합 U의 두 부분집합 A, B에 대하여 $n(U)=30$, $n(A)=15$, $n(B)=17$, $n(A^C\cap B^C)=5$일 때, $n(A\cap B^C)$는? [3점]

① 6 ② 7 ③ 8
④ 9 ⑤ 10

12

어느 컴퓨터 동호회 회원 40명 중 데스크톱을 가진 회원이 16명, 노트북을 가진 회원이 25명이고, 두 가지 모두 가진 회원이 6명이라고 한다. 데스크톱 또는 노트북을 가진 회원 수를 구하시오. [3점]

Ⅰ. 집합과 명제

03 명제

출제경향 명제는 집합의 개념을 이용하여 수학적 성질 및 정리를 서술하는 도구로써, 수학적인 추론을 가능하게 하는 표현 방법이다. 각종 모의고사의 추론 능력 문제의 근간이 되므로 명제의 부정, 역, 대우, 필요조건, 충분조건, 대우를 이용한 증명법과 귀류법, 절대부등식의 의미 등을 이해하고 있어야 한다.

핵심개념 1 명제와 조건, 진리집합

(1) 명제 : 참, 거짓을 분명하게 판별할 수 있는 문장이나 식

(2) 조건 : 문자의 값에 따라 참, 거짓이 결정되는 문장이나 식

(3) 진리집합 : 전체집합 U의 원소 중에서 조건 p를 참이 되게 하는 모든 원소의 집합 P를 조건 p의 진리집합이라 한다.

[2017학년도 교육청]

01 명제 '$x=5$ 이면 $x^2=a$ 이다.'가 참이 되도록 하는 상수 a 의 값을 구하시오. [3점]

[2016학년도 교육청]

02 명제 '$x=a$ 이면 $x^2-5x-14=0$ 이다.'가 참이 되도록 하는 양수 a 의 값을 구하시오. [3점]

핵심개념 2 명제와 조건의 부정

(1) 명제와 조건의 부정

명제 또는 조건 p에 대하여 'p가 아니다.'를 명제 또는 조건 p의 부정이라 하고, 기호로 $\sim \boldsymbol{p}$와 같이 나타낸다.

① 명제 p가 참이면 $\sim p$는 거짓이고, 명제 p가 거짓이면 $\sim p$는 참이다.

② 명제 $\sim p$의 부정은 p이다. 즉 $\sim(\sim p)=p$

조건 'p 또는 q'의 부정은 ⇨ '$\sim p$ 그리고 $\sim q$'
조건 'p 그리고 q'의 부정은 ⇨ '$\sim p$ 또는 $\sim q$'

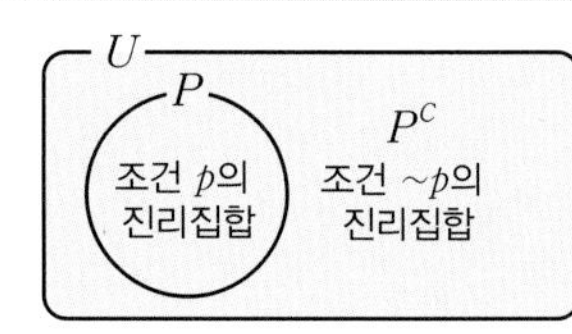

(2) 조건의 부정과 진리집합

전체집합 U에서 정의된 조건 p의 진리집합을 P라 할 때, $\sim p$의 진리집합은 P^C이다.

[2017학년도 교육청]

03 전체집합 $U=\{1, 2, 3, 4, 5, 6, 7, 8\}$에 대하여 조건 p가

p : x는 짝수 또는 6의 약수이다.

일 때, 조건 $\sim p$의 진리집합의 모든 원소의 합은? [3점]

① 11 ② 12 ③ 13 ④ 14 ⑤ 15

[2017학년도 수능 모의평가]

04 정수 x에 대한 조건 p : $x(x-11)\geq 0$에 대하여 조건 $\sim p$의 진리집합의 원소의 개수는? [3점]

① 6 ② 7 ③ 8 ④ 9 ⑤ 10

핵심개념 3 '모든' 또는 '어떤'을 포함한 명제

(1) 일반적으로 조건 p는 참, 거짓을 판별할 수 없지만, 조건 p 앞에 '모든'이나 '어떤'이 있으면 참, 거짓이 판별되므로 명제가 된다.

(2) '모든' 또는 '어떤'이 있는 명제의 참, 거짓

전체집합 U에 대하여 조건 p의 진리집합을 P라 할 때

① '모든 x에 대하여 p이다.' ⇨ $P=U$이면 참이고, $P\neq U$이면 거짓이다.

② '어떤 x에 대하여 p이다.' ⇨ $P\neq\varnothing$이면 참이고, $P=\varnothing$이면 거짓이다.

(3) '모든' 또는 '어떤'이 있는 명제의 부정

① 명제 '모든 x에 대하여 p이다.'의 부정은 ⇨ '어떤 x에 대하여 $\sim p$이다.'

② 명제 '어떤 x에 대하여 p이다.'의 부정은 ⇨ '모든 x에 대하여 $\sim p$이다.'

명제 '모든 x에 대하여 p이다.'가 참이라는 것은 전체집합 U의 모든 원소에 대하여 조건 p가 참이 됨을 뜻하고, 명제 '어떤 x에 대하여 p이다.'가 참이라는 것은 전체집합 U의 원소 중에서 조건 p가 참이 되게 하는 원소가 적어도 하나 존재함을 뜻하는 거야.

[2017학년도 수능 모의평가]

05 자연수 a에 대한 조건 '모든 양의 실수 x에 대하여 $x-a+4>0$이다.'가 참인 명제가 되도록 하는 a의 개수는? [3점]

① 1 ② 2 ③ 3 ④ 4 ⑤ 5

핵심개념 4 명제의 역과 대우

(1) 두 조건 p, q로 이루어진 명제 'p이면 q이다.'를 기호로 $\boldsymbol{p \rightarrow q}$와 같이 나타내고, p를 가정, q를 결론이라 한다.

(2) 명제의 역과 대우

명제 $p \rightarrow q$에 대하여

① 역 : $q \rightarrow p$ (가정 p와 결론 q를 서로 바꾸어 만든 명제)

② 대우 : $\sim q \rightarrow \sim p$ (가정 p와 결론 q를 각각 부정하여 서로 바꾸어 만든 명제)

$p \rightarrow q$ ←역→ $q \rightarrow p$
대우
$\sim p \rightarrow \sim q$ ←역→ $\sim q \rightarrow \sim p$

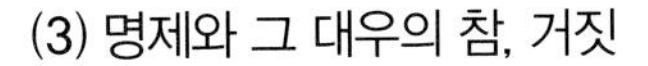
(3) 명제와 그 대우의 참, 거짓

① 명제 $p \rightarrow q$가 참이면 그 대우 $\sim q \rightarrow \sim p$도 참이다.

② 명제 $p \rightarrow q$가 거짓이면 그 대우 $\sim q \rightarrow \sim p$도 거짓이다.

[2018학년도 교육청]

06 두 조건 p, q의 진리집합이 각각 $P=\{2, 3, a^2\}$, $Q=\{4, a+1\}$이다. 명제 $p \rightarrow q$의 역이 참일 때, 실수 a의 값은? [3점]

① -2 ② -1 ③ 0 ④ 1 ⑤ 2

[2018학년도 수능 모의평가]

07 실수 a에 대하여 명제 '$a\geq\sqrt{3}$ 이면 $a^2\geq3$이다.'의 대우는? [3점]

① $a^2<3$이면 $a>\sqrt{3}$이다.
② $a^2<3$이면 $a<\sqrt{3}$이다.
③ $a^2\leq3$이면 $a\leq\sqrt{3}$이다.
④ $a>\sqrt{3}$이면 $a^2\leq3$이다.
⑤ $a\geq\sqrt{3}$ 이면 $a^2<3$이다.

핵심개념 5 충분조건과 필요조건

(1) 명제 $p \longrightarrow q$가 참일 때, 기호로 $\boldsymbol{p} \Rightarrow \boldsymbol{q}$와 같이 나타낸다. 이때 p는 q이기 위한 충분조건, q는 p이기 위한 필요조건이라 한다.

q이기 위한 충분조건
$p \Longrightarrow q$
p이기 위한 필요조건

(2) $p \Rightarrow q$이고 $q \Rightarrow p$, 즉 p가 q이기 위한 충분조건인 동시에 필요조건일 때, 기호 $\boldsymbol{p} \Leftrightarrow \boldsymbol{q}$와 같이 나타낸다. 이때 p는 q이기 위한 필요충분조건이라 한다.

(3) 진리집합과 충분조건, 필요조건

두 조건 p, q의 진리집합을 각각 P, Q라 할 때

① $P \subset Q$이면 ⇨ $p \Rightarrow q$이므로 p는 q이기 위한 충분조건이고, q는 p이기 위한 필요조건이다.

② $P = Q$이면 ⇨ $p \Leftrightarrow q$이므로 p는 q이기 위한 필요충분조건이다.

► p가 q이기 위한 필요충분조건이면 q도 p이기 위한 필요충분조건이다.

[2019학년도 수능 모의평가]

08 실수 x에 대한 두 조건 p, q가 다음과 같다.

$$p : x - \frac{a}{2} = 1,\ q : 2 \le 2x - 1 \le 12$$

p가 q이기 위한 충분조건이 되도록 하는 자연수 a의 개수는? [3점]

① 11 ② 12 ③ 13 ④ 14 ⑤ 15

[2018학년도 수능 모의평가]

09 실수 x에 대한 두 조건

$$p : x^2 + 2x - a = 0,\ q : x - 3 = 0$$

에 대하여 p가 q이기 위한 필요조건이 되도록 하는 상수 a의 값은? [3점]

① 15 ② 12 ③ 9 ④ 6 ⑤ 3

핵심개념 6 명제의 증명

(1) 대우를 이용한 증명 : 명제 $p \longrightarrow q$가 참임을 보일 때, 그 명제의 대우 $\sim q \longrightarrow \sim p$가 참임을 보임으로써 주어진 명제가 참임을 보이는 방법

(2) 귀류법 : 어떤 명제가 참임을 증명할 때, 명제를 부정하거나 명제의 결론을 부정하여 가정한 사실 또는 이미 알려진 사실에 모순이 생김을 보임으로써 주어진 명제가 참임을 보이는 방법

• 정의: 용어의 뜻을 명확하게 정한 문장
• 증명: 이미 알려진 사실이나 성질을 이용하여 명제가 참임을 보이는 것
• 정리: 참임이 증명된 명제 중에서 기본이 되는 것이나 다른 명제를 증명할 때 이용할 수 있는 중요한 명제

[2016학년도 교육청]

10 세 조건 p, q, r에 대하여 두 명제 $p \longrightarrow \sim q$와 $r \longrightarrow q$가 모두 참일 때, 다음 명제 중 항상 참인 것은? [3점]

① $r \longrightarrow \sim p$ ② $p \longrightarrow r$ ③ $q \longrightarrow p$ ④ $q \longrightarrow \sim r$ ⑤ $\sim r \longrightarrow p$

[2013학년도 교육청]

11 세 조건 p, q, r에 대하여 두 명제 $p \longrightarrow q$, $r \longrightarrow \sim q$가 모두 참일 때, 다음 명제 중 항상 참인 것은? [2점]

① $\sim p \longrightarrow \sim q$ ② $q \longrightarrow r$ ③ $r \longrightarrow \sim p$ ④ $\sim r \longrightarrow q$ ⑤ $\sim r \longrightarrow \sim p$

친절한 해설 12쪽

핵심개념 7 절대부등식

(1) 절대부등식 : 문자를 포함한 부등식에서 그 문자에 어떤 실수를 대입하여도 항상 성립하는 부등식

► 주어진 부등식이 절대부등식임을 증명할 때는 그 부등식이 전체집합의 모든 원소에 대하여 항상 성립함을 보여야 한다.

(2) 절대부등식의 증명에 이용되는 실수의 성질

a, b가 실수일 때

① $a^2 \geq 0$, $a^2+b^2 \geq 0$

② $a>b \Leftrightarrow a-b>0$

③ $a^2+b^2=0 \Leftrightarrow a=b=0$

④ $a \geq b \Leftrightarrow a^2 \geq b^2$ (단, $a \geq 0$, $b \geq 0$)

⑤ $|a|^2=a^2$, $|a||b|=|ab|$

(3) 여러 가지 절대부등식

① a, b가 실수일 때 $a^2 \pm ab+b^2 \geq 0$ (단, 등호는 $a=b=0$일 때 성립)

② a, b, c가 실수일 때 $a^2+b^2+c^2 \geq ab+bc+ca$ (단, 등호는 $a=b=c$일 때 성립)

③ a, b가 실수일 때 $|a|+|b| \geq |a+b|$ (단, 등호는 $ab \geq 0$일 때 성립)

► 등호는 $|ab|=ab$, 즉 $ab \geq 0$일 때 성립해. a, b가 모두 양수이거나 모두 음수 또는 둘 중 하나가 0인 경우를 말하는 거야.

[2007학년도 11월 교육청]

12 [보기]의 명제 중에서 참인 것을 모두 고르면? (단, a, b는 실수이다.) [3점]

| 보기 |

ㄱ. $a<b<0$이면 $a^2>b^2$이다.

ㄴ. $a \geq 0$ 또는 $b \geq 0$이면 $\sqrt{a}\sqrt{b}=\sqrt{ab}$이다.

ㄷ. $|a|+|b| \geq |a+b|$이면 $a \geq 0$이고 $b \geq 0$이다.

① ㄱ ② ㄷ ③ ㄱ, ㄴ ④ ㄴ, ㄷ ⑤ ㄱ, ㄴ, ㄷ

핵심개념 8 산술평균과 기하평균의 관계

$a>0$, $b>0$일 때

$$\frac{a+b}{2} \geq \sqrt{ab} \text{ (단, 등호는 } a=b\text{일 때 성립한다.)}$$

($\frac{a+b}{2}$: a, b의 산술평균, $\sqrt{ab}$: a, b의 기하평균)

산술평균과 기하평균의 관계는
- 합이 일정한 두 양수의 곱의 최댓값을 구할 때나
- 곱이 일정한 두 양수의 합의 최솟값을 구할 때

이용된다.

[2018학년도 교육청]

13 양수 x에 대하여 $x+\frac{9}{x}$의 최솟값은? [3점]

① 6 ② 7 ③ 8 ④ 9 ⑤ 10

[2016학년도 교육청]

14 양수 a에 대하여 $5a+\frac{5}{a}$의 최솟값을 구하시오. [3점]

기출유형 01 명제와 조건

다음 [보기] 중에서 명제인 것을 있는 대로 고른 것은? [2점]

| 보기 |

ㄱ. $x=2$이면 $x+2=2x-1$이다.

ㄴ. $3x-1=2x+3$이다.

ㄷ. 두 자연수 a, b가 홀수이면 $a+b$는 짝수이다.

① ㄱ ② ㄱ, ㄴ ③ ㄱ, ㄷ ④ ㄴ, ㄷ ⑤ ㄱ, ㄴ, ㄷ

Act①
참, 거짓을 판별할 수 있는 것을 고른다.

해결의 실마리

(1) 두 조건 p, q의 진리집합을 각각 P, Q라 할 때, 조건과 진리집합 사이의 관계

조건	p 또는 q	p 그리고 q	$\sim(p$ 또는 $q)$	$\sim(p$ 그리고 $q)$
진리집합	$P\cup Q$	$P\cap Q$	$(P\cup Q)^C=P^C\cap Q^C$	$(P\cap Q)^C=P^C\cup Q^C$

(2) 명제와 조건의 부정

① '~이다.'의 부정은 ⇨ '~이 아니다.' ② '또는'의 부정은 ⇨ '그리고' ③ '그리고'의 부정은 ⇨ '또는'

01
[2006학년도 성취도평가]

다음 [보기]의 명제 중에서 참인 것을 모두 고른 것은? [2점]

| 보기 |

ㄱ. 51은 소수가 아니다.

ㄴ. $x+1=0$이면 $x^2-2x-3=0$이다.

ㄷ. $2x-1>0$이면 $x-1>0$이다.

① ㄱ ② ㄱ, ㄴ ③ ㄱ, ㄷ
④ ㄴ, ㄷ ⑤ ㄱ, ㄴ, ㄷ

02
[2017학년도 교육청]

명제 '$x=a$이면 $x^2+6x-7=0$이다.'가 참이 되기 위한 양수 a의 값은? [3점]

① 1 ② 2 ③ 3
④ 4 ⑤ 5

03

실수 x에 대하여 두 조건 p, q가 다음과 같다.

$$p: |x|>3,\ q: x^2-4x-5\le 0$$

조건 '$\sim p$이고 q'의 진리집합에 속하는 정수의 개수는? [3점]

① 1 ② 2 ③ 3
④ 4 ⑤ 5

04
[2010학년도 교육청]

전체집합 $U=\{x|x$는 10 이하의 자연수$\}$에서의 두 조건

$$p: x\text{는 4의 약수이다.},\ q: 2x-17\le 0$$

의 진리집합을 각각 P, Q라 할 때, $P\subset X\subset Q$를 만족시키는 집합 X의 개수는? [3점]

① 4 ② 8 ③ 16
④ 32 ⑤ 64

기출유형 02 '모든' 또는 '어떤'을 포함한 명제의 참, 거짓

[2009학년도 교육청]

공집합이 아닌 전체집합 U에서 조건 $p(x)$의 진리집합을 P라 할 때, 참인 명제만을 [보기]에서 있는 대로 고른 것은? [4점]

| 보기 |

ㄱ. '모든 x에 대하여 $p(x)$'가 참이면 $P=U$이다.

ㄴ. '어떤 x에 대하여 $p(x)$'가 참이면 $P\neq\varnothing$이다.

ㄷ. '어떤 x에 대하여 $p(x)$'가 거짓이면 $P=\varnothing$이다.

① ㄱ ② ㄷ ③ ㄱ, ㄴ ④ ㄴ, ㄷ ⑤ ㄱ, ㄴ, ㄷ

Act①

'모든 x에 대하여 p이다.'는 $P=U$일 때 참이고, '어떤 x에 대하여 p이다.'는 $P\neq\varnothing$일 때 참임을 이용한다.

해결의 실마리

전체집합 U와 조건 p의 진리집합 P에 대하여

① 명제 '모든 x에 대하여 p이다.' ⇨ $P=U$일 때 참이다.

② 명제 '어떤 x에 대하여 p이다.' ⇨ $P\neq\varnothing$일 때 참이다.

05

[2017학년도 교육청]

자연수 k에 대한 조건

'모든 자연수 x에 대하여 $x>k-5$이다.'

가 참인 명제가 되도록 하는 모든 k의 값의 합은? [3점]

① 13 ② 15 ③ 17 ④ 19 ⑤ 21

06

[2015학년도 교육청]

집합 $U=\{1, 2, 3, 6\}$의 공집합이 아닌 부분집합 P에 대하여 명제

'집합 P의 어떤 원소 x에 대하여 x는 3의 배수이다.'

가 참이 되도록 하는 집합 P의 개수를 구하시오. [3점]

07

[2013학년도 교육청]

실수 전체의 집합에 대하여 명제

'어떤 실수 x에 대하여 $x^2-18x+k<0$'

의 부정이 참이 되도록 하는 상수 k의 최솟값을 구하시오. [3점]

08

공집합이 아닌 전체집합 U에서 조건 $p(x)$의 진리집합을 P라 할 때, [보기]에서 참인 명제만을 있는 대로 고른 것은? [3점]

| 보기 |

ㄱ. 어떤 실수 x에 대하여 $x^2+1\leq0$

ㄴ. 모든 자연수 x에 대하여 $x^2-5x+6\geq0$

ㄷ. 모든 자연수 x에 대하여 $x^2-x-2\geq0$

① ㄱ ② ㄴ ③ ㄱ, ㄴ ④ ㄱ, ㄷ ⑤ ㄴ, ㄷ

기출유형 03 명제 $p \to q$가 참이 되도록 하는 미지수 구하기

[2016학년도 교육청]

실수 x에 대하여 두 조건 p, q가 $p: x \geq a$, $q: 1 \leq x \leq 3$ 또는 $x \geq 7$이다. 명제 $p \to q$가 참이 되도록 하는 상수 a의 최솟값은? [3점]

① 1 ② 3 ③ 5 ④ 7 ⑤ 9

Act ①

명제 $p \to q$가 참이 되려면 진리집합 P, Q의 포함 관계가 $P \subset Q$이어야 함을 이용한다.

해결의 실마리

두 조건 p, q의 진리집합을 각각 P, Q라 할 때

명제 $p \to q$가 참이 되려면 ⇨ 진리집합 P, Q의 포함 관계가 $P \subset Q$이어야 한다.

09

[2017학년도 교육청]

실수 x에 대한 두 조건

$$p: x^2 - a^2 \leq 0,\ q: |x-2| \leq 5$$

에 대하여 명제 $p \to q$가 참이 되도록 하는 양수 a의 최댓값은? [3점]

① 1 ② 2 ③ 3
④ 4 ⑤ 5

10

[2016학년도 교육청]

실수 x에 대하여 두 조건 p, q를 각각

$$p: |x-a| \leq 3,\ q: x^2 + 2x - 24 \leq 0$$

이라 하자. 명제 $p \to q$가 참이 되도록 하는 실수 a의 최댓값은? [3점]

① -2 ② -1 ③ 0
④ 1 ⑤ 2

11

[2019학년도 수능 모의평가]

실수 x에 대한 두 조건 p, q가 다음과 같다.

$$p: x = a,\ q: x^2 - 3x - 4 \leq 0$$

명제 $p \to q$가 참이 되도록 하는 실수 a의 최댓값은? [3점]

① 1 ② 2 ③ 3
④ 4 ⑤ 5

12

[2015학년도 교육청]

두 조건 p, q의 진리집합을 각각 P, Q라 하고

$$P = \{x \mid (x+4)(x-5) \leq 0\},$$
$$Q = \{x \mid |x| > a\}$$

일 때, 명제 $\sim p \to q$가 참이기 위한 자연수 a의 개수는? [3점]

① 1 ② 2 ③ 3
④ 4 ⑤ 5

기출유형 04 명제의 대우와 삼단논법

[보기]의 명제 중 그 대우가 참인 것만을 있는 대로 고른 것은? (단, x, y는 실수) [3점]

| 보기 |

ㄱ. $x^2+y^2=0$이면 $x=y=0$이다.　　ㄴ. $x=4$이면 $x^2-4x=0$이다.

ㄷ. 사다리꼴은 정사각형이다.

① ㄱ　② ㄴ　③ ㄱ, ㄴ　④ ㄴ, ㄷ　⑤ ㄱ, ㄷ

Act ①

대우의 참, 거짓은 주어진 명제의 참, 거짓과 일치함을 이용한다.

해결의 실마리

(1) 명제 $p \to q$에 대하여　① 역 : $q \to p$　② 대우 : $\sim q \to \sim p$

(2) 명제 $p \to q$와 그 대우 $\sim q \to \sim p$의 참, 거짓은 일치한다.

(3) 삼단논법 : 세 조건 p, q, r에 대하여 두 명제 $p \to q$, $q \to r$가 모두 참이면 명제 $p \to r$도 참이다.

13

[2006학년도 교육청]

전체집합 U에서 두 조건 p, q를 만족하는 원소 전체의 집합을 각각 P, Q라 하자. $Q \subset P$일 때, 항상 참인 명제는? (단, $P \neq Q$, $Q \neq \varnothing$) [2점]

① $p \to q$　② $p \to \sim q$　③ $q \to \sim p$

④ $\sim q \to p$　⑤ $\sim p \to \sim q$

14

[2012학년도 교육청]

전체집합 U에 대하여 세 조건 p, q, r의 진리집합 P, Q, R의 포함 관계를 벤다이어그램으로 나타내면 그림과 같을 때, 다음 명제 중 항상 참인 것은? [3점]

① $p \to q$　② $q \to r$　③ $r \to \sim q$

④ $\sim r \to \sim p$　⑤ $\sim p \to \sim r$

15

[2006학년도 교육청]

전체집합 U에서 세 조건 p, q, r을 만족하는 집합을 각각 P, Q, R라 하면 세 집합 P, Q, R 사이의 포함 관계는 그림과 같다. 다음 명제 중 참인 것은? [3점]

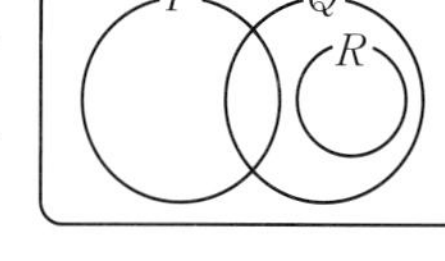

① $q \to r$　② $\sim q \to p$

③ (p이고 q) $\to r$　④ (p 또는 r) $\to q$

⑤ $p \to \sim r$

16

[2012학년도 교육청]

조건 p, q, r에 대하여 두 명제 $p \to q$, $q \to \sim r$가 모두 참일 때, 항상 참인 명제는? [3점]

① $q \to p$　② $p \to r$　③ $r \to \sim p$

④ $\sim r \to p$　⑤ $\sim q \to \sim r$

기출유형 05 충분조건과 필요조건

[2018학년도 수능 모의평가]

실수 x에 대한 두 조건 $p:(x-1)(x-4)=0$, $q:1<2x\le a$에 대하여 p가 q이기 위한 충분조건이 되도록 하는 자연수 a의 최솟값은? [3점]

① 4 ② 5 ③ 6 ④ 7 ⑤ 8

Act ①
두 조건 p, q의 진리집합을 구해 두 집합의 포함 관계를 알아본다.

해결의 실마리

(1) 충분조건과 필요조건
조건 p가 조건 q이기 위한 충분조건인지, 필요조건인지, 필요충분조건인지 판단하기 위해서는 명제 $p \longrightarrow q$와 $q \longrightarrow p$의 참, 거짓을 조사해야 한다.

(2) 충분조건, 필요조건과 진리집합의 관계
두 조건 p, q의 진리집합을 각각 P, Q라 할 때
① $P\subset Q$이면 ⇨ $p \Longrightarrow q$이므로 p는 q이기 위한 충분조건, q는 p이기 위한 필요조건이다.
② $P=Q$이면 ⇨ $p \Longleftrightarrow q$이므로 p는 q이기 위한 필요충분조건이다.

17

[2018학년도 교육청]

실수 x에 대한 두 조건

$$p:k\le x\le k+3,\ q:(x-3)(x-10)\le 0$$

에 대하여 p가 q이기 위한 충분조건이 되도록 하는 실수 k의 최댓값은? [3점]

① 4 ② 5 ③ 6 ④ 7 ⑤ 8

18

[2017학년도 수능]

실수 x에 대한 두 조건

$$p:|x-1|\le 3,\ q:|x|\le a$$

에 대하여 p가 q이기 위한 충분조건이 되도록 하는 자연수 a의 최솟값은? [3점]

① 1 ② 2 ③ 3 ④ 4 ⑤ 5

19

[2019학년도 수능]

실수 x에 대한 두 조건 p, q가 다음과 같다.

$$p:x^2-4x+3>0,\ q:x\le a$$

$\sim p$가 q이기 위한 충분조건이 되도록 하는 실수 a의 최솟값은? [3점]

① 5 ② 4 ③ 3 ④ 2 ⑤ 1

20

[2016학년도 교육청]

실수 x에 대하여 두 조건 p, q를 각각

$$p:-1<x<2,\ q:x^2+ax+b<0$$

이라 하자. p는 q이기 위한 필요충분조건일 때, $a+b$의 값은? (단, a, b는 상수이다.) [3점]

① -5 ② -4 ③ -3 ④ -2 ⑤ -1

기출유형 06 명제의 증명

다음은 자연수 n에 대한 명제 'n^2이 3의 배수이면 n은 3의 배수이다.'를 증명하는 과정이다.

> 주어진 명제의 대우가 'n이 3의 배수가 아니면 n^2이 3의 배수가 아니다.'이므로
> 자연수 k에 대하여 $n=3k-1$ 또는 $n=$ (가) 이다.
> (i) $n=3k-1$인 경우
> $n^2=3\times($ (나) $)+1$이고 (나) 는 자연수이므로 n^2은 3의 배수가 아니다.
> (ii) $n=$ (가) 인 경우
> $n^2=3(3k^2-4k+1)+$ (다) 이고,
> $3k^2-4k+1$은 음이 아닌 정수이므로 n^2은 3의 배수가 아니다.
> (i), (ii)에서 주어진 명제의 대우가 참이므로 주어진 명제도 참이다.

위의 (가), (나)에 알맞은 식을 각각 $f(k)$, $g(k)$라 하고 (다)에 알맞은 수를 α라 할 때, $f(\alpha)+g(2\alpha)$의 값은? [3점]

① 1 ② 3 ③ 5 ④ 7 ⑤ 9

Act ①
빈칸의 앞뒤를 주의해서 살펴보고, 알맞은 식이나 수를 추론한다.

해결의 실마리

(1) 대우를 이용한 명제의 증명 : 명제 'p이면 q이다.'가 참임을 직접 증명할 수 없을 때 ⇨ 명제의 대우인 '$\sim q$이면 $\sim p$이다.'가 참임을 증명한다.

(2) 귀류법을 이용한 명제의 증명 : 직접 증명이 어려울 때 ⇨ 결론을 부정하여 가정에 모순이 됨을 보인다.

21

다음은 명제 '자연수 a, b, c에 대하여 $a^2+b^2=c^2$이면 a, b 중 적어도 하나는 짝수이다.'를 증명하는 과정이다.

> a, b가 모두 홀수라고 가정하면 자연수 m, n에 대하여 $a=2m-1$, $b=2n-1$이다.
> $a^2+b^2=4(m^2-m+$ (가) $)+$ (나) 이므로
> a^2+b^2은 짝수이고, $a^2+b^2=c^2$이므로 c는 짝수이다.
> c가 짝수이므로 $a^2+b^2=c^2$에서 a^2+b^2은 (다) 의 배수이다.
> 그러나 $a^2+b^2=4(m^2-m+$ (가) $)+$ (나) 에서 a^2+b^2은 (다) 의 배수가 아니므로 모순이다.
> 따라서 a, b 중 적어도 하나는 짝수이다.

위의 (가), (나), (다)에 알맞은 것을 순서대로 나열한 것은? [3점]

① n^2-n, 2, 4 ② n^2-n, 2, 16
③ n^2-n, 1, 4 ④ n^2+n, 2, 4
⑤ n^2+n, 1, 16

22

[2011학년도 교육청]

어느 휴대폰 제조 회사에서 휴대폰 판매량과 사용자 선호도에 대한 시장 조사를 하여 다음과 같은 결과를 얻었다.

> (가) 10대, 20대에게 선호도가 높은 제품은 판매량이 많다.
> (나) 가격이 싼 제품은 판매량이 많다.
> (다) 기능이 많은 제품은 10대, 20대에게 선호도가 높다.

위의 결과로부터 추론한 내용으로 항상 옳은 것은? [3점]

① 기능이 많은 제품은 가격이 싸지 않다.
② 가격이 싸지 않은 제품은 판매량이 많지 않다.
③ 판매량이 많지 않은 제품은 기능이 많지 않다.
④ 10대, 20대에게 선호도가 높은 제품은 기능이 많다.
⑤ 10대, 20대에게 선호도가 높은 제품은 가격이 싸지 않다.

기출유형 07 산술평균과 기하평균의 관계

$a>1$일 때, $9a+\frac{1}{a-1}$의 최솟값을 구하시오. [3점]

[2017학년도 교육청]

Act ①
두 양수의 합의 최솟값을 구할 때는 산술평균과 기하평균의 관계를 이용한다.

해결의 실마리

양수 a, b에 대하여 $a+b$의 최솟값, ab의 최댓값을 구할 때는 산술평균과 기하평균의 관계

$a>0$, $b>0$일 때 $\frac{a+b}{2} \geq \sqrt{ab}$ (단, 등호는 $a=b$일 때 성립한다.)

를 이용한다.

23

[2016학년도 교육청]

양수 a에 대하여 $18a+\frac{1}{2a}$의 최솟값은? [3점]

① 6 ② 8 ③ 10
④ 12 ⑤ 14

24

[2016학년도 교육청]

양수 x에 대하여 $2x+\frac{8}{x}$의 최솟값은? [3점]

① 5 ② 6 ③ 7
④ 8 ⑤ 9

25

[2017학년도 교육청]

양수 a에 대하여 $4a+\frac{1}{a}+1$의 최솟값은? [3점]

① 5 ② 6 ③ 7
④ 8 ⑤ 9

26

[2017학년도 교육청]

양수 a에 대하여 $(a+4)\left(\frac{1}{a}+1\right)$의 최솟값을 구하시오. [3점]

Very Important Test

친절한 해설 16쪽

01

전체집합 $U=\{x|x$는 10 이하의 자연수$\}$에서 정의된 두 조건

$$p : 2(x-2)+1\le 5,\ q : x\text{는 2의 배수이다.}$$

의 진리집합을 각각 P, Q라 할 때, $P\cap Q$의 모든 원소의 합은? [2점]

① 6 ② 8 ③ 10
④ 14 ⑤ 16

02

전체집합 $U=\{x|x$는 6 이하의 자연수$\}$에 대하여 두 조건 p, q의 진리집합을 각각 P, Q라 하자.

'p : x는 6의 약수이다.'일 때, 명제 $q \longrightarrow \sim p$가 참이 되게 하는 집합 Q의 개수를 구하시오. [3점]

03

두 조건 p, q가

$$p : 1-k<x<1+k,\ q : -7<x<3$$

일 때, 명제 $p \longrightarrow q$가 참이 되도록 하는 양수 k의 최댓값은? [3점]

① 1 ② 2 ③ 3
④ 4 ⑤ 5

04

실수 x에 대한 두 조건

$$p : x^2-x-12>0,\ q : |x|\ne a$$

에 대하여 p가 q이기 위한 충분조건이 되도록 하는 자연수 a의 개수는? [3점]

① 1 ② 2 ③ 3
④ 4 ⑤ 5

05

세 조건 p, q, r가

$$p : x<k,\ q : x\le -2,\ r : 3\le x<6$$

일 때, 'q 또는 r'가 p이기 위한 충분조건이 되도록 하는 실수 k의 최솟값은? [3점]

① 2 ② 4 ③ 6
④ 8 ⑤ 10

06

실수 x에 대하여 두 조건 p, q가 다음과 같다.

$$p : x^2+x+a\ne 0,\ q : x+3\ne 0$$

명제 $p \longrightarrow q$가 참이 되도록 하는 상수 a의 값은? [3점]

① -8 ② -6 ③ -4
④ -2 ⑤ 0

07

실수 전체의 집합에서 두 조건 p, q에 대하여 p는 q이기 위한 필요조건이지만 충분조건이 아닌 것을 [보기]에서 모두 고른 것은? [3점]

보기	
ㄱ. $p : x>0,\ y>0$	$q : xy>0$
ㄴ. $p : x<1$	$q : -2\le x<0$
ㄷ. $p : x+y$가 유리수	$q : x,\ y$는 모두 유리수

① ㄴ ② ㄱ, ㄴ ③ ㄱ, ㄷ
④ ㄴ, ㄷ ⑤ ㄱ, ㄴ, ㄷ

08

전체집합 U에서 정의된 두 조건 p, q의 진리집합을 각각 P, Q라 하자. 명제 $q \longrightarrow \sim p$가 참일 때, 다음 중 옳지 않은 것은? [3점]

① $P\subset Q^C$ ② $Q\subset P^C$ ③ $P\cap Q=\varnothing$
④ $P^C\cap Q=P^C$ ⑤ $P-Q=P$

09

실수 x에 대하여 두 조건 p, q가 다음과 같을 때, 참인 명제는? [3점]

$$p : |x-2|<3,\ q : x^2-4x+3>0$$

① $p \longrightarrow q$ ② $q \longrightarrow p$ ③ $q \longrightarrow \sim p$
④ $p \longrightarrow \sim q$ ⑤ $\sim q \longrightarrow p$

10

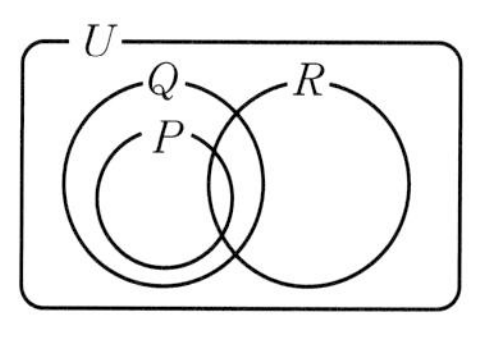

전체집합 U에서 정의된 세 조건 p, q, r의 진리집합 P, Q, R 사이의 포함 관계가 오른쪽 그림과 같을 때, 다음 [보기] 중 참인 명제만을 있는 대로 고른 것은? [3점]

보기	
ㄱ. $p \longrightarrow q$	ㄴ. $q \longrightarrow r$
ㄷ. 'p이고 r' $\longrightarrow q$	ㄹ. $q \longrightarrow$ 'p 또는 r'

① ㄱ, ㄴ ② ㄱ, ㄷ ③ ㄴ, ㄹ
④ ㄱ, ㄷ, ㄹ ⑤ ㄴ, ㄷ, ㄹ

11

전체집합 U에 대하여 세 조건 p, q, r를 만족하는 집합을 각각 P, Q, R라 하자. 세 집합 P, Q, R가

$$P\cap Q=Q,\ P-R=P$$

를 만족할 때, [보기] 중 참인 명제만을 있는 대로 고른 것은? [3점]

보기		
ㄱ. $q \longrightarrow p$	ㄴ. $\sim r \longrightarrow \sim p$	ㄷ. $r \longrightarrow \sim q$

① ㄱ ② ㄱ, ㄴ ③ ㄱ, ㄷ
④ ㄴ, ㄷ ⑤ ㄱ, ㄴ, ㄷ

12

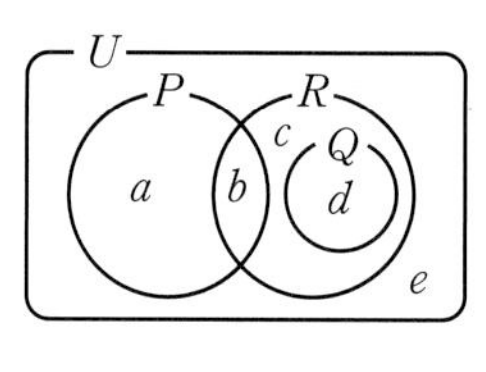

전체집합 U에서 정의된 세 조건 p, q, r의 진리집합 P, Q, R 사이의 포함 관계가 오른쪽 그림과 같을 때, 명제 'p 또는 q' $\longrightarrow r$가 거짓임을 보이는 원소는? [3점]

① a ② b ③ c
④ d ⑤ e

13

$x>0$, $y>0$일 때, $\left(3x+\frac{4}{y}\right)\left(\frac{3}{x}+4y\right)$의 최솟값은? [3점]

① 41　② 43　③ 45　④ 47　⑤ 49

14

두 양수 x, y에 대하여 $2x+3y=12$일 때, xy의 최댓값은? [3점]

① 2　② 4　③ 6　④ 8　⑤ 10

15

$x>0$, $y>0$이고 $3x+2y=10$일 때, $\sqrt{3x}+\sqrt{2y}$의 최댓값은? [3점]

① $\sqrt{5}$　② $2\sqrt{5}$　③ $3\sqrt{5}$　④ $4\sqrt{5}$　⑤ $6\sqrt{5}$

16

[보기]의 부등식 중 모든 실수 x에 대하여 항상 성립하는 것을 있는 대로 고른 것은? [3점]

보기

ㄱ. $x^2-x+1<0$　ㄴ. $x^2-6x+9\le 0$
ㄷ. $x^2-2x+1\ge 0$

① ㄱ　② ㄴ　③ ㄷ　④ ㄱ, ㄷ　⑤ ㄴ, ㄷ

17

두 양수 a, b에 대하여 [보기]에서 항상 성립하는 부등식만을 있는 대로 고른 것은? [3점]

보기

ㄱ. $\sqrt{a}+\sqrt{b}>\sqrt{a+b}$　ㄴ. $\sqrt{3a}+\sqrt{b}\ge 3\sqrt{ab}$
ㄷ. $\sqrt{\frac{a^2+b^2}{2}}\ge\frac{a+b}{2}$

① ㄱ　② ㄱ, ㄴ　③ ㄱ, ㄷ　④ ㄴ, ㄷ　⑤ ㄱ, ㄴ, ㄷ

18

다음 [보기]에서 절대부등식을 있는 대로 고른 것은? (단, x는 실수이다.) [3점]

보기

ㄱ. $x+3\ge 5$　ㄴ. $2x+1<5+2x$
ㄷ. $x^2-4x+4>0$　ㄹ. $-x^2+4x-5<0$

① ㄱ　② ㄴ　③ ㄷ　④ ㄱ, ㄷ　⑤ ㄴ, ㄹ

04 함수

출제경향 함수의 개념은 중학교에서 학습한 내용을 확장하여 주어진 두 집합 사이의 대응 관계로 정의된다. 일대일대응, 항등함수, 상수함수, 일대일함수의 의미를 묻는 문항들이 출제되므로 그 개념을 구체적으로 이해하여야 한다.

핵심개념 1 함수

(1) 대응 : 공집합이 아닌 두 집합 X, Y에서 집합 X의 원소에 집합 Y의 원소가 짝지어진 것을 집합 X에서 집합 Y로의 대응이라 한다. 이때 집합 X의 원소 x에 집합 Y의 원소 y가 짝지어지면 x에 y가 대응한다고 하고, 기호로 $x \longrightarrow y$와 같이 나타낸다.

(2) 함수 : 두 집합 X, Y에 대하여 집합 X의 각 원소에 집합 Y의 원소가 하나씩만 대응할 때, 이 대응 f를 집합 X에서 집합 Y로의 함수라 하고, 기호로
$\boldsymbol{f : X \longrightarrow Y}$와 같이 나타낸다.

① 정의역 : 집합 X

② 공역 : 집합 Y

③ 치역 : 함숫값 전체의 집합 $\{f(x) \mid x \in X\}$

⊙ 대응의 예 – 서울 일부 지하철역과 그 역을 지나는 노선

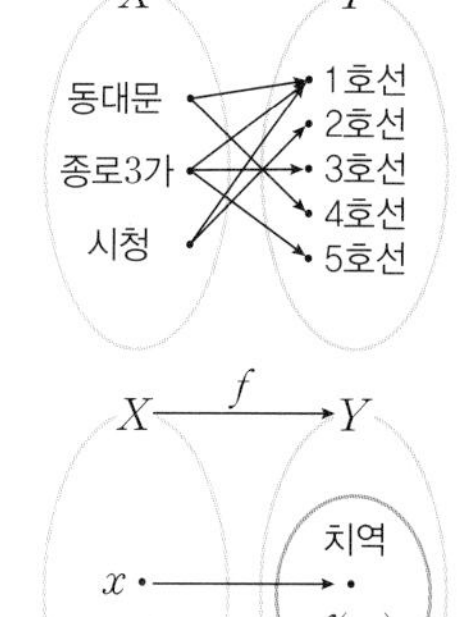

치역은 공역의 부분집합

[2007학년도 국가수준]

01 그림은 X에서 Y로의 함수 $f : X \longrightarrow Y$를 나타낸 것이다. f의 정의역, 공역, 치역을 순서대로 나열한 것은? [2점]

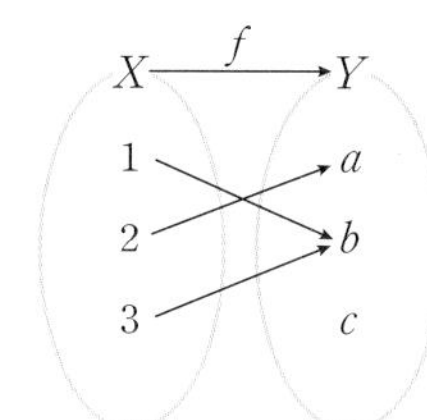

① $\{a, b, c\}$, $\{1, 2\}$, $\{1, 2, 3\}$
② $\{a, b, c\}$, $\{1, 2, 3\}$, $\{1, 2\}$
③ $\{1, 2, 3\}$, $\{a, b\}$, $\{a, b\}$
④ $\{1, 2, 3\}$, $\{a, b, c\}$, $\{a, b\}$
⑤ $\{1, 2, 3\}$, $\{a, b, c\}$, $\{a, b, c\}$

핵심개념 2 서로 같은 함수, 함수의 그래프

(1) 서로 같은 함수 : 두 함수 f, g가

(i) 정의역과 공역이 각각 서로 같고

(ii) 정의역의 모든 원소 x가 $f(x)=g(x)$를 만족시킬 때,

두 함수 f, g는 서로 같다고 하며 기호로 $f=g$와 같이 나타낸다.

► 두 함수 f, g가 서로 같지 않을 때는 기호로 $f \neq g$와 같이 나타낸다.

(2) 함수의 그래프

① 함수 $f : X \longrightarrow Y$에서 정의역 X의 원소 x와 그에 대응하는 함숫값 $f(x)$의 순서쌍 $(x, f(x))$의 전체의 집합 $\{(x, f(x)) \mid x \in X\}$를 함수 f의 그래프라 한다

② 함수 $y=f(x)$의 그래프는 정의역의 각 원소 a에서 y축에 평행한 직선 $x=a$를 그었을 때 오직 한 점에서 만난다.

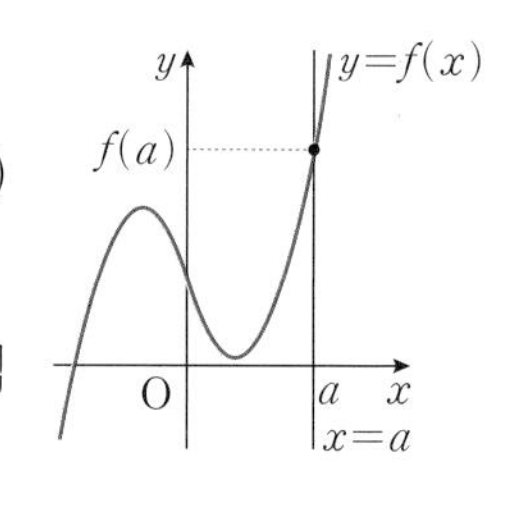

02 집합 $\{1, 2\}$에서 정의된 두 함수 $f(x)=x+a$, $g(x)=x^2+bx-1$에 대하여 $f=g$가 성립할 때, 두 상수 a, b의 곱 ab의 값은? [3점]

① -6 ② -3 ③ 0 ④ 3 ⑤ 6

친절한 해설 18쪽

핵심개념 3 여러 가지 함수

(1) 일대일함수 : 함수 $f: X \to Y$에서 정의역 X의 임의의 두 원소 x_1, x_2에 대하여 $x_1 \neq x_2$이면 $f(x_1) \neq f(x_2)$인 함수

(2) 일대일대응 : 일대일함수이고, 공역과 치역이 같은 함수

→ 일대일대응이면 일대일함수이지만, 일대일함수라고 해서 모두 일대일대응인 것은 아니야.

(3) 항등함수 : 함수 $f: X \to Y$에서 정의역 X의 각 원소에 자기 자신이 대응하는 함수, 즉 $f(x)=x$

(4) 상수함수 : 함수 $f: X \to Y$에서 정의역 X의 모든 원소에 공역 Y의 단 하나의 원소가 대응하는 함수

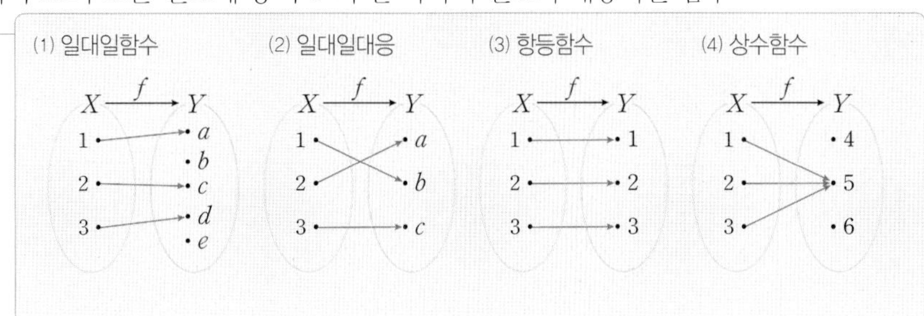

03 다음 그림 중에서 일대일대응, 항등함수, 상수함수의 그래프를 찾으시오. [2점]

ㄱ.
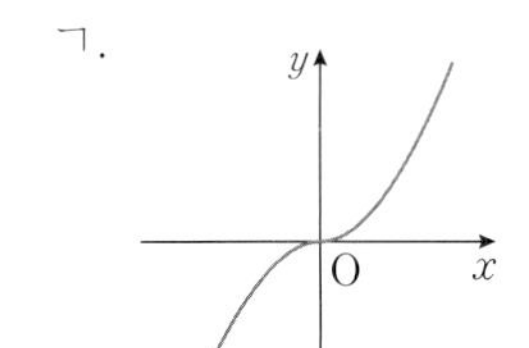

ㄴ.
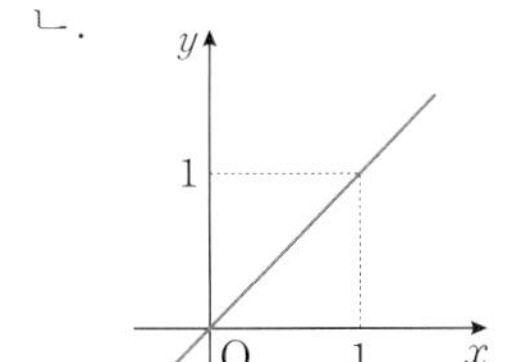

ㄷ.
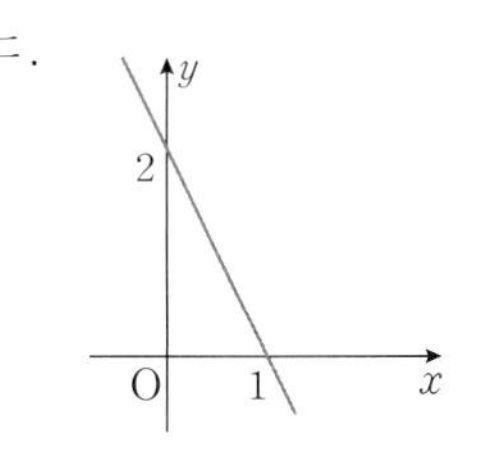

ㄹ.
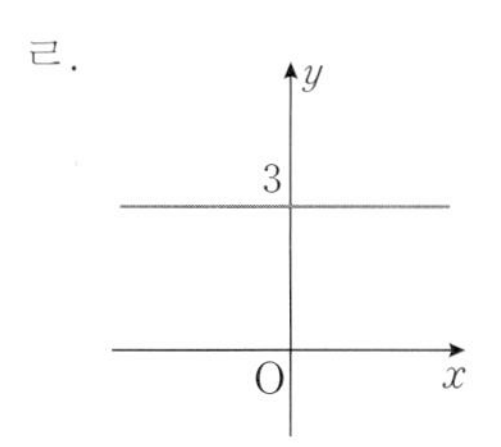

핵심개념 4 일대일대응이 되기 위한 조건

함수 f가 일대일대응이려면

(1) x의 값이 증가할 때 $f(x)$의 값은 항상 증가하거나 항상 감소해야 한다.

(2) 정의역의 양 끝 값의 함숫값이 공역의 양 끝 값과 같아야 한다.

04 두 집합 $X=\{x \mid -1 \leq x \leq 3\}$, $Y=\{y \mid 0 \leq y \leq 8\}$에 대하여 X에서 Y로의 함수 $f(x)=ax+b$ $(a<0)$가 일대일대응이 되게 하는 상수 a, b의 합 $a+b$의 값을 구하시오. [3점]

유형따라잡기

기출유형 01 함수의 뜻

집합 $X=\{-1, 0, 1\}$에 대하여 X에서 X로의 함수가 되는 것만을 [보기]에서 있는 대로 고른 것은? [3점]

| 보기 |

ㄱ. $f(x)=-x$　　ㄴ. $g(x)=x+1$　　ㄷ. $h(x)=x^2$

① ㄱ　② ㄱ, ㄴ　③ ㄱ, ㄷ　④ ㄴ, ㄷ　⑤ ㄱ, ㄴ, ㄷ

Act①
정의역의 각 원소에 공역의 원소가 오직 하나씩 대응하는 것을 찾는다.

해결의 실마리

집합 X에서 집합 Y로의 대응이 함수이려면
① X의 각 원소에 Y의 원소가 하나씩만 대응해야 한다.
② X의 원소 중에서 대응하지 않고 남아 있는 원소가 없어야 한다.

01

다음 중 함수의 그래프가 아닌 것은? [2점]

①
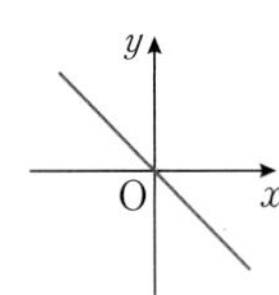

②
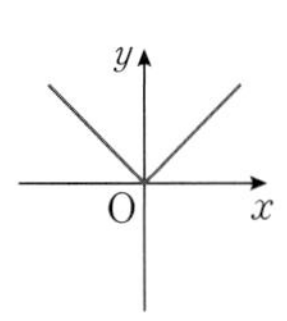

③
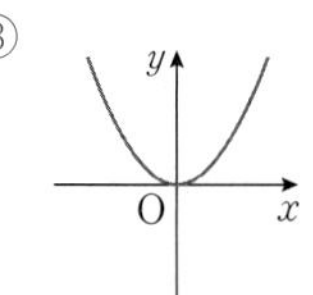

④

⑤
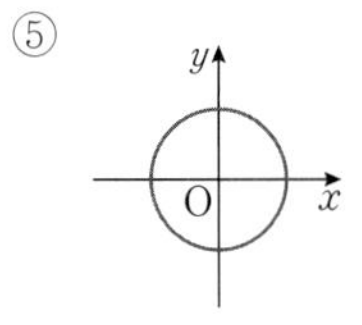

02

두 집합 $X=\{-1, 0, 1\}$, $Y=\{0, 1, 2, 3\}$에 대하여 [보기] 중 X에서 Y로의 함수인 것을 있는 대로 고른 것은? [3점]

| 보기 |

ㄱ. $f(x)=x+1$　　ㄴ. $g(x)=|x^2+1|$

ㄷ. $h(x)=\begin{cases} 2x & (x\geq 0) \\ 2-x & (x<0) \end{cases}$

① ㄱ　② ㄱ, ㄴ　③ ㄱ, ㄷ
④ ㄴ, ㄷ　⑤ ㄱ, ㄴ, ㄷ

03

두 집합 $X=\{-1, 0, 1\}$, $Y=\{-2, -1, 0, 1, 2\}$에 대하여 [보기] 중 X에서 Y로의 함수인 것을 있는 대로 고른 것은? [3점]

| 보기 |

ㄱ. $f(x)=1$　　ㄴ. $g(x)=|x|$

ㄷ. $h(x)=-2x-1$　　ㄹ. $k(x)=x^2-x$

① ㄱ, ㄴ　② ㄴ, ㄷ　③ ㄷ, ㄹ
④ ㄱ, ㄴ, ㄷ　⑤ ㄱ, ㄴ, ㄹ

04

두 집합 $X=\{-1, 0, 1\}$, $Y=\{0, 1, 2, 3\}$에 대하여 [보기] 중 X에서 Y로의 함수인 것을 있는 대로 고른 것은? [3점]

| 보기 |

ㄱ. $f(x)=x+1$　　ㄴ. $g(x)=|x|+1$

ㄷ. $h(x)=x^2-2$　　ㄹ. $k(x)=x^3+x+2$

① ㄱ, ㄴ　② ㄱ, ㄷ　③ ㄴ, ㄹ
④ ㄱ, ㄷ, ㄹ　⑤ ㄴ, ㄷ, ㄹ

기출유형 02 함숫값과 치역 구하기

[2018학년도 교육청]

집합 $X=\{1, 2, 3, 4, 5\}$에서 집합 $Y=\{0, 2, 4, 6, 8\}$로의 함수 f를

$$f(x)=(2x^2\text{의 일의 자리의 숫자})$$

로 정의하자. $f(a)=2$, $f(b)=8$을 만족시키는 X의 원소 a, b에 대하여 $a+b$의 최댓값은? [3점]

① 5 ② 6 ③ 7 ④ 8 ⑤ 9

Act ①
$f(x)$에 정의역의 원소를 모두 대입하여 $f(a)=2$, $f(b)=8$을 만족시키는 a, b의 값을 찾는다.

해결의 실마리

함숫값 구하기

① 함수 $f(x)$에서 $f(k)$의 값은 ⇨ x 대신 k를 대입한다.

② 함수 $f(ax+b)$에서 $f(k)$의 값은

⇨ $ax+b=k$를 만족시키는 x의 값을 구하여 $f(ax+b)$에 대입한다.

05

[2010학년도 교육청]

함수 $f(x)=\frac{5}{3}(x-2)$에 대하여 $f(5)+f(14)$의 값을 구하시오. [3점]

06

[2014학년도 교육청]

실수 전체의 집합에서 정의된 함수 $f(x)$가 $f(x-3)=x^2-5$를 만족시킬 때, $f(2)$의 값을 구하시오. [3점]

07

[2007학년도 국가수준]

집합 $X=\{-1, 0, 1, 2\}$에 대하여 함수 $f: X \to X$를 $f(x)=|x|$라 하자. 이때 함수 f의 치역의 부분집합의 개수는? [3점]

① 2 ② 4 ③ 6
④ 8 ⑤ 16

08

함수 $y=-2x$에서 정의역이 $\{x|-1\le x\le 3\}$일 때, 치역이 $\{y|a\le x\le b\}$이다. 이때 $b-a$의 값은? [3점]

① -8 ② -4 ③ 0
④ 4 ⑤ 8

기출유형 03 서로 같은 함수

정의역이 $\{-1, 2\}$인 두 함수

$$f(x)=x^2+ax,\ g(x)=x+b$$

에 대하여 $f=g$일 때, 상수 a, b에 대하여 $a+b$의 값은? [3점]

① -2 ② -1 ③ 0 ④ 1 ⑤ 2

Act ①
$f=g$이므로 $f(-1)=g(-1)$, $f(2)=g(2)$에서 a, b의 값을 구한다.

해결의 실마리

집합 X를 정의역으로 하는 두 함수 f, g가 서로 같다.

⇨ 정의역 X의 모든 원소 x에 대하여 $f(x)=g(x)$

09

집합 $X=\{1, 2\}$를 정의역으로 하는 두 함수

$$f(x)=x^2-1,\ g(x)=ax+b$$

에 대하여 $f=g$일 때, ab의 값은? (단, a, b는 상수) [3점]

① -9 ② -7 ③ -5
④ -3 ⑤ -1

10

[2013학년도 교육청]

두 집합 $X=\{0, 1, 2\}$, $Y=\{1, 2, 3, 4\}$에 대하여 두 함수 $f: X \to Y$, $g: X \to Y$를

$$f(x)=2x^2-4x+3,\ g(x)=a|x-1|+b$$

라 하자. 두 함수 f와 g가 서로 같도록 하는 상수 a, b에 대하여 $2a-b$의 값은? [3점]

① -3 ② -1 ③ 1
④ 3 ⑤ 5

11

집합 $X=\{-1, 0\}$에서 실수 전체의 집합으로의 두 함수 f, g가

$$f(x)=x+a,\ g(x)=ax+b$$

이고 두 함수 f, g가 서로 같은 함수일 때, $2a+b$의 값은? [3점]

① 1 ② 2 ③ 3
④ 4 ⑤ 5

12

[보기] 중 집합 $X=\{-1, 0, 1\}$을 정의역으로 하는 두 함수 f와 g가 서로 같은 것을 있는 대로 고른 것은? [3점]

| 보기 |

ㄱ. $f(x)=x$, $g(x)=x^3$
ㄴ. $f(x)=x-2$, $g(x)=x+2$
ㄷ. $f(x)=|x|+1$, $g(x)=x^2+1$

① ㄱ ② ㄴ ③ ㄱ, ㄷ
④ ㄴ, ㄷ ⑤ ㄱ, ㄴ, ㄷ

기출유형 04 일대일함수와 일대일대응

[2016학년도 교육청]

실수 전체의 집합에서 정의된 함수 $f(x)=\begin{cases}(a+3)x+1 & (x<0)\\(2-a)x+1 & (x\geq 0)\end{cases}$이 일대일대응이 되도록 하는 모든 정수 a의 개수는? [3점]

① 1 ② 2 ③ 3 ④ 4 ⑤ 5

Act ①
일대일대응이 되려면 기울기 $(a+3)$과 $(2-a)$의 부호가 같아야 함을 이용하여 정수 a의 값을 찾는다.

해결의 실마리

(1) 일대일함수와 일대일대응

① 일대일함수 : 함수 $f : X \rightarrow Y$에서 정의역 X의 임의의 두 원소 x_1, x_2에 대하여 $x_1 \neq x_2$이면 $f(x_1) \neq f(x_2)$인 함수

② 일대일대응 : 일대일함수이고, 공역과 치역이 같은 함수

(2) 함수 f가 일대일대응이 되기 위한 조건

① x의 값이 증가할 때 $f(x)$의 값이 항상 증가하거나 항상 감소해야 한다.

② 정의역의 양 끝 값의 함숫값이 공역의 양 끝 값과 같아야 한다.

13

[2017학년도 교육청]

두 집합 $X=\{x\mid -3\leq x\leq 5\}$, $Y=\{y\mid |y|\leq a,\ a>0\}$에 대하여 X에서 Y로의 함수 $f(x)=2x+b$가 일대일대응이다. 두 상수 a, b에 대하여 a^2+b^2의 값은? [3점]

① 66 ② 68 ③ 70 ④ 72 ⑤ 74

14

[2015학년도 교육청]

두 집합 $X=\{1, 2, 3, 4\}$, $Y=\{5, 6, 7, 8\}$에 대하여 함수 f는 X에서 Y로의 일대일대응이다.

$$f(1)=7,\ f(2)-f(3)=3$$

일 때, $f(3)+f(4)$의 값은? [3점]

① 11 ② 12 ③ 13 ④ 14 ⑤ 15

15

[2016학년도 교육청]

두 집합 $X=\{1, 2, 3\}$, $Y=\{1, 2, 3, 4\}$에 대하여 집합 X에서 집합 Y로의 일대일함수를 $f(x)$라 하자. $f(2)=4$일 때, $f(1)+f(3)$의 최댓값은? [3점]

① 3 ② 4 ③ 5 ④ 6 ⑤ 7

16

두 집합 $X=\{x\mid x\geq 3\}$, $Y=\{y\mid y\geq 2\}$에 대하여 집합 X에서 집합 Y로의 함수 $f(x)=x^2-4x+k$가 일대일대응일 때, 실수 k의 값은? [3점]

① 1 ② 2 ③ 3 ④ 4 ⑤ 5

기출유형 05 항등함수와 상수함수

집합 $X=\{1, 3, 5\}$에 대하여 X에서 X로의 두 함수 f, g가 각각 항등함수, 상수함수이고 $f(1)=g(3)$일 때, $f(5)+g(5)$의 값은? [3점]

① 4 ② 5 ③ 6 ④ 7 ⑤ 8

Act①
함수 f가 항등함수, 함수 g가 상수함수이면 정의역의 모든 원소 x에 대하여 $f(x)=x$, $g(x)=c$임을 이용한다.

해결의 실마리

(1) 함수 f가 항등함수이면 정의역의 모든 원소 x에 대하여 $f(x)=x$이다.
(2) 함수 g가 상수함수이면 정의역의 모든 원소 x에 대하여 $g(x)=c$이다. (단, c는 상수)

(1) 항등함수의 그래프 ⇨ 직선 $y=x$
(2) 상수함수의 그래프 ⇨ 직선 $y=c$ (c는 상수)

17
[2017학년도 교육청]

집합 $X=\{-2, -1, 3\}$에 대하여 함수 $f : X \to X$가

$$f(x)=\begin{cases} ax^2+bx-2 & (x<0) \\ 3 & (x\ge 0) \end{cases}$$

이다. 함수 $f(x)$가 항등함수가 되도록 하는 두 상수 a, b에 대하여 $a+b$의 값은? [3점]

① -5 ② -4 ③ -3
④ -2 ⑤ -1

18

공집합이 아닌 집합 X를 정의역으로 하는 함수 $f(x)=(x-2)^3+2$에 대하여 함수 f가 X에서의 항등함수가 되도록 하는 집합 X의 개수는? [3점]

① 3 ② 4 ③ 7
④ 8 ⑤ 15

19
[2010학년도 수능]

집합 $X=\{2, 3, 6\}$에 대하여 집합 X에서 X로의 일대일대응, 항등함수, 상수함수를 각각 $f(x)$, $g(x)$, $h(x)$라 하자. 세 함수 $f(x)$, $g(x)$, $h(x)$가 다음 조건을 만족시킬 때, $f(3)+h(2)$의 값은? [3점]

(가) $f(2)=g(3)=h(6)$
(나) $f(2)f(3)=f(6)$

① 4 ② 5 ③ 6
④ 8 ⑤ 9

20

집합 $X=\{1, 2, 3\}$에 대하여 X에서 X로의 세 함수 f, g, h가 다음 조건을 만족시킨다.

(가) f는 일대일대응, g는 항등함수, h는 상수함수이다.
(나) $f(1)=g(1)=h(1)$
(다) $f(2)= h(3)+2$

$f(3)\times g(3)\times h(3)$의 값은? [3점]

① 3 ② 6 ③ 9
④ 12 ⑤ 18

Very Important Test

친절한 해설 21쪽

01

$X=\{-1,\ 0,\ 1\}$, $Y=\{0,\ 1,\ 2,\ 3\}$일 때, 다음 중 X에서 Y로의 함수가 아닌 것은? [2점]

① $x \longrightarrow x+2$　② $x \longrightarrow |x|$
③ $x \rightarrow |x^2-1|$　④ $x \longrightarrow x^3+x^2-1$
⑤ $x \longrightarrow \sqrt{x^2}+1$

02

함수 $f(x)=x^2-2x+3$의 치역은? [2점]

① $\{y|y\geq 0\}$　② $\{y|y\geq 1\}$　③ $\{y|y\geq 2\}$
④ $\{y|y\geq 3\}$　⑤ $\{y|y\geq 4\}$

03

실수 전체의 집합에서 정의된 함수 f에 대하여

$$f(x)=\begin{cases} x-1 & (x\text{는 유리수}) \\ x^2 & (x\text{는 무리수}) \end{cases}$$

일 때, $f(2)+f(\sqrt{3})$의 값은? [3점]

① 1　② 2　③ 3
④ 4　⑤ 5

04

실수 전체의 집합에서 정의된 함수 f가

$$f(2x-3)=x+8$$

일 때, $f(1)$의 값은? [3점]

① 6　② 7　③ 8
④ 9　⑤ 10

05

실수 전체의 집합에서 정의된 함수 f가

$$f\left(\frac{x-2}{3}\right)=-x+12$$

를 만족시킬 때, $f(3)$의 값은? [3점]

① -2　② -1　③ 0
④ 1　⑤ 2

06

함수 f가 다음 그림과 같을 때, 정의역을 X, 공역을 Y, 치역을 $f(X)$라 하자. 집합 $X\cap f(X)$에 속하는 모든 원소의 합은? [3점]

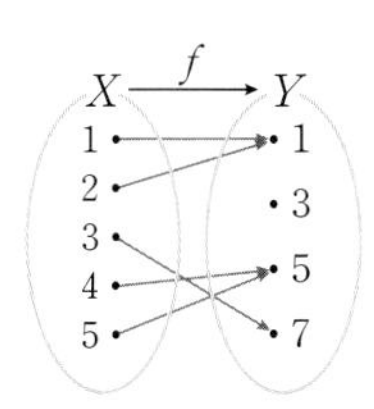

① 2　② 4　③ 6
④ 8　⑤ 10

07

X를 정의역으로 하는 두 함수 $f(x)=2x^2-1$, $g(x)=2x+3$에 대하여 $f=g$일 때, 정의역 X는? [3점]

① $\{-2, -1\}$ ② $\{-1, 2\}$ ③ $\{-2, 1\}$
④ $\{-1, 1\}$ ⑤ $\{1, 2\}$

08

두 집합 $X=\{0, 1, 2\}$, $Y=\{1, 2, 3\}$에 대하여 함수 $f: X \rightarrow Y$가 $f(x)=|2x-1|$로 주어질 때, 치역의 원소의 합은? [3점]

① 3 ② 4 ③ 5
④ 6 ⑤ 7

09

[보기]의 그래프 중 실수 전체의 집합 R에서 R로의 함수인 것의 개수를 a, 일대일대응인 것의 개수를 b라 할 때, $a+b$의 값은? [2점]

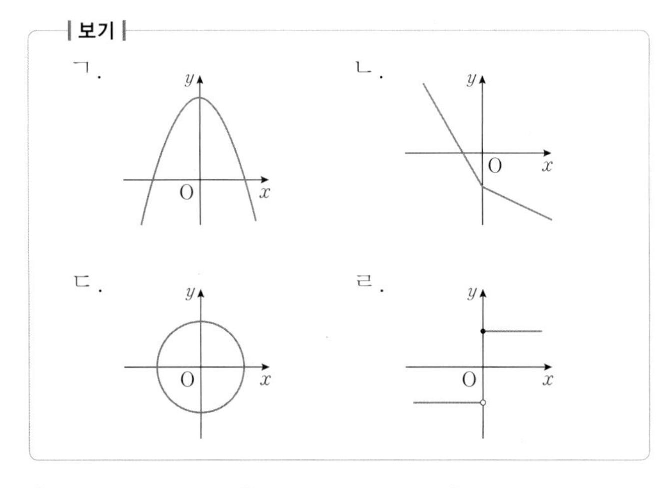

① 3 ② 4 ③ 5
④ 6 ⑤ 7

10

[보기]의 함수 중에서 일대일대응인 것을 있는 대로 고른 것은? [3점]

보기	
ㄱ. $f(x)=x^2$	ㄴ. $g(x)=\|x\|$
ㄷ. $h(x)=-x$	ㄹ. $k(x)=3x+2$

① ㄱ, ㄴ ② ㄱ, ㄷ ③ ㄴ, ㄷ
④ ㄷ, ㄹ ⑤ ㄱ, ㄴ, ㄷ

11

두 집합

$$X=\{x|0\le x\le a\},\ Y=\{x|-1\le x\le 5\}$$

에 대하여 X에서 Y로의 함수 $f(x)=2x+b$가 일대일대응일 때, $a+b$의 값은? (단, a, b는 상수이다.) [3점]

① 1 ② 2 ③ 3
④ 4 ⑤ 5

12

함수 $f(x)=\begin{cases} -x & (x>0) \\ (a^2-5a)x & (x\le 0) \end{cases}$가 일대일대응이 되도록 하는 정수 a의 개수는? [3점]

① 0 ② 1 ③ 2
④ 3 ⑤ 4

13

두 집합 $X=\{1, 2, 3, 4\}$, $Y=\{2, 3, 4, 5, 6\}$에 대하여 함수 $f: X \to Y$가 다음 조건을 만족시킨다.

(가) $f(1)=5$
(나) f는 일대일함수이다.
(다) 집합 X의 임의의 원소 x에 대하여 $f(x)>x$이다.

$f(3)+f(4)$의 값은? [3점]

① 8　② 9　③ 10　④ 11　⑤ 12

14

두 집합 $X=\{x|-1\le x\le 2\}$, $Y=\{y|0\le y\le 9\}$에 대하여 X에서 Y로의 함수 $f(x)=ax+b$가 다음 조건을 만족시킬 때, $f(0)$의 값은? (단, a, b는 상수이다.) [3점]

(가) $x_1\in X$, $x_2\in X$이고 $x_1<x_2$일 때, $f(x_1)>f(x_2)$이다.
(나) 함수 f는 일대일대응이다.

① -6　② -3　③ 3　④ 6　⑤ 9

15

집합 $X=\{2, 4, 8\}$에 대하여 X에서 X로의 세 함수 f, g, h가

$$f(2)=g(4)=h(8),\ f(2)f(4)=f(8)$$

을 만족시킨다. 세 함수 f, g, h가 각각 일대일대응, 항등함수, 상수함수일 때, $f(4)+g(8)+h(2)$의 값은? [3점]

① 12　② 13　③ 14　④ 15　⑤ 16

16

집합 $X=\{1, 2, 3\}$에 대하여 X에서 X로의 세 함수 f, g, h가 다음 세 조건을 만족시킬 때, $f(1)f(3)$의 값을 구하시오. [3점]

(가) f는 일대일대응, g는 항등함수, h는 상수함수이다.
(나) $f(1)=g(2)=h(3)$
(다) $f(2)+g(1)+h(3)=6$

17

집합 $X=\{1, 2, 3, 4\}$에 대하여 X에서 X로의 함수 f가 다음 조건을 만족시킬 때, $f(1)-f(2)-f(3)$의 값은? [3점]

(가) f는 일대일대응이다.　(나) $f(4)=3$
(다) $f(1)>f(2)>f(3)$

① -2　② -1　③ 0　④ 1　⑤ 2

18

집합 $X=\{1, 2, 3\}$에 대하여 세 함수 f, g, h는 각각 X에서 X로의 일대일대응, 항등함수, 상수함수이고 다음 두 조건을 만족시킬 때, $f(2)+g(2)+h(2)$의 값은? [3점]

(가) $f(1)-g(2)=h(3)$　(나) $f(3)-g(1)=h(1)$

① 1　② 2　③ 3　④ 4　⑤ 5

05 합성함수, 역함수

출제경향 함수의 대응 관계를 제시하고 합성함수의 함숫값, 역함수의 함숫값, 함수의 그래프와 그 역함수의 그래프가 직선 $y=x$에 대하여 대칭임을 묻는 문항들이 출제된다. 합성함수, 역함수의 의미를 이해하고 이를 구할 수 있어야 하며, 역함수의 그래프의 $y=x$에 대한 대칭성과 교점과의 관계를 숙지해야 한다.

핵심개념 1 합성함수와 그 성질

(1) 합성함수 : 두 함수 $f:X \to Y$, $g:Y \to Z$에 대하여 집합 X의 임의의 원소 x에 집합 Z의 원소 $g(f(x))$를 대응시키는 새로운 함수를 f와 g의 합성함수라 하고, 기호로 $\boldsymbol{g \circ f}:X \to Z$와 같이 나타낸다. 즉

$$g \circ f : X \to Z,\ (g \circ f)(x)=g(f(x))$$

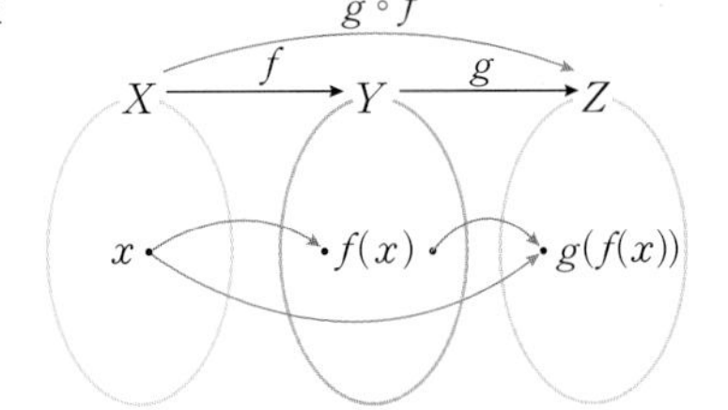

(2) 합성함수의 성질

세 함수 f, g, h에 대하여

① $g \circ f \neq f \circ g$ ←교환법칙이 성립하지 않는다.

② $(f \circ g) \circ h = f \circ (g \circ h)$ ←결합법칙이 성립한다.

③ $f \circ I = I \circ f = f$ (단, I는 항등함수)

[2018학년도 수능 모의평가]

01 그림은 두 함수 $f:X \to Y$, $g:Y \to Z$를 나타낸 것이다. $(g \circ f)(1)$의 값은? [3점]

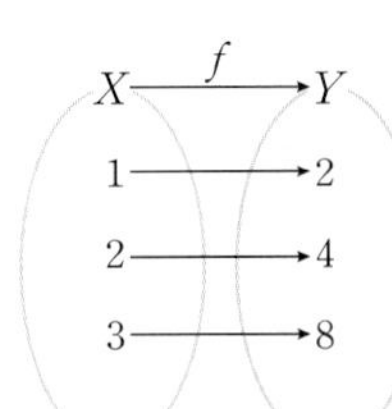

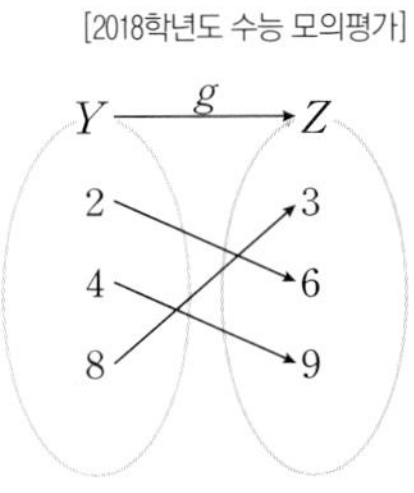

① 3 ② 4 ③ 6
④ 8 ⑤ 9

핵심개념 2 역함수와 그 성질

(1) 역함수 : 함수 $f:X \to Y$가 일대일대응일 때, Y의 각 원소 y에 $f(x)=y$인 X의 원소 x를 대응시켜 Y를 정의역, X를 공역으로 하는 함수를 f의 역함수라 하고, 기호로 $\boldsymbol{f^{-1}}$와 같이 나타낸다. 즉

$$f^{-1}:Y \to X,\ x=f^{-1}(y)$$

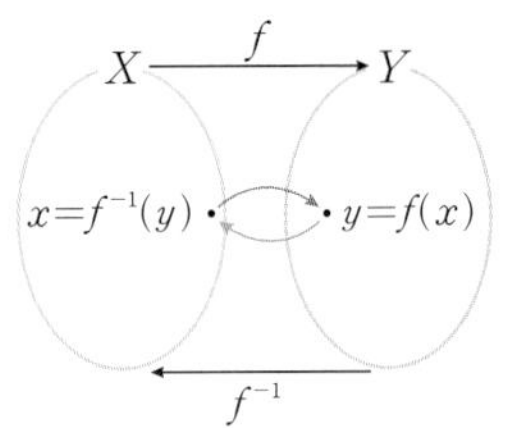

(2) 역함수의 성질

함수 $f:X \to Y$가 일대일대응일 때, 그 역함수 $f^{-1}:Y \to X$에 대하여

① $(f^{-1})^{-1}=f$

② $(f^{-1} \circ f)(x)=x\ (x \in X)$, $(f \circ f^{-1})(y)=y\ (y \in Y)$

③ 함수 $g:Y \to Z$가 일대일대응일 때, $(g \circ f)^{-1}=f^{-1} \circ g^{-1}$

[2017학년도 교육청]

02 그림은 함수 $f:X \to X$를 나타낸 것이다. $f^{-1}(2)$의 값은? [3점]

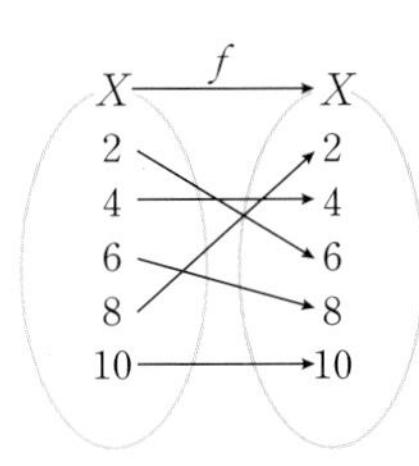

① 2 ② 4 ③ 6
④ 8 ⑤ 10

친절한 해설 22쪽

핵심개념 3 역함수 구하는 순서

함수 $y=f(x)$의 역함수 $y=g(x)$는 다음과 같은 순서로 구한다.

① 주어진 함수 $y=f(x)$가 일대일대응인지 확인한다.

② $y=f(x)$에서 x를 y로 나타내어 $x=g(y)$ 꼴로 고친다.

③ $x=g(y)$에서 x와 y를 서로 바꾸어 $y=g(x)$로 나타낸다.

④ 주어진 함수 $y=f(x)$의 치역을 역함수 $y=g(x)$의 정의역으로 한다.

→ 함수 f와 그 역함수 g는 정의역과 치역이 서로 바뀐다. 즉 f의 정의역은 g의 치역, f의 치역은 g의 정의역이 된다.

$y=f(x)$ —(x를 y로 나타낸다.)→ $x=g(y)$ —(x와 y를 서로 바꾼다.)→ $y=g(x)$

[2015학년도 교육청]

03 일차함수 $f(x)$의 역함수를 $g(x)$라 할 때, 함수 $y=f(2x+3)$의 역함수를 $g(x)$에 대한 식으로 나타내면 $y=ag(x)+b$이다. 두 상수 a, b에 대하여 $a+b$의 값은? [3점]

① $-\frac{5}{2}$　② -2　③ $-\frac{3}{2}$　④ -1　⑤ $-\frac{1}{2}$

핵심개념 4 역함수의 그래프

함수 f와 그 역함수 f^{-1}에 대하여

(1) 함수 $y=f(x)$의 그래프와 그 역함수 $y=f^{-1}(x)$의 그래프는 직선 $y=x$에 대하여 대칭이다.

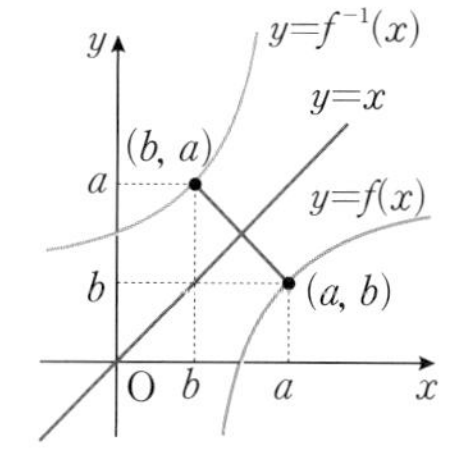

(2) 함수 $y=f(x)$의 그래프와 직선 $y=x$의 교점이 존재하면 그 교점은 함수 $y=f(x)$와 역함수 $y=f^{-1}(x)$의 그래프의 교점이다. (단, 역은 성립하지 않는다.)

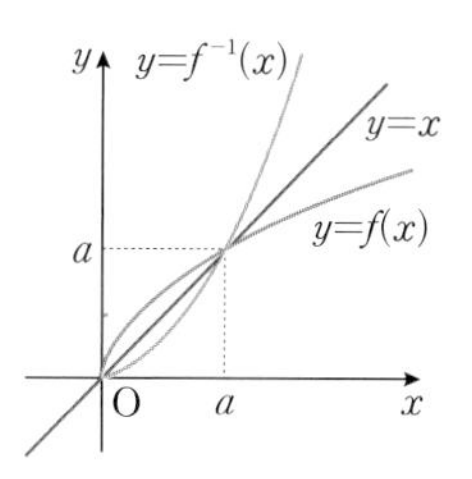

[2009학년도 교육청]

04 그림은 $x\geq0$에서 정의된 두 함수 $y=f(x)$, $y=g(x)$의 그래프와 직선 $y=x$를 나타낸 것이다. $g^{-1}(f(c))$의 값은? (단, g는 역함수가 존재하는 함수이다.) [3점]

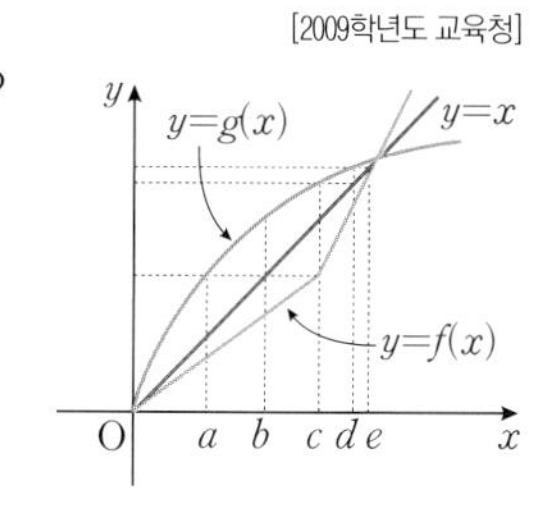

① a　② b　③ c
④ d　⑤ e

기출유형 01 합성함수의 함숫값

[2019학년도 수능 모의평가]

그림은 두 함수 $f: X \to Y$, $g: Y \to Z$를 나타낸 것이다.

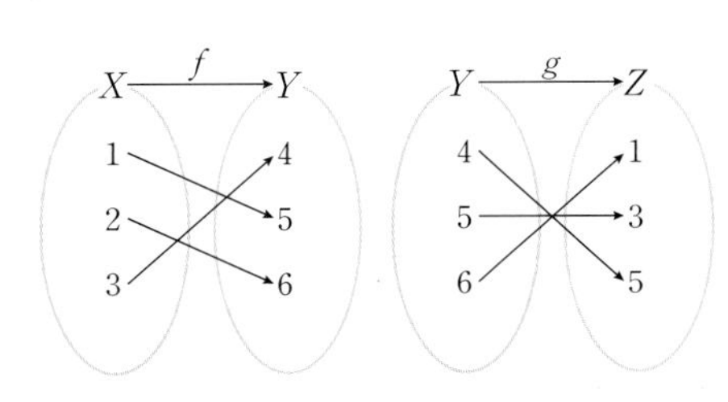

$(g \circ f)(3)$의 값은? [3점]

① 1 ② 2 ③ 3 ④ 4 ⑤ 5

Act ①
$(g \circ f)(3)=g(f(3))$의 값은 $f(3)$의 값을 먼저 구한 후 $g(x)$의 x 대신에 $f(3)$을 대입한다.

해결의 실마리
$(f \circ g)(a)=f(g(a))$의 값은 ① $g(a)$의 값을 먼저 구한 후 ② $f(x)$의 x 대신에 $g(a)$를 대입한다.

01
[2019학년도 수능]

그림은 함수 $f: X \to X$를 나타낸 것이다.

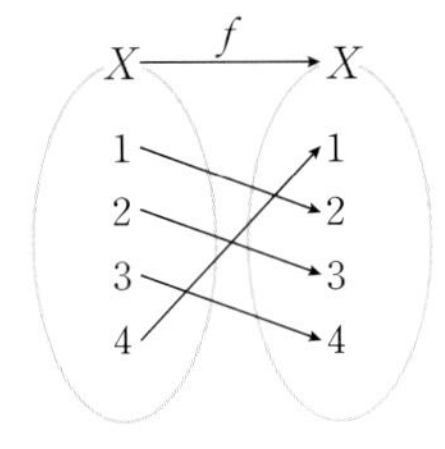

$f(4)+(f \circ f)(2)$의 값은? [3점]

① 3 ② 4 ③ 5
④ 6 ⑤ 7

02
[2018학년도 교육청]

두 함수 $f(x)=2x+3$과 $g(x)=x-2$에 대하여 $(g \circ f)(3)$의 값은? [3점]

① 5 ② 7 ③ 9
④ 11 ⑤ 13

03
[2017학년도 교육청]

두 함수 $f(x)=x-3$, $g(x)=x^2+1$에 대하여 $(g \circ f)(5)$의 값은? [3점]

① 1 ② 2 ③ 3
④ 4 ⑤ 5

04
[2017학년도 교육청]

두 함수 $f(x)=ax-6$, $g(x)=\frac{1}{2}x+b$가 모든 실수 x에 대하여 $(f \circ g)(x)=x$를 만족시킬 때, $100(a+b)$의 값을 구하시오. (단, a, b는 상수이다.) [3점]

기출유형 02 합성함수의 추정

함수 $f(x)=-x+3$에 대하여

$$f^1=f,\ f^2=f\circ f,\ f^3=f\circ f^2,\ \cdots,\ f^{n+1}=f\circ f^n\ (n\text{은 자연수})$$

과 같이 정의할 때, $f^{20}(10)$의 값은? [3점]

① 2 ② 4 ③ 6 ④ 8 ⑤ 10

Act①

f^n 꼴의 합성함수는 f^1, f^2, f^3, …를 구하여 규칙을 찾는다.

해결의 실마리

f^n 꼴의 합성함수는

⇨ f^1, f^2, f^3, …를 구하여 규칙을 찾는다.

05

함수 $f(x)=x+3$에 대하여

$$f^1=f,\ f^2=f\circ f,\ f^3=f\circ f^2,\ \cdots,\ f^{n+1}=f\circ f^n\ (n\text{은 자연수})$$

과 같이 정의할 때, $f^{15}(5)$의 값은? [3점]

① 30 ② 35 ③ 40 ④ 45 ⑤ 50

06

[2012학년도 교육청]

집합 $A=\{1,\ 2,\ 3,\ 4\}$에 대하여 함수 $f:A\longrightarrow A$를

$$f(x)=\begin{cases}x+1 & (x\le3)\\ 1 & (x=4)\end{cases}$$

로 정의하자.

$$f^1(x)=f(x),\ f^{n+1}(x)=f(f^n(x))\ (n=1,\ 2,\ 3,\ \cdots)$$

이라 할 때, $f^{2012}(2)+f^{2013}(3)$의 값은? [3점]

① 3 ② 4 ③ 5 ④ 6 ⑤ 7

07

양의 실수 x에 대하여 함수 $f(x)$가

$$f(x)=\begin{cases}x^2 & (x\text{는 무리수})\\ \sqrt{x} & (x\text{는 유리수})\end{cases}$$

일 때, $f^1=f$, $f^{n+1}=f^n$ (n은 자연수)으로 정의하자. 이때 $f^{10}(1)+f^{11}(\sqrt{3})$의 값은? [3점]

① 3 ② 4 ③ 5 ④ 6 ⑤ 7

08

함수 $y=f(x)$의 그래프가 오른쪽 그림과 같을 때, $f^{100}\left(\frac{1}{2}\right)$의 값은? (단, $f^1=f$, $f^{n+1}=f\circ f^n$, n은 자연수) [3점]

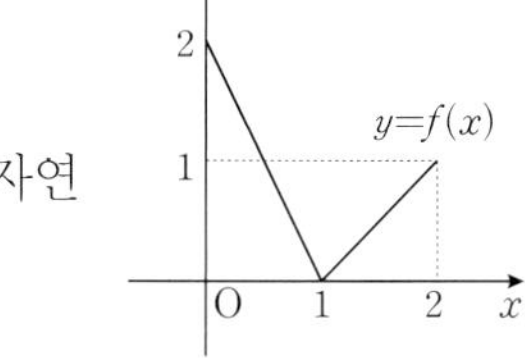

① 0 ② $\frac{1}{2}$ ③ 1 ④ $\frac{3}{2}$ ⑤ 2

기출유형 03 역함수의 함숫값

[2018학년도 교육청]

함수 $f(x)=2x-1$에 대하여 $f^{-1}(3)$의 값은? [3점]

① -2 ② -1 ③ 0 ④ 1 ⑤ 2

Act ①
$f^{-1}(3)=a$로 놓고 $f(a)=3$을 만족하는 a의 값을 구한다.

해결의 실마리
함수 $f(x)$와 그 역함수 $f^{-1}(x)$에 대하여
$f^{-1}(b)=a \Leftrightarrow f(a)=b$

09

[2018학년도 교육청]

함수 $f(x)=3x-7$에 대하여 $f^{-1}(5)$의 값을 구하시오. [3점]

10

[2017학년도 교육청]

함수 $f(x)=2x+k$에 대하여 $f^{-1}(5)=1$일 때, 상수 k의 값은? [3점]

① 1 ② 2 ③ 3
④ 4 ⑤ 5

11

[2017학년도 교육청]

함수 $f(x)=2x+a$에 대하여 $f^{-1}(1)=2$일 때, $f(3)$의 값은? (단, a는 상수이다.) [3점]

① 1 ② 3 ③ 5
④ 7 ⑤ 9

12

[2016학년도 교육청]

일차함수 $f(x)$가 $f(2x+1)=4x+7$을 만족시킬 때, $f^{-1}(11)$의 값은? [3점]

① 1 ② 2 ③ 3
④ 4 ⑤ 5

기출유형 04 합성함수와 역함수

[2017학년도 교육청]

그림은 두 함수 $f: X \to Z$, $g: Y \to Z$를 나타낸 것이다.

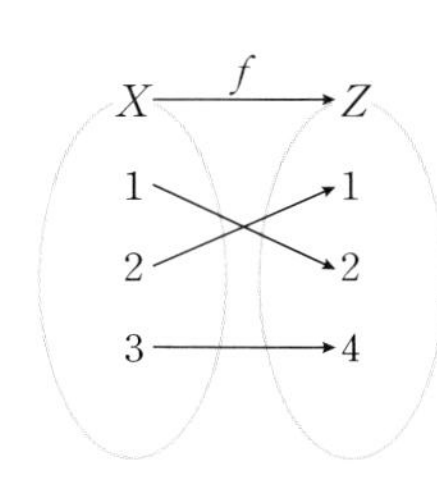

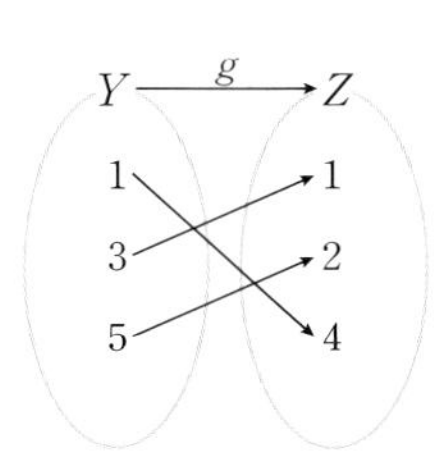

$(f^{-1} \circ g)(3)$의 값은? [3점]

① 1 ② 2 ③ 3 ④ 4 ⑤ 5

Act①
$(f^{-1} \circ g)(a)$의 값은 $f^{-1}(g(a))=k$로 놓고 $f(k)=g(a)$임을 이용한다.

해결의 실마리

두 함수 f, g의 역함수가 각각 f^{-1}, g^{-1}일 때

(1) $(f^{-1} \circ g)(a)$의 값은 ⇨ $f^{-1}(g(a))=k$로 놓고 $f(k)=g(a)$임을 이용한다.

(2) $(f \circ g^{-1})(a)$의 값은 ⇨ $g^{-1}(a)=k$로 놓고 $g(k)=a$임을 이용한다.

13

[2018학년도 수능 모의평가]

두 함수

$$f(x)=x^3+1,\ g(x)=x-4$$

에 대하여 $(g^{-1} \circ f)(-1)$의 값은? [3점]

① 1 ② 2 ③ 3 ④ 4 ⑤ 5

14

[2015학년도 교육청]

두 일차함수

$$f(x)=x-10,\ g(x)=2x-1$$

에 대하여 $(f^{-1} \circ g)(1)$의 값은? [3점]

① 7 ② 8 ③ 9 ④ 10 ⑤ 11

15

[2018학년도 교육청]

두 함수

$$f(x)=4x-5,\ g(x)=3x+1$$

에 대하여 $(f \circ g^{-1})(k)=7$을 만족시키는 실수 k의 값은? [3점]

① 4 ② 7 ③ 10 ④ 13 ⑤ 16

16

[2018학년도 교육청]

두 함수

$$f(x)=\frac{1}{2}x,\ g(x)=2x+5$$

에 대하여 $(g \circ f^{-1})(2)$의 값을 구하시오. [3점]

기출유형 05 역함수가 존재하기 위한 조건

정의역이 $X=\{x|-1\le x\le 1\}$, 공역이 $Y=\{y|a\le y\le b\}$인 함수 $f(x)=-2x+1$의 역함수가 존재할 때, 상수 a, b에 대하여 $b-a$의 값은? [3점]

① 2 ② 3 ③ 4 ④ 5 ⑤ 6

Act ①

치역과 공역이 같을 때의 a, b의 값을 구한다.

해결의 실마리

함수 $f(x)$의 역함수가 존재한다.

⇔ $f(x)$는 일대일대응이다.

⇔ ① 정의역의 임의의 두 원소 x_1, x_2에 대하여 $x_1\ne x_2$이면 $f(x_1)\ne f(x_2)$

② (치역)=(공역)

17

정의역이 $X=\{x|-1\le x\le 1\}$, 공역이 $Y=\{y|a\le y\le b\}$인 함수 $f(x)=x-2$의 역함수가 존재하도록 하는 실수 a, b에 대하여 ab의 값은? [3점]

① 2 ② 3 ③ 4 ④ 5 ⑤ 6

18

[2008학년도 교육청]

집합 $X=\{-1, 0, 1\}$일 때,

$G=\{(x, y)|y=f(x), x\in X, y\in X\}$

를 함수 $f: X\to X$의 그래프로 정의한다. 역함수가 존재하는 함수 f의 그래프를 [보기]에서 있는 대로 고르면? [3점]

| 보기 |

ㄱ. $G_1=\{(-1, 0), (0, 0), (1, 0)\}$

ㄴ. $G_2=\{(-1, -1), (0, 0), (1, 1)\}$

ㄷ. $G_3=\{(-1, 0), (0, 1), (1, -1)\}$

① ㄱ ② ㄷ ③ ㄱ, ㄴ ④ ㄴ, ㄷ ⑤ ㄱ, ㄴ, ㄷ

19

실수 전체의 집합 R에서 R로의 함수 f를

$$f(x)=|x-2|+kx+3$$

으로 정의할 때, $f(x)$가 역함수를 가지기 위한 자연수 k의 최솟값을 구하시오. [3점]

20

함수 $f(x)=2(x-1)-3a|x-2|$의 역함수가 존재하도록 하는 정수 a의 개수는? [3점]

① 0 ② 1 ③ 2 ④ 3 ⑤ 4

기출유형 06 역함수의 성질을 이용한 함숫값 구하기

두 함수 $f(x)=2x$, $g(x)=x-10$에 대하여

$$(f^{-1}\circ(f^{-1}\circ g)^{-1}\circ f^{-1})(k)=9$$

를 만족시키는 실수 k의 값은? [3점]

① 2 ② 4 ③ 6 ④ 8 ⑤ 10

Act ①
역함수의 성질을 이용하여 주어진 식을 간단히 한다.

해결의 실마리

두 함수 f, g의 역함수가 각각 f^{-1}, g^{-1}일 때

(1) $(f^{-1})^{-1}=f$

(2) $(f^{-1}\circ f)(x)=x$, $(f\circ f^{-1})(y)=y$ ▶ 합성함수가 항등함수이면 두 함수는 역함수 관계야.

(3) $(g\circ f)^{-1}=f^{-1}\circ g^{-1}$

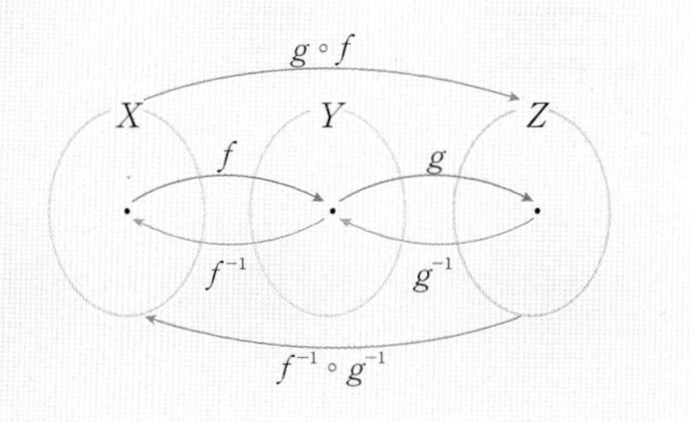

21

두 함수 $f(x)=2x+a$, $g(x)=bx-9$에 대하여 $f^{-1}\circ g=f$가 성립할 때, $a+b$의 값은? (단, a, b는 실수) [3점]

① 1 ② 2 ③ 3
④ 4 ⑤ 5

23

두 함수 $f(x)=3x+2$, $g(x)=-x+3$에서 $(g\circ(f^{-1}\circ g)^{-1}\circ g)(2)$의 값을 구하시오. [3점]

22

[2017학년도 교육청]

함수 $f(x)=x^3+1$에 대하여 $(f^{-1}\circ f\circ f^{-1})(a)=3$을 만족시키는 실수 a의 값을 구하시오. [3점]

24

[2011학년도 교육청]

집합 $X=\{1, 2, 3, 4\}$에 대하여 X에서 X로의 두 함수 f와 g가 그림과 같을 때, $(f\circ g^{-1})(1)+(g\circ f)^{-1}(4)$의 값은? [3점]

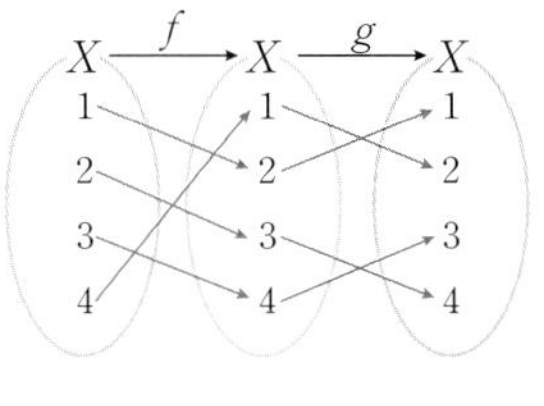

① 4 ② 5 ③ 6
④ 7 ⑤ 8

기출유형 07 역함수의 그래프의 성질

오른쪽 그림은 역함수가 존재하는 두 함수 $y=f(x)$, $y=g(x)$의 그래프와 직선 $y=x$를 나타낸 것이다. $(f^{-1}\circ g)^{-1}(3)$의 값은? [3점]

① 5 ② 6 ③ 7

④ 8 ⑤ 9

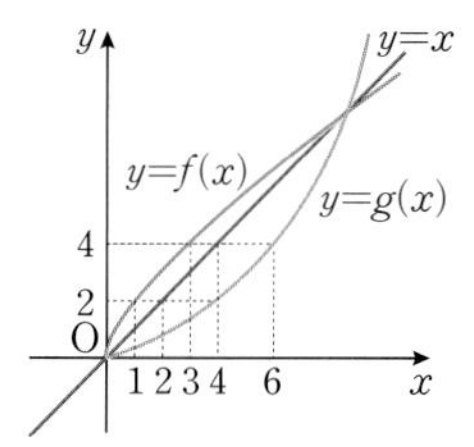

Act①

$f(x)$의 그래프가 점 $(a,\ b)$를 지나면 $f^{-1}(x)$의 그래프가 점 $(b,\ a)$를 지남을 이용한다.

해결의 실마리

(1) 함수 $y=f(x)$의 그래프와 직선 $y=x$의 교점은 ⇨ $y=f(x)$와 역함수 $y=f^{-1}(x)$의 그래프의 교점이다.

(2) 그래프에서 역함수의 함숫값을 구하는 방법

① 직선 $y=x$를 이용하여 x좌표와 y좌표를 구한다. ② $f^{-1}(a)=b$이면 $f(b)=a$임을 이용한다.

25

함수 $y=f(x)$의 그래프와 직선 $y=x$가 오른쪽 그림과 같을 때, $(f^{-1}\circ f^{-1})(d)$의 값은? [3점]

① a ② b

③ c ④ d

⑤ e

26

함수 $f(x)=ax+b$의 그래프와 그 역함수의 그래프가 모두 점 $(1,\ -5)$를 지날 때, $f(0)$의 값은? (단, a, b는 상수) [3점]

① -1 ② -2 ③ -3

④ -4 ⑤ -5

27

[2010학년도 11월 교육청]

함수 $f(x)=x^2-6x\ (x\geq3)$의 그래프와 그 역함수 $y=f^{-1}(x)$의 그래프의 교점이 $(a,\ b)$일 때, $10ab$의 값을 구하시오. [3점]

28

[2016학년도 교육청]

집합 $X=\{x\,|\,x\geq1\}$에 대하여 함수 $f:X\to X$가

$$f(x)=x^2-2x+2$$

이다. 방정식 $f(x)=f^{-1}(x)$의 모든 근의 합은? [3점]

① 1 ② 2 ③ 3

④ 4 ⑤ 5

Very Important Test

친절한 해설 26쪽

01

그림은 집합 $X=\{1,\ 2,\ 3,\ 4\}$에 대하여 함수 $f : X \rightarrow X$를 나타낸 것이다. $f(1)\times(f\circ f)(1)$의 값은? [2점]

① 2　② 4　③ 6　④ 8　⑤ 10

02

두 함수 $f(x)=2x+1$, $g(x)=-x+a$에 대하여

$$(f\circ g)(2)=3$$

일 때, $(g\circ f)(2)$의 값은? (단, a는 상수이다.) [3점]

① -5　② -4　③ -3　④ -2　⑤ -1

03

두 함수 $f(x)=2x+a$, $g(x)=2-x$에 대하여

$$f\circ g=g\circ f$$

를 만족시키는 상수 a의 값은? [3점]

① -5　② -4　③ -3　④ -2　⑤ -1

04

두 함수 $f(x)=3x+1$, $g(x)=-x+k$에 대하여 $f\circ g=g\circ f$가 성립할 때, $g(4)$의 값은? (단, k는 상수) [3점]

① -8　② -7　③ -6　④ -5　⑤ -4

05

함수 $f(x)=x+1$과 일차함수 $g(x)$가

$$f\circ g=g\circ f,\ g(1)=3$$

을 만족시킬 때, $g(2)+g(3)$의 값은? [3점]

① 7　② 8　③ 9　④ 10　⑤ 11

06

함수 $f(x)=ax+b$에 대하여

$$(f\circ f)(x)=9x+8$$

이 성립할 때, $f(1)$의 값을 구하시오. (단, a, b는 양수) [3점]

07

두 함수 $f(x)=\frac{2}{3}x+2$, $g(x)=2x+1$에 대하여

$$(g\circ h)(x)=f(x)$$

가 성립할 때, $h(3)$의 값은? [3점]

① $\frac{1}{2}$ ② 1 ③ $\frac{3}{2}$
④ 2 ⑤ $\frac{5}{2}$

08

함수 $f(x)=x-2$, $g(x)=2x^2+x-3$에 대하여 방정식 $(f\circ g)(x)=(g\circ f)(x)$의 근을 구하시오. [3점]

09

함수 f, g, h가 모든 실수 x에 대하여

$$g(x)=2x-1,\ h(x)=3x+2,\ (g\circ f)(x)=x+2$$

를 만족할 때, $((h\circ g)\circ f)(x)=5$를 만족시키는 x의 값은? [3점]

① -2 ② -1 ③ 0
④ 1 ⑤ 2

10

집합 $X=\{1, 2, 3, 4\}$에서 집합 X로의 함수 f를

$$f(x)=(x^3\text{을 5로 나눈 나머지})$$

로 정의할 때, $f^{2018}(2)$의 값을 구하시오.

(단, $f^1=f$, $f^n\circ f=f^{n+1}$, n은 자연수) [3점]

11

함수 $f(x)=2x+k$에 대하여 $f^{-1}(1)=3$일 때, $f(2)$의 값은? (단, k는 실수) [2점]

① -2 ② -1 ③ 0
④ 1 ⑤ 2

12

함수 $f(x)=ax+b$에서 $f(2)=1$, $f^{-1}(3)=1$일 때, 실수 a, b에 대하여 $b-a$의 값을 구하시오. [3점]

13

두 함수 $f(x)=x+a$, $g(x)=bx-4$에 대하여 합성함수 $(f\circ g)(x)=x-3$일 때, $f^{-1}(2)$의 값은?

(단, a, b는 상수) [3점]

① 1 ② 2 ③ 3
④ 4 ⑤ 5

14

함수 $f(x)=ax+b$에 대하여 $f^{-1}(2)=1$, $(f\circ f)(1)=5$일 때, $f^{-1}(3)$의 값은? (단, a, b는 상수) [3점]

① $\frac{1}{3}$ ② $\frac{2}{3}$ ③ 1
④ $\frac{4}{3}$ ⑤ $\frac{5}{3}$

15

두 함수 $f(x)=-3x+1$, $g(x)=-x+5$에 대하여 $(f^{-1}\circ g)(1)$의 값은? [3점]

① -5 ② -4 ③ -3
④ -2 ⑤ -1

16

실수 전체의 집합에서 정의된 함수

$$f(x)=\begin{cases}\frac{1}{2}x^2+x+1 & (0\le x\le 2)\\ ax+b & (x<0 \text{ 또는 } x>2)\end{cases}$$

의 역함수가 존재할 때, $f(4)$의 값은? [3점]

① 6 ② 7 ③ 8
④ 9 ⑤ 10

17

일차함수 $f(x)=ax+b$의 그래프와 그 역함수의 그래프가 모두 점 $(2, -4)$를 지날 때, 두 실수 a, b에 대하여 $a+b$의 값은? [3점]

① -5 ② -4 ③ -3
④ -2 ⑤ -1

18

두 함수 $y=f(x)$와 $y=x$의 그래프가 오른쪽 그림과 같을 때, $(f\circ f)^{-1}(b)$의 값은? [3점]

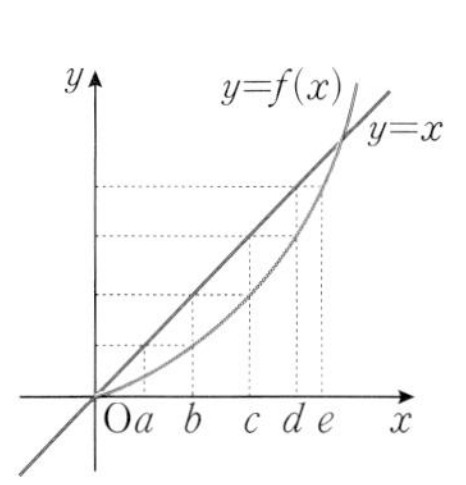

① a ② b
③ c ④ d
⑤ e

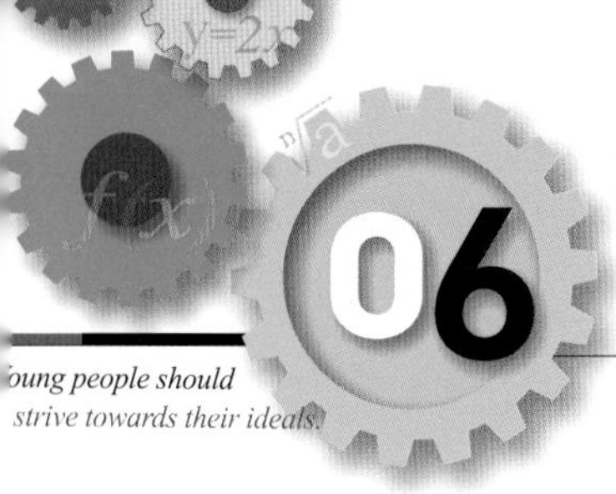

Ⅱ. 함수

06 유리함수

출제경향 유리함수는 모의고사에서 빠지지 않고 출제되는 단원이다. 유리함수 $y=\frac{k}{x-p}+q$의 점근선과 그래프의 성질을 이해하고 $y=\frac{ax+b}{cx+d}$를 $y=\frac{k}{x-p}+q$ 꼴로 변형할 수 있어야 한다. 유리식은 유리함수의 의미를 이해할 수 있을 정도로 정리한다.

핵심개념 1 유리식의 뜻과 성질

(1) 유리식의 뜻

두 다항식 A, $B(B\neq0)$에 대하여 $\frac{A}{B}$ 꼴로 나타내어지는 식을 유리식이라 한다.

이때 B가 상수이면 $\frac{A}{B}$는 다항식이 되므로 다항식도 유리식이다. 따라서 다항식은 유리식의 특수한 경우이며 다항식이 아닌 유리식을 분수식이라 한다.

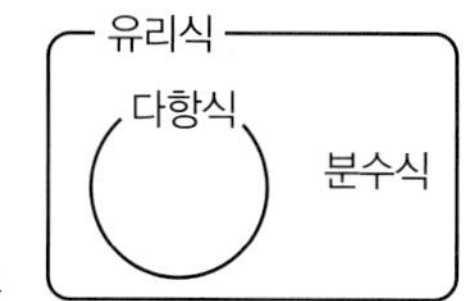

(2) 유리식의 성질

유리수와 마찬가지로 유리식에서도 아래와 같은 성질이 성립한다. 이 성질을 이용하면 식을 간단히 하거나 두 개 이상의 유리식의 분모를 같게 만들 수 있다.

다항식 A, B, C $(B\neq0,\ C\neq0)$에 대하여

① $\frac{A}{B}=\frac{A\times C}{B\times C}$ ⇨ 통분할 때 사용　　② $\frac{A}{B}=\frac{A\div C}{B\div C}$ ⇨ 약분할 때 사용

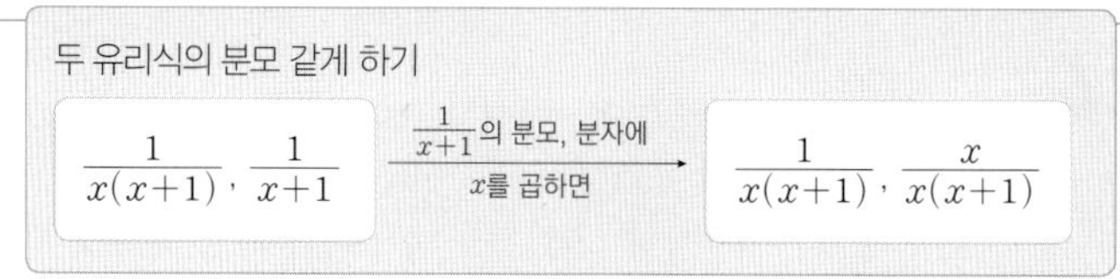

[2008학년도 교육청]

01 유리식 $\left(1-\frac{1}{x}\right)\times\frac{2x}{1-x}$를 간단히 하면? [2점]

① -2　② -1　③ x　④ $\frac{1}{x}$　⑤ $\frac{1}{x^2}$

핵심개념 2 유리식의 계산

(1) 유리식의 덧셈과 뺄셈

다항식 A, B, C $(B\neq0,\ C\neq0)$에 대하여

① 덧셈 : $\frac{A}{C}+\frac{B}{C}=\frac{A+B}{C}$

② 뺄셈 : $\frac{A}{C}-\frac{B}{C}=\frac{A-B}{C}$

분모를 통분하여 계산

(2) 유리식의 곱셈과 나눗셈

① 곱셈 : $\frac{A}{C}\times\frac{B}{D}=\frac{AB}{CD}$ — 분모는 분모끼리, 분자는 분자끼리 곱한다.

② 나눗셈 : $\frac{A}{C}\div\frac{B}{D}=\frac{A}{C}\times\frac{D}{B}=\frac{AD}{BC}$ (단, $B\neq0$)

나누는 식의 역수를 취하여 곱한다.

[2007학년도 교육청]

02 유리식 $\dfrac{x}{1+\dfrac{1}{x-1}}$를 간단히 하면? [2점]

① $x-1$　② x　③ $x+1$　④ $x+2$　⑤ $x+3$

핵심개념 3 유리함수 $y=\frac{k}{x-p}+q(k\neq0)$의 그래프

(1) 유리함수의 뜻: 함수 $y=f(x)$에서 $f(x)$가 x에 대한 유리식일 때, 이 함수를 유리함수라 한다. 특히 $f(x)$가 x에 대한 다항식일 때, 이 함수를 다항함수라 한다.

(2) 유리함수 $y=\frac{k}{x-p}+q(k\neq0)$의 그래프

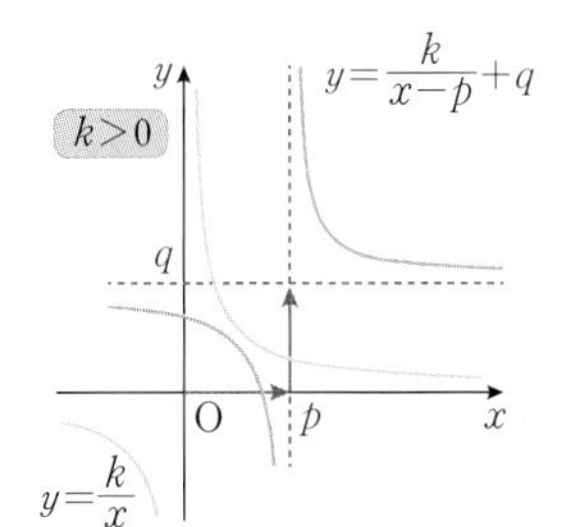

① 유리함수 $y=\frac{k}{x}$의 그래프를 x축의 방향으로 p만큼, y축의 방향으로 q만큼 평행이동한 것이다.

② 정의역은 $\{x|x\neq p$인 실수$\}$, 치역은 $\{y|y\neq q$인 실수$\}$이다.

③ 점근선은 두 직선 $x=p$, $y=q$이다.

중학교에서 배운 내용

유리함수 $y=\frac{k}{x}(k\neq0)$의 그래프

① 정의역과 치역은 0을 제외한 실수 전체의 집합이다.
② $k>0$이면 그래프는 제1사분면과 제3사분면에 있고, $k<0$이면 그래프는 제2사분면과 제4사분면에 있다.
③ 원점에 대하여 대칭이다.
④ k의 절댓값이 커질수록 그래프는 원점에서 멀어진다.
⑤ 점근선은 x축과 y축이다.

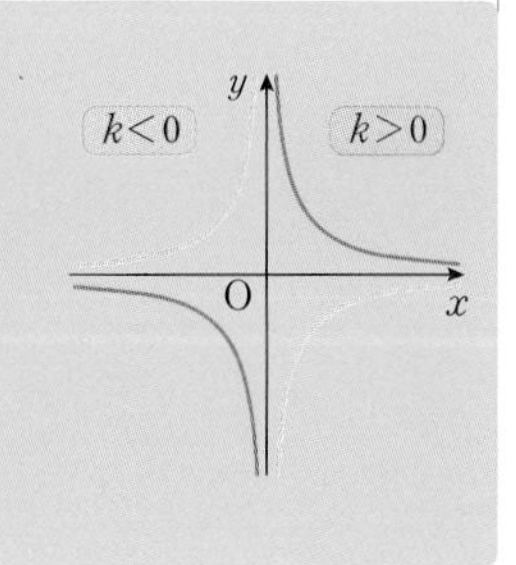

[2018학년도 교육청]

03 함수 $y=\frac{1}{x+3}+8$의 그래프의 점근선은 두 직선 $x=a$, $y=b$이다. $a+b$의 값은? [3점]

① 5 ② 6 ③ 7 ④ 8 ⑤ 9

핵심개념 4 유리함수 $y=\frac{ax+b}{cx+d}\ (ad-bc\neq0,\ c\neq0)$의 그래프

(1) 유리함수 $y=\frac{ax+b}{cx+d}$의 그래프는 $y=\frac{k}{x-p}+q(k\neq0)$ 꼴로 변형하여 그린다.

예 $y=\frac{3x+2}{x-1}=\frac{3(x-1)+5}{x-1}=\frac{5}{x-1}+3$

(2) 점근선은 두 직선 $x=-\frac{d}{c}$, $y=\frac{a}{c}$이다.

분모가 0일 때의 x의 값 / 분모, 분자의 x항의 계수의 비

그래프를 그릴 때 점근선을 먼저 그리면 편리하겠지?

[2018학년도 교육청]

04 함수 $y=\frac{3x+2}{x-2}$의 그래프의 점근선은 두 직선 $x=m$, $y=n$이다. 두 상수 m, n에 대하여 $m+n$의 값은? [3점]

① 1 ② 2 ③ 3 ④ 4 ⑤ 5

유형따라잡기

기출유형 01 유리식의 계산

2가 아닌 모든 실수 x에 대하여

$$\frac{2x+1}{(x-2)(x^2+1)}=\frac{a}{x-2}+\frac{bx}{x^2+1}$$

가 성립할 때, $a-b$의 값은? (단, a, b는 상수이다.) [3점]

① -2　② -1　③ 0　④ 1　⑤ 2

Act①

좌변과 우변의 분모가 같도록 우변을 통분한 다음 항등식의 성질을 이용한다.

해결의 실마리

유리식으로 주어진 등식이 항등식일 때 미정계수를 구하려면

⇨ 분모를 통분하거나 같은 식을 곱하여 간단히 한 후 계수를 비교한다.

01

$x\neq-1$, $x\neq1$인 모든 실수 x에 대하여

$$\frac{3x+1}{x^2-1}=\frac{a}{x-1}+\frac{b}{x+1}$$

가 성립할 때, $a+b$의 값은? (단, a, b는 상수이다.) [3점]

① 3　② 4　③ 5　④ 6　⑤ 7

02

$x\neq-4$, $x\neq-2$인 모든 실수 x에 대하여

$$\frac{a}{x+2}+\frac{b}{x+4}=\frac{x+6}{x^2+6x+8}$$

이 성립할 때, $a-b$의 값을 구하시오. (단, a, b는 상수이다.) [3점]

03

다음 식의 분모를 0으로 만들지 않는 모든 실수 x에 대하여

$$\frac{3x^2}{x^3-1}=\frac{a}{x-1}+\frac{bx+1}{x^2+x+1}$$

이 성립할 때, ab의 값을 구하면? (단, a, b는 상수이다.) [3점]

① -2　② -1　③ 1　④ 2　⑤ 3

04

다음 식의 분모를 0으로 만들지 않는 모든 실수 x에 대하여

$$\frac{x^2-5}{x^3+x^2-x-1}=\frac{a}{x-1}+\frac{b}{x+1}+\frac{2}{(x+1)^2}$$

가 성립하도록 상수 a, b의 값을 정할 때, $b-a$의 값을 구하시오. [3점]

기출유형 02 부분분수와 번분수식의 계산

$\frac{1}{x(x+2)}+\frac{1}{(x+2)(x+4)}+\frac{1}{(x+4)(x+6)}=\frac{a}{x(x+b)}$가 성립할 때, 상수 a, b의 합 $a+b$의 값은? [3점]

① 5 ② 6 ③ 7 ④ 8 ⑤ 9

Act ①
$\frac{1}{AB}=\frac{1}{B-A}\left(\frac{1}{A}-\frac{1}{B}\right)$을 이용하여 부분분수로 변형하여 항등식의 성질을 이용한다.

해결의 실마리

(1) 분수식의 분모가 두 개 이상의 인수의 곱으로 되어 있는 경우 ⇨ 부분분수로 변형한다.

$\frac{1}{AB}=\frac{1}{B-A}\left(\frac{1}{A}-\frac{1}{B}\right)$ (단, $A\neq B$)

(2) 분자 또는 분모에 또 다른 분수식이 포함되어 있는 식을 번분수식이라 한다.

번분수식의 계산은 ⇨ 분모의 제일 아래에서부터 차례로 통분하여 계산하거나 분모, 분자에 같은 식을 곱하여 계산한다.

05

다음 식의 분모를 0으로 만들지 않는 모든 실수 x에 대하여

$$\frac{3}{x(x+3)}+\frac{4}{(x+3)(x+7)}+\frac{5}{(x+7)(x+12)}=\frac{a}{x(x+b)}$$

가 성립할 때, 상수 a, b의 합 $a+b$의 값은? [3점]

① 21 ② 22 ③ 23 ④ 24 ⑤ 25

06

[2006학년도 교육청]

$\dfrac{x-\frac{1}{x}}{1-\frac{1}{x^2}}$을 간단히 하면? [3점]

① 0 ② $\frac{1}{x}$ ③ $x-1$ ④ x ⑤ 1

07

[2009학년도 교육청]

$x(x-1)\neq0$인 모든 실수 x에 대하여 등식

$$1-\frac{1}{1-\frac{1}{x-1}}=\frac{a}{x+b}$$

가 성립하도록 하는 상수 a, b의 합 $a+b$의 값은? [3점]

① 0 ② 1 ③ 2 ④ 3 ⑤ 4

08

[2009학년도 교육청]

$x\neq-1$, $x\neq-3$인 모든 실수 x에 대하여 등식

$$\frac{x}{1+\frac{2}{x+1}}=x+a+\frac{b}{x+3}$$

가 성립할 때, $a+b$의 값을 구하시오. (단, a, b는 상수이다.) [3점]

기출유형 03 유리함수의 그래프와 평행이동

[2016학년도 교육청]

함수 $y=\frac{2}{x}$의 그래프를 x축의 방향으로 a만큼, y축의 방향으로 b만큼 평행이동하였더니 함수 $y=\frac{3x-1}{x-1}$의 그래프와 일치하였다. 두 상수 a, b에 대하여 $a+b$의 값은? [3점]

① 2 ② 4 ③ 6 ④ 8 ⑤ 10

Act ①
$y=\frac{ax+b}{cx+d}$의 그래프는 $y=\frac{k}{x-p}+q$ 꼴로 고쳐서 함수 $y=\frac{k}{x}$의 그래프의 평행이동을 생각한다.

해결의 실마리

(1) 함수 $y=\frac{ax+b}{cx+d}$의 그래프는 ⇨ $y=\frac{k}{x-p}+q$ 꼴로 고쳐서 함수 $y=\frac{k}{x}$의 그래프의 평행이동을 생각한다.

(2) $y=\frac{k}{x-p}+q$는 $y=\frac{k}{x}$의 그래프를 x축의 방향으로 p만큼, y축의 방향으로 q만큼 평행이동한 것이다.

09

[2017학년도 교육청]

함수 $y=\frac{3}{x-2}+2$의 그래프는 함수 $y=\frac{a}{x}$의 그래프를 x축의 방향으로 m만큼, y축의 방향으로 n만큼 평행이동한 그래프와 일치한다. $a+m+n$의 값은? (단, a, m, n은 상수이다.) [3점]

① 1 ② 3 ③ 5
④ 7 ⑤ 9

10

함수 $y=\frac{2x+5}{x+1}$의 그래프를 x축의 방향으로 a, y축의 방향으로 b만큼 평행이동하면 함수 $y=\frac{k}{x}$의 그래프와 일치한다. 상수 a, b, k에 대하여 $a+b+k$의 값은? [3점]

① 1 ② 2 ③ 3
④ 4 ⑤ 5

11

[2015학년도 교육청]

유리함수 $y=\frac{3}{x}$의 그래프를 x축의 방향으로 4만큼, y축의 방향으로 5만큼 평행이동한 그래프가 점 (5, a)를 지날 때, 상수 a의 값은? [3점]

① 4 ② 5 ③ 6
④ 7 ⑤ 8

12

[2015학년도 교육청]

유리함수 $y=\frac{1}{x+1}-3$의 그래프를 y축의 방향으로 a만큼 평행이동한 그래프가 원점을 지날 때, 상수 a의 값은? [3점]

① 2 ② 4 ③ 6
④ 8 ⑤ 10

기출유형 04 유리함수의 그래프의 점근선

[2019학년도수능 모의평가]

함수 $y=\frac{3x+1}{x-1}$의 그래프의 점근선은 두 직선 $x=a$, $y=b$이다. $a+b$의 값은? (단, a, b는 상수이다.) [3점]

① 1 ② 2 ③ 3 ④ 4 ⑤ 5

Act①

유리함수 $y=\frac{ax+b}{cx+d}$의 그래프의 점근선은 $y=\frac{k}{x-p}+q$ 꼴로 변형하여 구한다.

해결의 실마리

유리함수의 그래프의 점근선

(1) 유리함수 $y=\frac{k}{x-p}+q$ $(k\neq0)$의 그래프의 점근선은 ⇨ $x=p$, $y=q$

(2) 유리함수 $y=\frac{ax+b}{cx+d}$ $(ad-bc\neq0,\ c\neq0)$의 그래프의 점근선은 ⇨ $y=\frac{k}{x-p}+q$ $(k\neq0)$ 꼴로 변형하여 구한다.

13

[2019학년도 수능 모의평가]

유리함수 $y=\frac{ax+2}{x+b}$의 그래프의 두 점근선의 교점의 좌표가 $(-2, 3)$일 때, $a+b$의 값을 구하시오. (단, a, b는 상수이다.) [3점]

14

[2018학년도 수능 모의평가]

함수 $y=\frac{4x-5}{x-1}$의 그래프의 두 점근선의 교점의 좌표가 (a, b)일 때, $a+b$의 값은? [3점]

① 1 ② 2 ③ 3 ④ 4 ⑤ 5

15

[2017학년도 교육청]

유리함수 $f(x)=\frac{x+b}{x-a}$의 그래프가 점 $(3, 7)$을 지나고, 직선 $x=2$를 한 점근선으로 가질 때, $a+b$의 값은? (단, a, b는 상수이다.) [3점]

① 6 ② 7 ③ 8 ④ 9 ⑤ 10

16

[2016학년도 교육청]

유리함수 $f(x)=\frac{ax+1}{x+b}$의 그래프의 점근선의 방정식이 $x=2$, $y=3$일 때, $f(4)$의 값은? (단, a, b는 상수이다.) [3점]

① 6 ② $\frac{13}{2}$ ③ 7 ④ $\frac{15}{2}$ ⑤ 8

기출유형 05 유리함수의 그래프의 대칭성

[2017학년도 교육청]

유리함수 $y=\frac{3x+b}{x+a}$의 그래프가 점 $(2,\ 1)$을 지나고, 점 $(-2,\ c)$에 대하여 대칭일 때, $a+b+c$의 값은? (단, a, b, c는 상수이다.) [3점]

① 1 ② 2 ③ 3 ④ 4 ⑤ 5

Act ①
유리함수의 그래프의 대칭성에 의하여 $(-2,\ c)$가 점근선의 교점임을 이용하여 미지수를 구한다.

해결의 실마리

$y=\frac{k}{x-p}+q\ (k\neq0)$의 그래프는

① 점근선의 교점 $(p,\ q)$에 대하여 대칭이다.

② 점 $(p,\ q)$를 지나고 기울기가 ±1인 직선에 대하여 각각 대칭이다.

17

[2016학년도 교육청]

유리함수 $f(x)=\frac{x+1}{2x-1}$의 그래프가 점 $(p,\ q)$에 대하여 대칭일 때, $p+q$의 값은? [3점]

① $\frac{1}{4}$ ② $\frac{1}{2}$ ③ $\frac{3}{4}$
④ 1 ⑤ $\frac{5}{4}$

18

함수 $y=\frac{2x+1}{x-1}$의 그래프가 직선 $y=-x+k$에 대하여 대칭일 때, 상수 k의 값은? [3점]

① -1 ② 0 ③ 1
④ 2 ⑤ 3

19

[2016학년도 교육청]

유리함수 $y=\frac{3x-14}{x-5}$의 그래프가 직선 $y=x+k$에 대하여 대칭일 때, 상수 k의 값은? [3점]

① -1 ② -2 ③ -3
④ -4 ⑤ -5

20

[2010학년도 수능]

유리함수 $y=\frac{3x+5}{x-1}$의 그래프에 대한 설명으로 옳은 것만을 [보기]에서 있는 대로 고른 것은? [3점]

보기

ㄱ. 점근선의 방정식은 $x=1$, $y=3$이다.
ㄴ. 그래프는 제3사분면을 지난다.
ㄷ. 그래프는 직선 $y=x+3$에 대하여 대칭이다.

① ㄱ ② ㄷ ③ ㄱ, ㄴ
④ ㄴ, ㄷ ⑤ ㄱ, ㄴ, ㄷ

친절한 해설 31쪽

기출유형 06 유리함수의 역함수

[2015학년도 교육청]

유리함수 $y=\frac{2x-1}{x-a}$의 그래프와 그 역함수의 그래프가 일치할 때, 상수 a의 값은? [3점]

① 1　② 2　③ 3　④ 4　⑤ 5

Act①
주어진 함수와 그 역함수의 그래프가 일치하려면 점근선의 교점이 직선 $y=x$ 위에 있어야 함을 이용한다.

해결의 실마리

(1) 유리함수의 역함수는 다항함수의 역함수를 구하는 방법과 마찬가지로 x에 대하여 정리한 후 x와 y를 서로 바꾸어 구한다.

(2) 유리함수의 역함수를 빨리 구하는 방법

① 유리함수 $y=\frac{k}{x-p}+q$의 역함수는 ⇨ $y=\frac{k}{x-q}+p$ ← p와 q를 서로 바꾸어 구하면 돼.

② 유리함수 $y=\frac{ax+b}{cx+d}$의 역함수는 ⇨ $y=\frac{-dx+b}{cx-a}$ ← 분자의 x의 계수인 a와 분모의 상수항인 d의 부호와 위치를 바꾸면 돼.

21

[2018학년도 교육청]

함수 $f(x)=\frac{4x+9}{x-1}$의 그래프의 점근선이 두 직선 $x=a$, $y=b$일 때, $f^{-1}(a+b)$의 값을 구하시오. [3점]

22

[2017학년도 교육청]

유리함수 $f(x)=\frac{2x+5}{x+3}$의 역함수 $y=f^{-1}(x)$의 그래프는 점 (p, q)에 대하여 대칭이다. $p-q$의 값은? [3점]

① 1　② 2　③ 3
④ 4　⑤ 5

23

[2005학년도 교육청]

유리함수 $f(x)=\frac{ax+b}{-x+c}$의 역함수가 $f^{-1}(x)=\frac{2x+3}{x+4}$일 때, $a+b+c$의 값을 구하시오. [3점]

24

[2006학년도 교육청]

두 분수함수 $y=\frac{ax+1}{2x-6}$, $y=\frac{bx+1}{2x+6}$의 그래프가 직선 $y=x$에 대하여 대칭일 때, $b-a$의 값을 구하시오. (단, a, b는 상수이다.) [3점]

Very Important Test

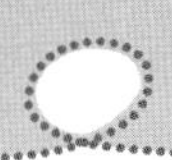

01

유리식 $\frac{1}{1-x}+\frac{1}{x+1}+\frac{2}{x^2+1}+\frac{4}{x^4+1}$를 간단히 하면? [3점]

① $-\frac{8}{x^8-1}$　② $-\frac{4}{x^4-1}$　③ 1

④ $\frac{4}{x^4-1}$　⑤ $\frac{8}{x^8-1}$

02

$x\neq-2$, $x\neq1$인 모든 실수 x에 대하여

$$\frac{a}{x+2}-\frac{b}{x-1}=\frac{x-7}{x^2+x-2}$$

이 성립할 때, 상수 a, b의 곱 ab의 값은? [3점]

① 2　② 4　③ 6

④ 8　⑤ 10

03

함수 $y=\frac{1}{x}$의 그래프를 x축의 방향으로 m만큼, y축의 방향으로 n만큼 평행이동하면 함수 $y=\frac{2x+7}{x+3}$의 그래프와 일치한다. 상수 m, n의 합 $m+n$의 값은?

① -2　② -1　③ 0

④ 1　⑤ 2

04

두 함수 $f(x)=\frac{x+1}{x-3}$, $g(x)=\frac{3x-1}{2x}$에 대하여 $(g\circ f)(1)-(f\circ g)(1)$의 값은? [3점]

① 1　② 2　③ 3

④ 4　⑤ 5

05

함수 $y=\frac{ax+b}{x+c}$의 그래프가 점 (1, 2)를 지나고 점근선의 방정식이 $x=3$, $y=4$일 때, $a+b+c$의 값은? (단, a, b, c는 상수) [3점]

① -10　② -9　③ -8

④ -7　⑤ -6

06

유리함수 $y=\frac{2x+a}{bx+c}$의 그래프가 오른쪽 그림과 같을 때, 상수 a, b, c의 합 $a+b+c$의 값은? [3점]

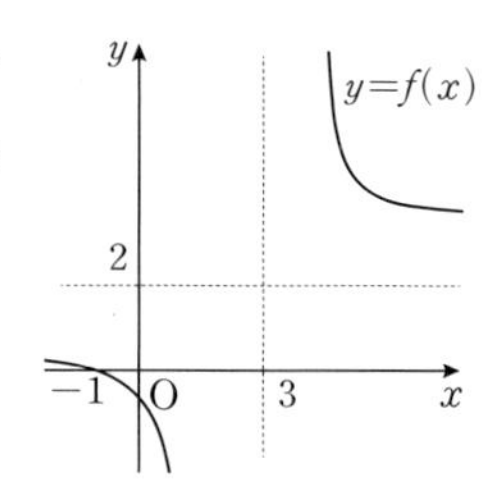

① -3　② -1

③ 0　④ 2

⑤ 4

정의역이 $\{x|3\le x\le 8\}$인 함수 $y=\frac{2x-1}{x-2}$의 최댓값을 M, 최솟값을 m이라 할 때, $M+m$의 값은? [3점]

① $\frac{11}{2}$　② 6　③ $\frac{13}{2}$
④ 7　⑤ $\frac{15}{2}$

08

함수 $y=\frac{3x+k}{x+1}$의 그래프가 좌표평면의 모든 사분면을 지나도록 하는 정수 k의 최댓값은? [3점]

① -2　② -1　③ 0
④ 1　⑤ 2

09

유리함수 $y=\frac{2x+1}{x-3}$의 그래프를 x축의 방향으로 2만큼, y축의 방향으로 -1만큼 평행이동한 그래프가 점 (p, q)와 직선 $y=x+k$에 대하여 대칭일 때, $p+q+k$의 값을 구하시오. (단, p, q, k는 상수이다.) [3점]

10

함수 $f(x)=\frac{ax+b}{x-1}$의 그래프와 그 역함수의 그래프가 모두 점 $(2, 3)$을 지날 때, $a+b$의 값은? (단, a, b는 상수이다.) [3점]

① -3　② -1　③ 0
④ 2　⑤ 4

11

두 함수 $f(x)=\frac{3x-4}{x+2}$, $g(x)=\frac{ax+b}{x+c}$가 있다. $x\neq -c$인 모든 실수 x에 대하여 $(f\circ g)(x)=x$를 만족시킬 때, $a-2b+3c$의 값은? (단, a, b, c는 상수이다.) [3점]

① -9　② -7　③ -5
④ -3　⑤ -1

12

함수 $f(x)=\frac{ax+1}{x-3}$의 그래프가 그 역함수 $y=f^{-1}(x)$의 그래프와 일치할 때, $f(5)$의 값을 구하시오. (단, a는 상수이다.) [3점]

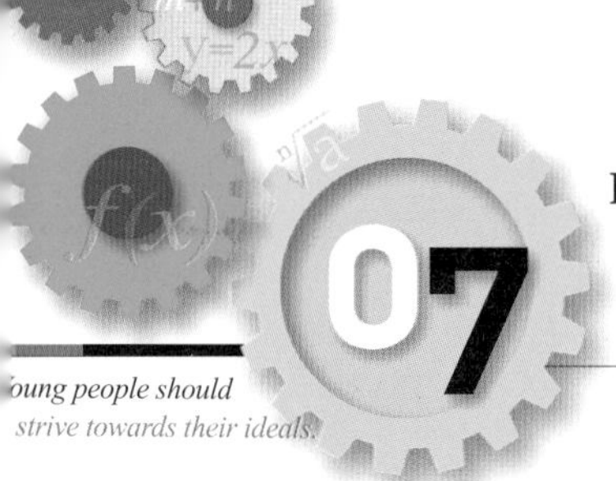

Ⅱ. 함수

07 무리함수

출제경향 무리함수는 모의고사에서 빠지지 않고 출제되는 단원이다. 무리함수의 정의역과 치역, $y=\sqrt{a(x-p)}+q$의 그래프와 평행이동, 무리함수와 역함수의 관계를 이해하고 있어야 한다. 무리식은 무리함수의 의미를 이해할 수 있을 정도로 정리한다.

핵심개념 1 무리식의 뜻

(1) 무리식의 뜻

근호 안에 문자가 포함된 식 중에서 유리식으로 나타낼 수 없는 식을 무리식이라 한다.

예를 들어 $2\sqrt{x}$, $\sqrt{x+5}$, $\sqrt{-2x}+1$은 모두 무리식이다.

(2) 무리식의 값이 실수가 되기 위한 조건

무리식의 값이 실수이려면 근호 안의 식의 값이 0 이상이어야 하고 분모는 0이 될 수 없다.

(근호 안의 식의 값)≥ 0, (분모)$\neq 0$

01 $\sqrt{8x^2+10x-3}$의 값이 실수가 되도록 하는 x의 값의 범위를 $x\leq a$ 또는 $x\geq b$라 할 때, $a-b$의 값은? [3점]

① $-\frac{7}{4}$　② $-\frac{3}{2}$　③ $-\frac{5}{4}$　④ -1　⑤ $-\frac{3}{4}$

핵심개념 2 제곱근의 성질과 분모의 유리화

(1) 제곱근의 성질

① a가 실수일 때 $\sqrt{a^2}=|a|=\begin{cases} a & (a\geq 0) \\ -a & (a<0) \end{cases}$

② $a>0$, $b>0$일 때

$\sqrt{a}\sqrt{b}=\sqrt{ab}$, $\frac{\sqrt{a}}{\sqrt{b}}=\sqrt{\frac{a}{b}}$, $\sqrt{a^2b}=a\sqrt{b}$, $\frac{\sqrt{a}}{\sqrt{b^2}}=\frac{\sqrt{a}}{b}$

▶ 음수의 제곱근의 성질
- $a<0$, $b<0$이면 $\sqrt{a}\sqrt{b}=-\sqrt{ab}$
- $a>0$, $b<0$이면 $\frac{\sqrt{a}}{\sqrt{b}}=-\sqrt{\frac{a}{b}}$

(2) 분모의 유리화 ▶ 분모가 무리식인 경우 분모를 유리화하여 계산한다.

$a>0$, $b>0$일 때

① $\frac{a}{\sqrt{b}}=\frac{a\sqrt{b}}{\sqrt{b}\sqrt{b}}=\frac{a\sqrt{b}}{b}$

② $\frac{c}{\sqrt{a}+\sqrt{b}}=\frac{c(\sqrt{a}-\sqrt{b})}{(\sqrt{a}+\sqrt{b})(\sqrt{a}-\sqrt{b})}=\frac{c(\sqrt{a}-\sqrt{b})}{a-b}$ (단, $a\neq b$)

[2008학년도 교육청]

02 $x=99$일 때, $\frac{1}{\sqrt{x+1}+\sqrt{x}}+\frac{1}{\sqrt{x+1}-\sqrt{x}}$의 값을 구하시오. [3점]

핵심개념 3 무리함수 $y=\pm\sqrt{ax}\ (a\neq 0)$의 그래프

(1) 무리함수의 뜻

① 함수 $y=f(x)$에서 $f(x)$가 x에 대한 무리식일 때, 이 함수를 무리함수라 한다.

② 무리함수에서 정의역이 특별히 주어지지 않으면 근호 안의 식의 값이 0 이상이 되게 하는 모든 실수의 집합을 정의역으로 한다.

▶ 무리함수 $y=\sqrt{g(x)}$의 정의역은 $g(x)\geq 0$인 x의 값들의 집합이야.

(2) 무리함수 $y=\sqrt{x}$는 정의역 $\{x|x\geq 0\}$에서 치역 $\{y|y\geq 0\}$으로의 일대일대응이므로 역함수가 존재하고, $y=\sqrt{x}$의 그래프는 이차함수 $y=x^2\ (x\geq 0)$의 그래프와 직선 $y=x$에 대하여 대칭이다.

└ 역함수의 정의역을 구하려면 주어진 함수의 치역을 알아야 한다.

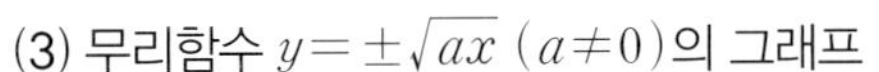
(3) 무리함수 $y=\pm\sqrt{ax}\ (a\neq 0)$의 그래프

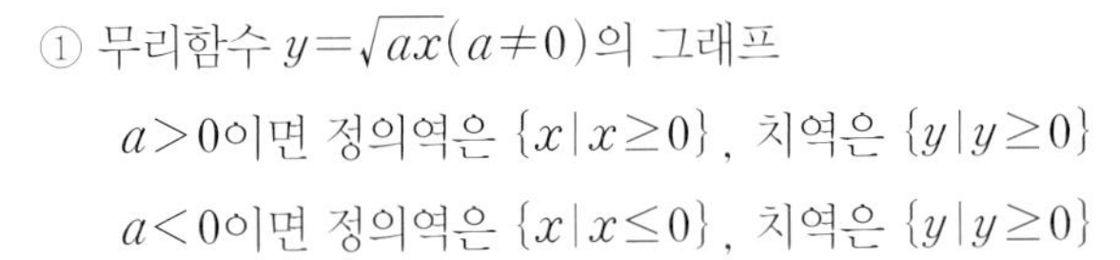
① 무리함수 $y=\sqrt{ax}(a\neq 0)$의 그래프

$a>0$이면 정의역은 $\{x|x\geq 0\}$, 치역은 $\{y|y\geq 0\}$

$a<0$이면 정의역은 $\{x|x\leq 0\}$, 치역은 $\{y|y\geq 0\}$

함수 $y=f(-x)$의 그래프는 함수 $y=f(x)$의 그래프를 y축에 대하여 대칭이동한 것이다.

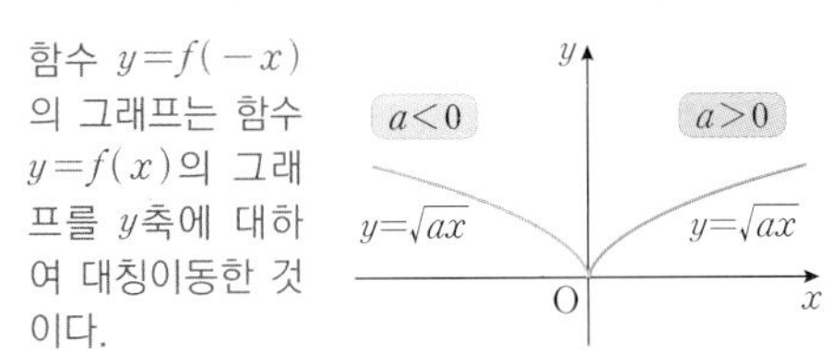

② 무리함수 $y=-\sqrt{ax}\ (a\neq 0)$의 그래프

$a>0$이면 정의역은 $\{x|x\geq 0\}$, 치역은 $\{y|y\leq 0\}$

$a<0$이면 정의역은 $\{x|x\leq 0\}$, 치역은 $\{y|y\leq 0\}$

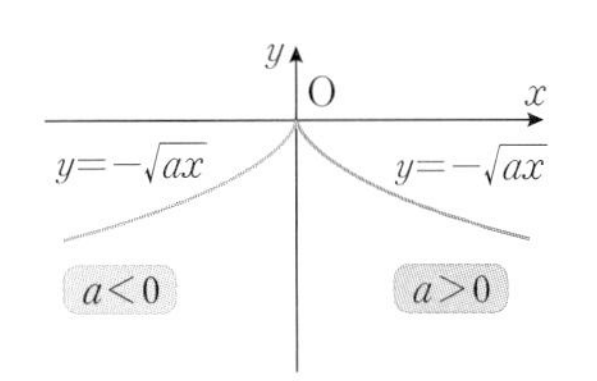

함수 $y=-f(x)$의 그래프는 함수 $y=f(x)$의 그래프를 x축에 대하여 대칭이동한 것이다.

03 무리함수 $y=p\sqrt{ax}$의 그래프가 그림과 같을 때 다음 중 옳은 것은? (단, $pa\neq 0$이고 그래프는 원점을 지난다.) [3점]

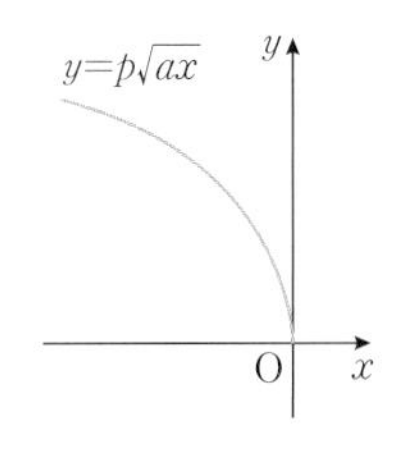

① $p<0,\ a<0$ ② $p<0,\ a>0$ ③ $p>0,\ a<0$
④ $p>0,\ a>0$ ⑤ $p\geq a>0$

핵심개념 4 무리함수 $y=\sqrt{a(x-p)}+q\ (a\neq 0)$의 그래프

(1) 무리함수 $y=\sqrt{a(x-p)}+q\ (a\neq 0)$의 그래프

① 무리함수 $y=\sqrt{ax}$의 그래프를 x축의 방향으로 p만큼, y축의 방향으로 q만큼 평행이동한 것이다.

② $a>0$이면 정의역은 $\{x|x\geq p\}$, 치역은 $\{y|y\geq q\}$

$a<0$이면 정의역은 $\{x|x\leq p\}$, 치역은 $\{y|y\geq q\}$

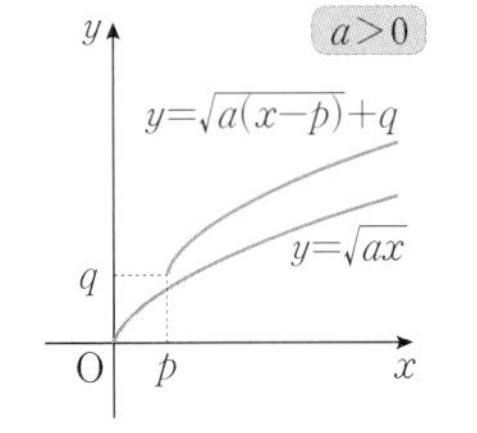

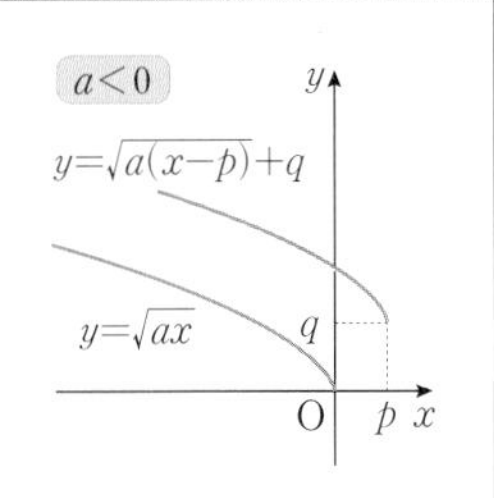

(2) 무리함수 $y=\sqrt{ax+b}+c\ (a\neq 0)$의 그래프는 $y=\sqrt{a(x-p)}+q$ 꼴로 변형하여 그린다.

▶ 점 $(p,\ q)$에서 그래프를 그리기 시작하면 돼.

[2016학년도 교육청]

04 무리함수 $y=\sqrt{x}$의 그래프를 x축의 방향으로 a만큼, y축의 방향으로 b만큼 평행이동하였더니 무리함수 $y=\sqrt{x+2}+9$의 그래프와 일치하였다. 두 상수 a, b에 대하여 $a+b$의 값은? [3점]

① 5 ② 6 ③ 7 ④ 8 ⑤ 9

기출유형 01 무리식의 값이 실수가 되기 위한 조건

$\sqrt{3x+1}+\frac{1}{\sqrt{1-2x}}$의 값이 실수가 되도록 하는 정수 x의 개수는? [3점]

① 0　② 1　③ 2　④ 3　⑤ 4

Act ①
무리식의 값이 실수가 되려면 (근호 안의 식의 값)≥ 0, (분모)$\neq 0$ 임을 이용한다.

해결의 실마리
무리식의 값이 실수가 되려면
⇨ (근호 안의 식의 값)≥ 0, (분모)$\neq 0$이어야 한다.

01
$\sqrt{-2x^2+2x+24}$의 값이 실수가 되도록 하는 모든 정수 x의 개수는? [3점]

① 6　② 7　③ 8
④ 9　⑤ 10

02
$\frac{\sqrt{10-3x}}{x-3}$의 값이 실수가 되도록 하는 모든 자연수 x의 값의 합은? [3점]

① 3　② 4　③ 5
④ 6　⑤ 7

03
$\frac{\sqrt{x^2+x+1}-\sqrt{4-x}}{\sqrt{2x-3}}$의 값이 실수가 되도록 하는 정수 x의 개수는? [3점]

① 1　② 2　③ 3
④ 4　⑤ 5

04
$\sqrt{x+1}+\frac{1}{\sqrt{3-x}}$의 값이 실수가 되도록 하는 모든 정수 x의 합을 구하시오. [3점]

기출유형 02 제곱근의 성질과 분모의 유리화

[2006학년도 교육청]

그림은 이차함수 $y=-x^2+ax+b$의 그래프의 개형이다. $\sqrt{(b-a)^2}+(\sqrt{a-b})^2$을 간단히 하면? [3점]

① $2a$ ② $-2b$ ③ 0
④ $2a-2b$ ⑤ $-2a+2b$

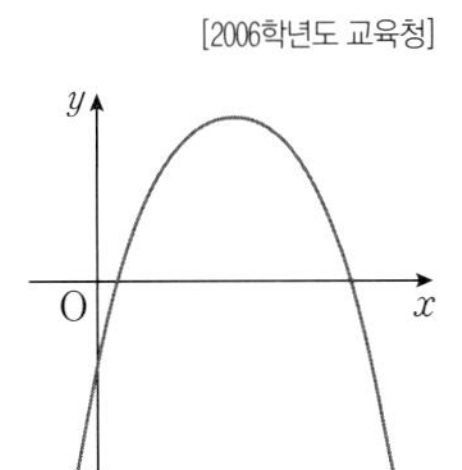

Act ①
그래프에서 대칭축의 위치와 y절편으로 a, b의 부호를 판별한 후 제곱근의 성질을 이용하여 주어진 식을 간단히 한다.

해결의 실마리

(1) 제곱근의 성질 : a가 실수일 때 $\sqrt{a^2}=|a|=\begin{cases} a & (a\ge 0) \\ -a & (a<0) \end{cases}$

(2) 분모의 유리화 : $a>0$, $b>0$일 때

① $\dfrac{a}{\sqrt{b}}=\dfrac{a\sqrt{b}}{\sqrt{b}\sqrt{b}}=\dfrac{a\sqrt{b}}{b}$

② $\dfrac{c}{\sqrt{a}+\sqrt{b}}=\dfrac{c(\sqrt{a}-\sqrt{b})}{(\sqrt{a}+\sqrt{b})(\sqrt{a}-\sqrt{b})}=\dfrac{c(\sqrt{a}-\sqrt{b})}{a-b}$ (단, $a\neq b$)

05

[2005학년도 교육청]

$a=2-\sqrt{3}$, $b=\sqrt{2}$일 때, $\sqrt{(a+b)^2}+\sqrt{(a-b)^2}$의 값은? [3점]

① $\sqrt{2}-1$ ② 2 ③ $2\sqrt{2}$
④ $2\sqrt{3}$ ⑤ $\sqrt{2}+\sqrt{3}$

06

[2016학년도 교육청]

$x=8$일 때, $\dfrac{1}{\sqrt{x+1}+\sqrt{x}}+\dfrac{1}{\sqrt{x+1}-\sqrt{x}}$의 값은? [3점]

① 5 ② 6 ③ 7
④ 8 ⑤ 9

07

$\dfrac{\sqrt{x}}{\sqrt{x+1}-\sqrt{x-1}}\times\dfrac{\sqrt{x}}{\sqrt{x+1}+\sqrt{x-1}}=\dfrac{x}{a}$일 때, 상수 a의 값을 구하시오. [3점]

08

[2012학년도 교육청]

$2+\cfrac{1}{2+\cfrac{1}{2+\cfrac{1}{2+(\sqrt{2}-1)}}}$을 간단히 하면? [3점]

① $2\sqrt{2}+1$ ② $\sqrt{2}+2$ ③ $\sqrt{2}+1$
④ $2\sqrt{2}-1$ ⑤ $\sqrt{2}-1$

기출유형 03 무리함수의 평행이동

[2018학년도 교육청]

함수 $y=\sqrt{x}+k$의 그래프를 x축의 방향으로 -1만큼, y축의 방향으로 1만큼 평행이동시킨 그래프가 점 (0, 4)를 지날 때, 상수 k의 값은? [3점]

① 1 ② 2 ③ 3 ④ 4 ⑤ 5

Act ①
$y=f(x)$의 그래프를 x축의 방향으로 m, y축의 방향으로 n만큼 평행이동한 그래프의 식은 $y-n=f(x-m)$임을 이용한다.

해결의 실마리
무리함수 $y=\sqrt{a(x-p)}+q$ $(a\neq 0)$의 그래프는 $y=\sqrt{ax}$의 그래프를 x축의 방향으로 p만큼, y축의 방향으로 q만큼 평행이동한 것이다.

이전에 배운 내용
도형의 평행이동

$f(x, y)=0$ → (x축의 방향으로 a만큼, y축의 방향으로 b만큼 평행이동) → $f(x-a, y-b)=0$

→부호에 주의해야 해!

09
[2019학년도 수능 모의평가]

무리함수 $y=\sqrt{3x}$의 그래프를 x축의 방향으로 1만큼, y축의 방향으로 2만큼 평행이동하면 함수 $y=\sqrt{3x+a}+b$의 그래프와 일치한다. $a+b$의 값은? (단, a, b는 상수이다.) [3점]

① -4 ② -3 ③ -2
④ -1 ⑤ 0

10

함수 $y=\sqrt{a(x+3)}+2$의 그래프를 x축의 방향으로 b만큼, y축의 방향으로 c만큼 평행이동하면 $y=\sqrt{-3x}-2$의 그래프와 일치할 때, abc의 값은? (단, a, b, c는 실수) [3점]

① 36 ② 37 ③ 38
④ 39 ⑤ 40

11
[2018학년도 교육청]

함수 $y=\sqrt{2x}$의 그래프를 x축의 방향으로 1만큼, y축의 방향으로 3만큼 평행이동한 그래프가 점 $(9, a)$를 지날 때, a의 값은? [3점]

① 5 ② 6 ③ 7
④ 8 ⑤ 9

12
[2016학년도 교육청]

무리함수 $y=\sqrt{ax}$의 그래프를 x축의 방향으로 1만큼, y축의 방향으로 -2만큼 평행이동한 그래프가 원점을 지난다. 상수 a의 값은? [3점]

① -7 ② -4 ③ -1
④ 2 ⑤ 5

기출유형 04 무리함수의 그래프와 계수의 결정

[2017학년도 교육청]

그림과 같이 집합 $\{x\,|\,x\geq 2\}$에서 정의된 무리함수 $y=-\sqrt{2x+a}+3$의 그래프가 점 $(2, b)$를 지날 때, 두 상수 a, b에 대하여 $a+b$의 값은? [3점]

① -2　② -1　③ 0　④ 1　⑤ 2

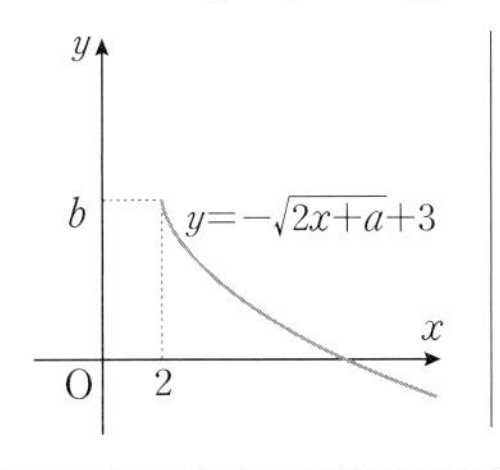

Act ①
무리함수의 그래프가 시작하는 점의 좌표가 $(p,\ q)$이면 함수의 식은 $y=\sqrt{k(x-p)}+q$ 꼴이다.

해결의 실마리

그래프가 주어질 때 무리함수의 식을 구하는 방법

① 그래프가 위로 향하면 $y=\sqrt{ax}$ 꼴, 아래로 향하면 $y=-\sqrt{ax}$ 꼴이다.

② 그래프의 평행이동을 이용하여 $y=\sqrt{a(x-p)}+q$ 또는 $y=-\sqrt{a(x-p)}+q$ 꼴로 놓는다.

③ 그래프가 지나는 한 점의 좌표를 이 식에 대입한다.

그래프가 시작하는 점의 좌표가 $(p,\ q)$이면 함수의 식을 $y=\sqrt{a(x-p)}+q$ 꼴로 놓고 풀면 빨리 풀 수 있어. 하지만 $(p,\ q)$는 반쪽 포물선인 무리함수의 그래프의 꼭짓점이어야 한다는 것을 잊지는 말자.

13

[2017학년도 교육청]

함수 $f(x)=\sqrt{-x+a}+b$의 그래프가 그림과 같을 때, 두 상수 a, b에 대하여 $a+b$의 값은? [3점]

① 1　② 2　③ 3　④ 4　⑤ 5

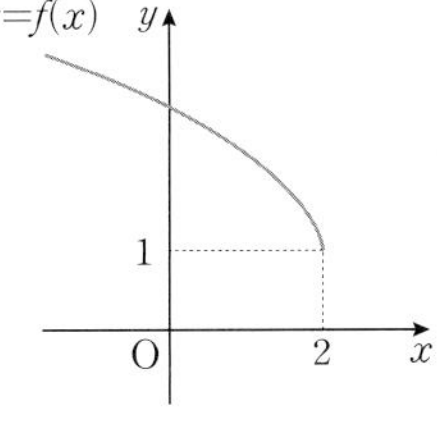

15

[2014학년도 교육청]

그림과 같이 무리함수 $y=\sqrt{-2x+4}+a$의 그래프가 두 점 $(b,\ 1)$, $(0,\ 3)$을 지날 때, 두 상수 a, b의 합 $a+b$의 값은? [3점]

① 3　② 4　③ 5　④ 6　⑤ 7

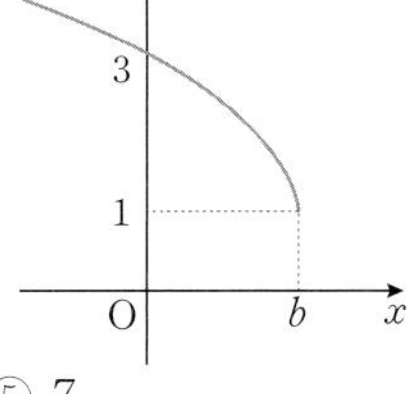

14

[2017학년도 교육청]

무리함수 $f(x)=\sqrt{x+a}+b$의 그래프가 그림과 같을 때, $f(7)$의 값은? (단, a, b는 상수이다.) [3점]

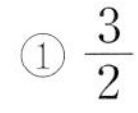
① $\frac{3}{2}$　② 2　③ $\frac{5}{2}$　④ 3　⑤ $\frac{7}{2}$

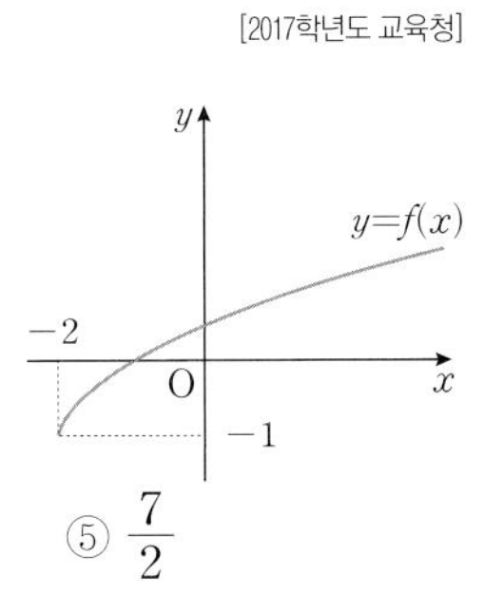

16

[2017학년도 교육청]

정의역이 $\{x\,|\,x\geq -2\}$인 무리함수 $f(x)=-\sqrt{ax+b}+3$의 그래프가 그림과 같다. 함수 $y=f(x)$의 그래프가 점 $(1,\ 0)$을 지날 때, 두 상수 a, b의 곱 ab의 값은? [3점]

① 10　② 12　③ 14　④ 16　⑤ 18

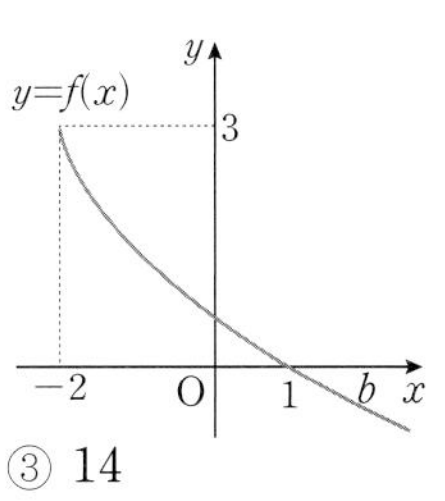

기출유형 05 무리함수의 최댓값, 최솟값

[2015학년도 교육청]

$1 \le x \le 3$에서 무리함수 $f(x)=\sqrt{x}+a$의 최솟값이 6일 때, 상수 a의 값은? [3점]

① 1 ② 2 ③ 3 ④ 4 ⑤ 5

Act ①
정의역이 $\{x | x_1 \le x \le x_2\}$인 무리함수 $f(x)=\sqrt{a(x-p)}+q$에서 $a>0$이면 $x=x_1$에서 최솟값을 가짐을 이용한다.

해결의 실마리

무리함수 $f(x)=\sqrt{a(x-p)}+q$의 최댓값, 최솟값

① $a>0$일 때, 정의역이 $\{x | x_1 \le x \le x_2\}$이면
⇨ 최솟값은 $f(x_1)$, 최댓값은 $f(x_2)$

② $a<0$일 때, 정의역이 $\{x | x_3 \le x \le x_4\}$이면
⇨ 최솟값은 $f(x_4)$, 최댓값은 $f(x_3)$

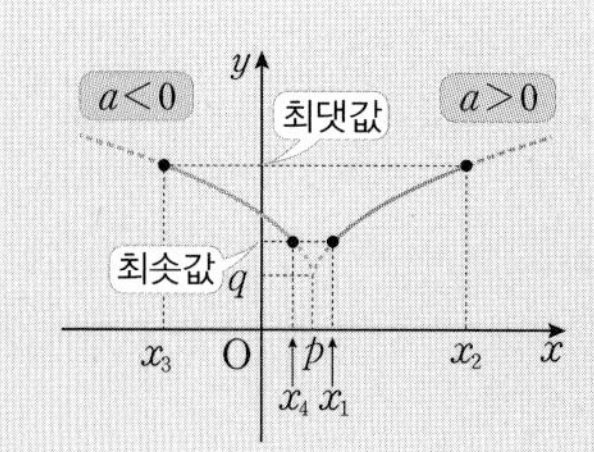

17

[2017학년도 교육청]

정의역이 $\{x | -3 \le x \le 5\}$인 무리함수 $y=\sqrt{x+4}+5$의 최솟값은? [3점]

① 5 ② 6 ③ 7
④ 8 ⑤ 9

18

무리함수 $y=\sqrt{k-x}+1$은 $-1 \le x \le 2$에서 최솟값 2를 가진다. 이때 상수 k의 값은? [3점]

① 0 ② 1 ③ 2
④ 3 ⑤ 4

19

[2017학년도 교육청]

$0 \le x \le 3$일 때, 함수 $y=2\sqrt{x+1}+k$의 최댓값을 M, 최솟값을 m이라 하자. $M+m=40$일 때, 상수 k의 값을 구하시오. [3점]

20

$10 \le x \le a$에서 무리함수 $y=\sqrt{2x-4}-3$의 최댓값은 5, 최솟값은 m이라 할 때, $a+m$의 값을 구하시오. [3점]

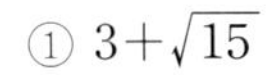

기출유형 06 무리함수와 역함수

[2012학년도 교육청]

그림은 무리함수 $f(x)=\sqrt{x+a}+b$의 그래프이다. 함수 $y=f(x)$의 그래프와 그 역함수 $y=f^{-1}(x)$의 그래프의 교점이 $(p,\ q)$일 때, $p+q$의 값은? (단, a, b는 상수이다.) [3점]

① $3+\sqrt{15}$ ② $3+3\sqrt{2}$ ③ $3+\sqrt{21}$
④ $3+2\sqrt{6}$ ⑤ $3+3\sqrt{3}$

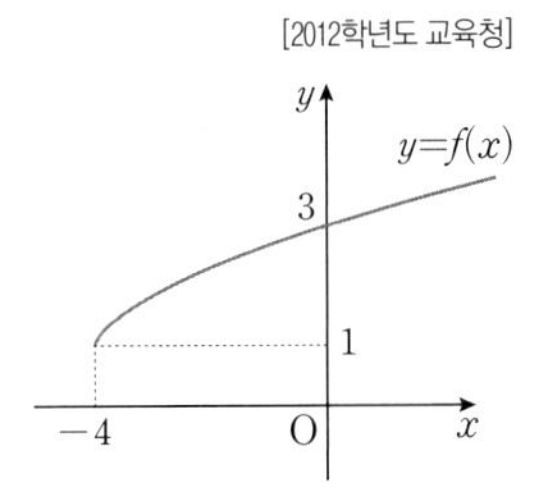

Act ①
$y=f(x)$의 그래프와 그 역함수 $y=f^{-1}(x)$의 그래프의 교점의 좌표는 $y=f(x)$의 그래프와 직선 $y=x$의 교점의 좌표와 같음을 이용한다.

해결의 실마리

(1) $y=f(x)$의 그래프와 그 역함수 $y=f^{-1}(x)$의 그래프의 교점의 좌표는
⇨ $y=f(x)$의 그래프와 직선 $y=x$의 교점의 좌표와 같다.
(2) 함수 $f(x)$와 그 역함수 $f^{-1}(x)$에 대하여
$f^{-1}(b)=a$이면 ⇔ $f(a)=b$

21

두 함수 $y=\sqrt{x+2}$, $x=\sqrt{y+2}$의 그래프의 교점의 좌표를 $(a,\ b)$라 할 때, $a+b$의 값은? [3점]

① 4 ② 5 ③ 6
④ 7 ⑤ 8

22

[2017학년도 교육청]

무리함수 $f(x)=a\sqrt{x+1}+2$에 대하여 $f^{-1}(10)=3$일 때, 상수 a의 값은? [3점]

① 1 ② 2 ③ 3
④ 4 ⑤ 5

23

[2016학년도 교육청]

무리함수 $y=\sqrt{ax+b}$의 역함수의 그래프가 두 점 $(2,\ 0)$, $(5,\ 7)$을 지날 때, $a+b$의 값을 구하시오. (단, a, b는 상수이다.) [3점]

24

무리함수 $y=\sqrt{x+11}+1$의 그래프와 그 역함수의 그래프가 한 점에서 만나고 그 점을 A라 할 때, $\overline{OA}$의 길이는? (단, O는 원점이다.) [3점]

① $2\sqrt{2}$ ② $3\sqrt{2}$ ③ $4\sqrt{2}$
④ $5\sqrt{2}$ ⑤ $6\sqrt{2}$

기출유형 07 무리함수와 유리함수의 합성함수

[2016학년도 교육청]

1보다 큰 모든 실수의 집합에서 정의된 두 함수 $f(x)=\frac{4}{x-1}+4$, $g(x)=\sqrt{x+4}$에 대하여 $(g\circ f)(5)$의 값을 구하시오. [3점]

Act ①
$(g\circ f)(5)=g(f(5))$이므로 $f(5)$의 값을 먼저 계산한다.

해결의 실마리

$(g\circ f)(a)=g(f(a))$이므로

합성함수 $g\circ f$의 a에 대한 함숫값 $(g\circ f)(a)$를 구할 때는 ⇨ $f(a)$의 값을 먼저 계산한다.

25

[2018학년도 교육청]

두 함수 $f(x)=\sqrt{x+1}-3$, $g(x)=x+1$에 대하여 $(g\circ f)(3)$의 값은? [3점]

① -2 ② -1 ③ 0
④ 1 ⑤ 2

26

[2015학년도 교육청]

두 함수 $f(x)=x^2-1$, $g(x)=\sqrt{x+3}+1$에 대하여 $(f\circ g)(1)$의 값은? [3점]

① 8 ② 10 ③ 12
④ 14 ⑤ 16

27

[2015학년도 교육청]

두 함수 $f(x)=x^2+3$, $g(x)=\sqrt{x-1}$에 대하여 $(g\circ f)(\sqrt{7})$의 값을 구하시오. [3점]

28

두 함수 $f(x)=\frac{4}{x-1}+1$, $g(x)=\sqrt{x-1}$에 대하여 $(f\circ(f^{-1}\circ g)^{-1}\circ f^{-1})(2)$의 값은? [3점]

① $\frac{1}{4}$ ② $\frac{1}{2}$ ③ 1
④ 2 ⑤ 3

Very Important Test

친절한 해설 39쪽

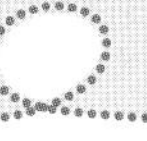

01

$\dfrac{\sqrt{x}+\sqrt{y}}{\sqrt{x}-\sqrt{y}}+\dfrac{\sqrt{x}-\sqrt{y}}{\sqrt{x}+\sqrt{y}}$를 간단히 하면? [2점]

① $-4\sqrt{xy}$　② $-\dfrac{\sqrt{xy}}{x-y}$　③ $2x$
④ $\dfrac{2x}{x-1}$　⑤ $\dfrac{2(x+y)}{x-y}$

02

$x\geq1$인 실수 x에 대하여 $f(x)=\sqrt{2x+1}+\sqrt{2x-1}$일 때, $\dfrac{1}{f(1)}+\dfrac{1}{f(2)}+\cdots+\dfrac{1}{f(24)}$의 값은? [3점]

① 1　② 2　③ 3
④ 4　⑤ 5

03

함수 $y=\sqrt{4x-12}+7$의 그래프는 함수 $y=a\sqrt{x}$의 그래프를 x축의 방향으로 p만큼, y축의 방향으로 q만큼 평행이동한 것이다. 이때 실수 a, p, q의 합 $a+p+q$의 값은? [3점]

① 12　② 13　③ 14
④ 15　⑤ 16

04

무리함수 $y=\sqrt{-2x+2}-1$의 그래프가 지나지 않는 사분면은? [3점]

① 제1사분면　② 제2사분면　③ 제3사분면
④ 제4사분면　⑤ 제1, 4사분면

05

[보기]에서 무리함수 $y=\sqrt{-2x+6}+1$의 그래프에 대한 설명으로 옳은 것을 모두 고른 것은? [3점]

보기
ㄱ. 정의역은 $\{x\mid x\leq3\}$, 치역은 $\{y\mid y\leq1\}$이다.
ㄴ. $y=\sqrt{-2x}$의 그래프를 x축의 방향으로 6만큼, y축의 방향으로 1만큼 평행이동시킨 그래프이다.
ㄷ. 제3, 4사분면을 지나지 않는다.

① ㄱ　② ㄴ　③ ㄷ
④ ㄱ, ㄴ　⑤ ㄱ, ㄷ

06

함수 $y=-\sqrt{ax+b}+c$의 그래프가 오른쪽 그림과 같을 때, 실수 a, b, c의 합 $a+b+c$의 값을 구하시오. [3점]

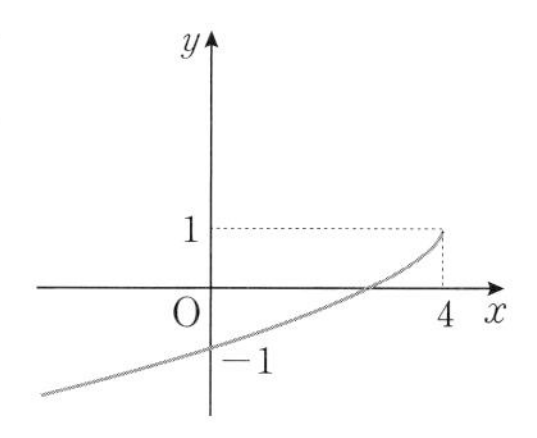

07

함수 $y=-\sqrt{ax+b}+c$의 그래프가 오른쪽 그림과 같을 때, abc의 값은? (단, a, b, c는 실수) [3점]

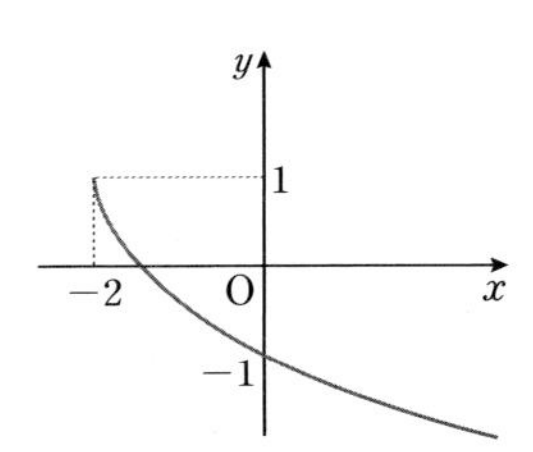

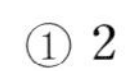

① 2　② 4　③ 6　④ 8　⑤ 10

08

함수 $y=\sqrt{ax+b}+c$의 그래프가 오른쪽 그림과 같을 때, 세 실수 a, b, c의 부호는? [3점]

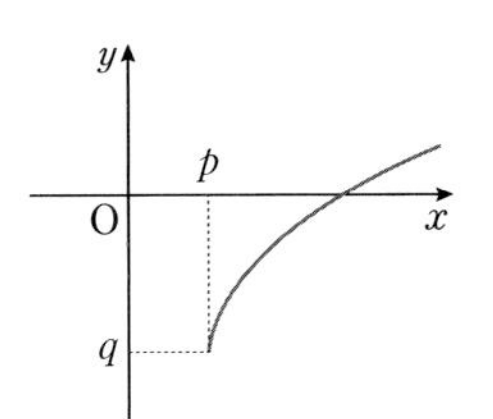

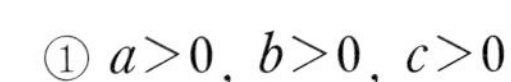

① $a>0$, $b>0$, $c>0$
② $a>0$, $b>0$, $c<0$
③ $a>0$, $b<0$, $c<0$
④ $a<0$, $b>0$, $c<0$
⑤ $a<0$, $b<0$, $c<0$

09

직선 $y=ax+b$가 오른쪽 그림과 같을 때, 무리함수 $y=b\sqrt{-ax}$의 그래프의 개형으로 옳은 것은? (단, a, b는 실수) [3점]

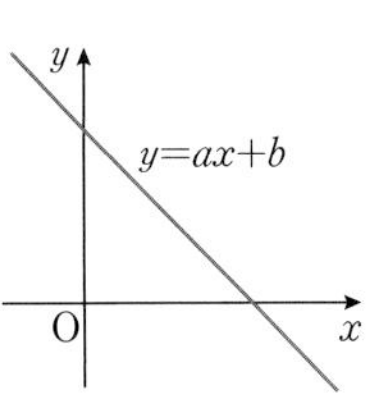

① 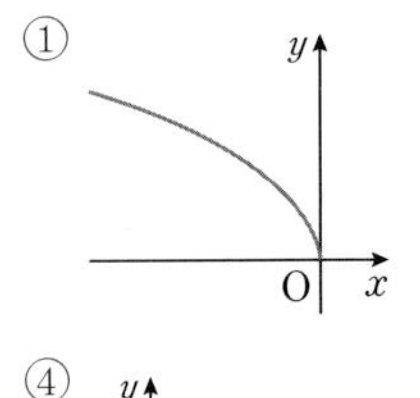
② 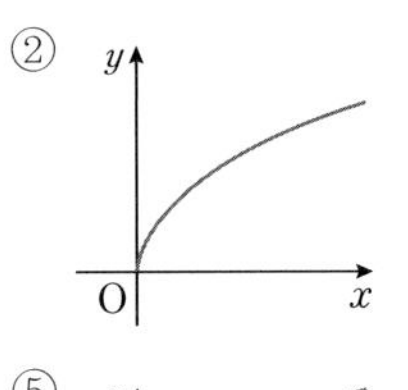
③ 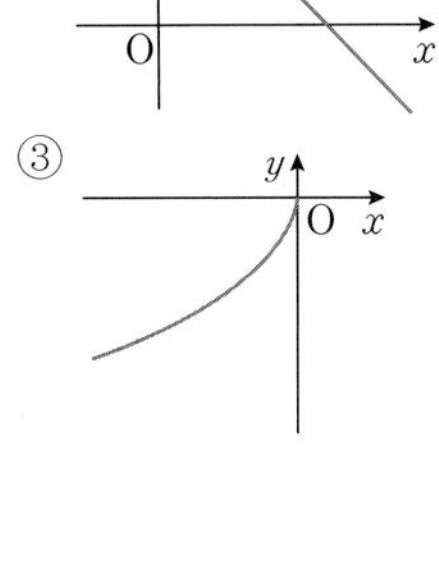
④
⑤ 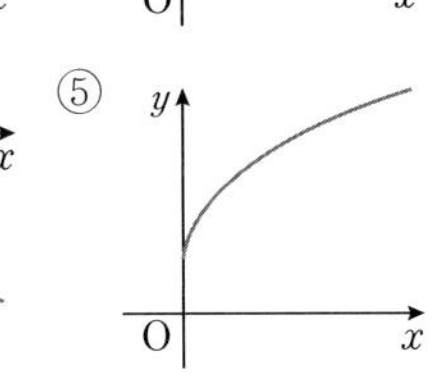

10

함수 $y=-2\sqrt{x+3}$의 그래프를 x축의 방향으로 1만큼, y축의 방향으로 3만큼 평행이동한 후, x축에 대하여 대칭이동하면 $y=\sqrt{ax+b}+c$의 그래프와 일치한다. 이때 상수 a, b, c의 합 $a+b+c$의 값은? [3점]

① 6　② 7　③ 8　④ 9　⑤ 10

11

[보기]의 함수에서 그 그래프를 평행이동 또는 대칭이동을 하여 $y=2\sqrt{x}$의 그래프와 일치시킬 수 있는 것을 있는 대로 고른 것은? [3점]

보기
ㄱ. $y=2\sqrt{-x}$　　ㄴ. $y=-2\sqrt{x}+1$
ㄷ. $y=-2\sqrt{-x}-1$

① ㄱ　② ㄴ　③ ㄱ, ㄴ　④ ㄱ, ㄷ　⑤ ㄱ, ㄴ, ㄷ

12

정의역이 $\{x\,|\,0\le x\le 8\}$일 때, 함수 $y=\sqrt{2x}+2$의 최댓값과 최솟값의 합은? [3점]

① 6　② 8　③ 10　④ 12　⑤ 14

13

$0 \le x \le 3$에서 함수 $y=2-\sqrt{x+1}$의 최댓값을 M, 최솟값을 m이라 할 때, $M+m$의 값은? [3점]

① -2　② -1　③ 0　④ 1　⑤ 2

14

무리함수 $y=-\sqrt{3x+a}+b$의 최댓값은 4이고 $x=4$일 때 함숫값은 1이라 한다. 이때 a^2+b^2의 값은? (단, a, b는 상수) [3점]

① 25　② 27　③ 29　④ 31　⑤ 33

15

함수 $f(x)=\sqrt{x-2}$의 역함수가

$$f^{-1}(x)=ax^2+bx+c\ (x \ge 0)$$

일 때, $a+b+c$의 값은? (단, a, b, c는 실수) [3점]

① 1　② 2　③ 3　④ 4　⑤ 5

16

두 함수 $f(x)=\dfrac{x+1}{x-1}$, $g(x)=\sqrt{5x-1}$에 대하여 $(g \circ f^{-1})(3)$의 값은? [3점]

① 3　② 4　③ 5　④ 6　⑤ 7

17

두 함수 $f(x)=\dfrac{x-1}{x}$, $g(x)=\sqrt{2x-1}$에 대하여 $(f \circ (g \circ f)^{-1} \circ f)(2)$의 값은? [3점]

① $\dfrac{3}{8}$　② $\dfrac{5}{8}$　③ $\dfrac{7}{8}$　④ $\dfrac{9}{8}$　⑤ $\dfrac{11}{8}$

18

두 함수 $f(x)=1+\dfrac{5}{x-1}$, $g(x)=\sqrt{2x-3}$에 대하여 $(f \circ g^{-1})(2)$의 값을 구하시오. [3점]

08 경우의 수

출제경향 합의 법칙과 곱의 법칙을 이해하고, 이를 이용하여 경우의 수를 구하는 유형의 문제가 출제된다.

핵심개념 1 합의 법칙

두 사건 A, B가 동시에 일어나지 않을 때, 사건 A가 일어나는 경우의 수가 m, 사건 B가 일어나는 경우의 수가 n이면 사건 A 또는 사건 B가 일어나는 경우의 수는 $m+n$이다.

두 사건 A, B가 동시에 일어나지 않는 경우
- 사건 A를 선택하면 사건 B를 선택할 수 없다.
- 두 사건 A, B 중 어느 하나만 일어나도 문제의 조건을 만족한다.

➡ 합의 법칙 이용

두 가지 이상을 동시에 택할 수 없으면 합의 법칙을 이용한다.

01 서로 다른 두 개의 주사위를 동시에 던질 때, 나오는 눈의 수의 합이 6의 약수가 되는 경우의 수는? [3점]

① 4 ② 6 ③ 8 ④ 10 ⑤ 12

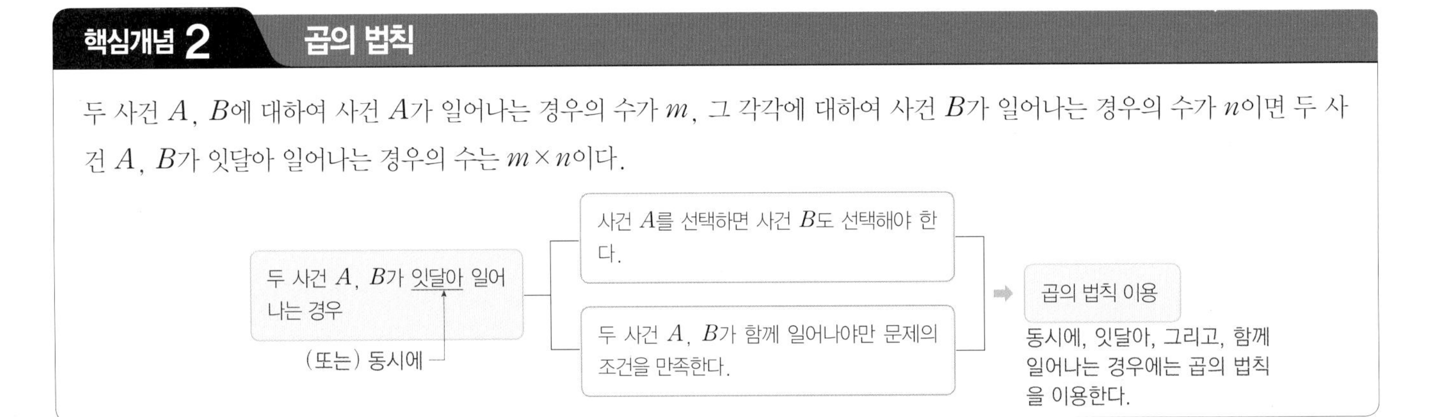

핵심개념 2 곱의 법칙

두 사건 A, B에 대하여 사건 A가 일어나는 경우의 수가 m, 그 각각에 대하여 사건 B가 일어나는 경우의 수가 n이면 두 사건 A, B가 잇달아 일어나는 경우의 수는 $m\times n$이다.

두 사건 A, B가 잇달아 일어나는 경우 ((또는) 동시에)
- 사건 A를 선택하면 사건 B도 선택해야 한다.
- 두 사건 A, B가 함께 일어나야만 문제의 조건을 만족한다.

➡ 곱의 법칙 이용

동시에, 잇달아, 그리고, 함께 일어나는 경우에는 곱의 법칙을 이용한다.

02 두 자리의 자연수 중에서 십의 자리의 숫자는 짝수이고 일의 자리의 숫자는 홀수인 수의 개수는?

① 16 ② 18 ③ 20 ④ 24 ⑤ 28

03 1에서 9까지의 자연수가 각각 적힌 9장의 카드가 있다. 이 중에서 세 장의 카드를 뽑아 만든 세 자리 자연수가 홀수인 경우의 수는? [3점]

① 178 ② 224 ③ 280 ④ 336 ⑤ 392

친절한 해설 41쪽

기출유형 01 합의 법칙

두 주사위 A, B를 동시에 던질 때, 나오는 눈의 수의 차가 3 또는 4인 경우의 수는? [3점]

① 8 ② 9 ③ 10 ④ 11 ⑤ 12

Act ①
눈의 수의 차가 3인 경우와 4인 경우를 나누어 구한다.

해결의 실마리
두 사건 A, B가 동시에 일어나지 않을 때, 사건 A가 일어나는 경우의 수가 m, 사건 B가 일어나는 경우의 수가 n이면
사건 A 또는 사건 B가 일어나는 경우의 수는 ⇨ $m+n$

01
서로 다른 두 개의 주사위를 동시에 던질 때, 나오는 두 눈의 수가 서로 같거나 두 눈의 수의 차가 3인 경우의 수는? [3점]

① 8 ② 9 ③ 10
④ 11 ⑤ 12

02
서로 다른 두 주사위 A, B를 동시에 던질 때, 나오는 눈의 수의 차가 2 또는 5인 경우의 수를 구하시오. [3점]

03
두 자리의 자연수 중에서 각 자리 숫자의 합이 4 또는 6인 수의 개수를 구하시오. [3점]

04
[2016학년도 교육청]

그림과 같이 두 원판 A, B가 있다.

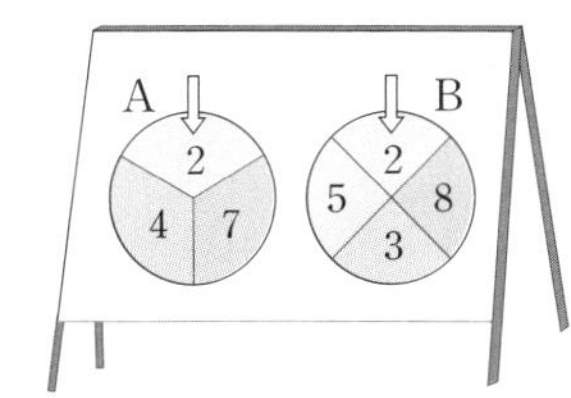

두 원판 A, B를 각각 한 번씩 돌려 회전이 멈추었을 때 화살표(⇩)가 가리키는 수를 각각 a, b라 하자. 이때 $a<b$인 경우의 수를 구하시오. (단, 화살표가 경계선을 가리키는 경우는 생각하지 않는다.) [3점]

기출유형 02 곱의 법칙

한 개의 주사위를 두 번 던질 때, 첫 번째에는 짝수의 눈이 나오고 두 번째에는 3의 배수의 눈이 나오는 경우의 수는? [3점]

① 6 ② 8 ③ 9 ④ 10 ⑤ 12

Act ①
첫 번째에는 짝수의 눈이 나오고 두 번째에는 3의 배수의 눈이 나오는 사건이 동시에 일어나므로 곱의 법칙을 이용한다.

해결의 실마리
사건 A가 일어나는 경우의 수가 m이고 그 각각에 대하여 사건 B가 일어나는 경우의 수가 n이면
두 사건 A, B가 동시에 일어나는 경우의 수는 ⇨ $m \times n$

05
서로 다른 모자 4개와 목도리 2개를 가지고 눈사람을 꾸미려고 한다. 모자와 목도리를 각각 한 개씩 선택하여 눈사람을 꾸미는 경우의 수는? [3점]

① 6 ② 8 ③ 10
④ 12 ⑤ 14

06
백의 자리의 숫자는 짝수이고 십의 자리의 숫자는 3의 배수, 일의 자리의 숫자는 홀수인 세 자리의 자연수의 개수를 구하시오. [3점]

07
두 자리의 자연수 중에서 십의 자리의 숫자는 짝수이고 일의 자리의 숫자는 소수인 수의 개수는? [3점]

① 8 ② 10 ③ 12
④ 14 ⑤ 16

08
서로 다른 두 주사위 A, B를 동시에 던질 때, A주사위는 홀수의 눈의 수가, B주사위는 6의 약수의 눈의 수가 나오는 경우의 수를 구하시오. [3점]

친절한 해설 42쪽

기출유형 03 도로망에서의 경우의 수

A, B, C, D 네 마을이 그림과 같이 도로로 연결되어 있다. 버스가 A마을을 출발하여 B, C 두 마을을 모두 거쳐 D마을에 도착하는 방법의 수를 구하시오. [3점]

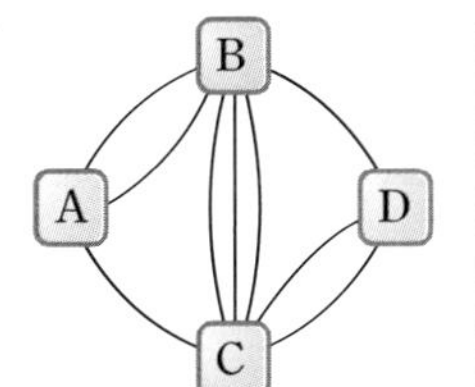

Act①
이어지는 길이면 곱의 법칙을 이용하고, 동시에 갈 수 없는 길이면 합의 법칙을 이용한다.

해결의 실마리

도로망에서의 경우의 수

도로망의 연결 상태를 확인하고 중간 지점을 포함하여 출발지에서 목적지까지의 모든 경로를 나눈다. ➡ 곱의 법칙을 이용하여 각각의 경로를 이루는 경우의 수를 구한다. ➡ 합의 법칙을 이용하여 각 경로에서 구한 경우의 수를 더한다.

① 이어지는 길이면 곱의 법칙을 이용한다.
② 동시에 갈 수 없는 길이면 합의 법칙을 이용한다.

09

[2006학년도 교육청]

그림은 네 지점 A, B, C, D 사이의 도로망을 나타낸 것이다. 도로를 따라 지점 A에서 지점 D까지 가는 방법의 수는? (단, 한 번 지나간 지점은 다시 지나지 않는다.) [3점]

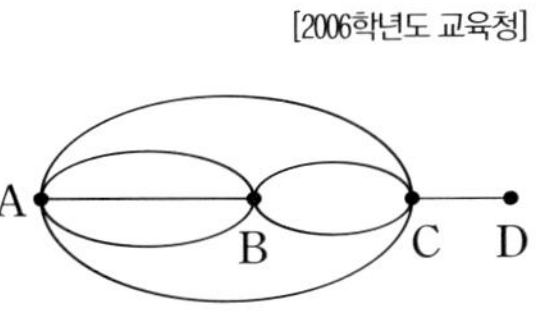

① 4 ② 6 ③ 8
④ 10 ⑤ 12

10

그림과 같이 네 지점 A, B, C, D를 연결하는 도로가 있다. A지점에서 출발하여 같은 지점을 다시 지나지 않고 D지점까지 가는 방법의 수는? [3점]

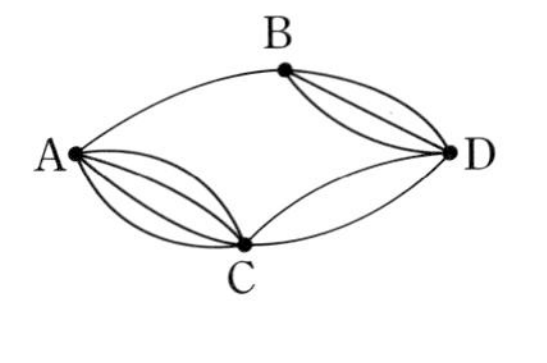

① 8 ② 9 ③ 10
④ 11 ⑤ 12

11

그림은 네 지점 A, B, C, D 사이의 도로망을 나타낸 것이다. A지점에서 출발하여 D지점으로 가는 방법의 수는? (단, 한 번 지나간 지점은 다시 지나가지 않는다.) [3점]

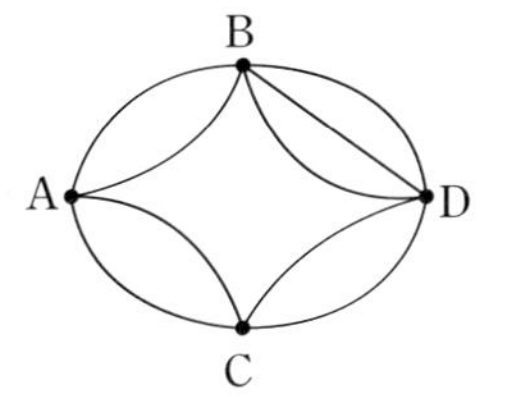

① 4 ② 7 ③ 10
④ 13 ⑤ 16

12

네 지점 A, B, P, Q 사이에 그림과 같은 도로망이 있다. A지점에서 B지점까지 왕복하는 방법의 수는? (단, 한 번 지나간 지점은 다시 지나지 않는다.) [3점]

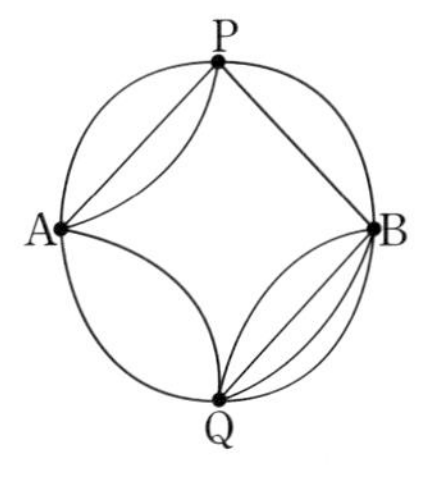

① 24 ② 36
③ 48 ④ 72 ⑤ 96

기출유형 04 항의 개수와 약수의 개수

$(a+b)(p+q+r)(x+y+z)$를 전개할 때 생기는 항의 개수는? [3점]

① 8　② 12　③ 15　④ 18　⑤ 24

Act ①
곱해지는 각 항이 모두 다른 문자이면 동류항이 생기지 않으므로 곱의 법칙을 이용한다.

해결의 실마리

(1) $(a+b)(x+y+z)$의 항의 개수
⇨ a, b에 곱해지는 항이 x, y, z의 3개이므로 2×3

(2) 자연수 $N=a^p b^q c^r$의 양의 약수의 개수
⇨ $(p+1)(q+1)(r+1)$ (단, a, b, c는 서로 다른 소수, p, q, r는 자연수)

13
$(1+x+x^2)(1+y+y^2+y^3)$을 전개할 때 생기는 항의 개수를 구하시오. [3점]

14
$(a+b+c)(p+q)(x+y+z)$를 전개하였을 때, p를 포함하는 항의 개수는? [3점]

① 7　② 8　③ 9
④ 10　⑤ 11

15
144의 양의 약수의 개수는? [3점]

① 9　② 12　③ 15
④ 18　⑤ 21

16
두 자연수 216과 360의 공약수의 개수는? [3점]

① 8　② 12　③ 16
④ 20　⑤ 24

친절한 해설 43쪽

기출유형 05 도형에 색칠하는 방법의 수

서로 다른 4가지 색을 모두 사용하여 그림의 네 영역을 칠하는 방법의 수는? [3점]

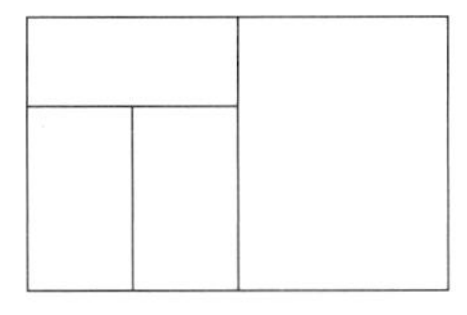

① 10 ② 12 ③ 24
④ 36 ⑤ 48

Act ①
각 영역을 A, B, C, D로 나타낸 다음, 각 영역에 색을 칠하는 사건은 잇달아 일어나므로 곱의 법칙을 이용한다.

해결의 실마리

색칠하는 방법의 수
① 각 영역을 A, B, C, …로 나타낸다.
② 각 영역에 색을 칠하는 사건은 잇달아 일어나므로 곱의 법칙을 이용한다.

17

그림과 같이 구분된 4개의 영역 A, B, C, D를 빨강, 주황, 노랑, 초록의 4가지 색으로 칠하는 경우의 수는? (단, 같은 색을 여러 번 사용할 수 있으나 인접한 영역은 서로 다른 색으로 칠한다.) [3점]

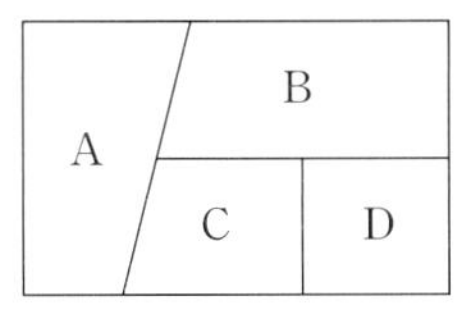

① 36 ② 48 ③ 60
④ 72 ⑤ 84

18

그림과 같이 5개의 영역으로 나누어진 도형을 서로 다른 4 가지의 색으로 칠하려고 한다. 인접하는 영역은 서로 다른 색으로 칠할 때, 칠하는 방법의 수는? [3점]

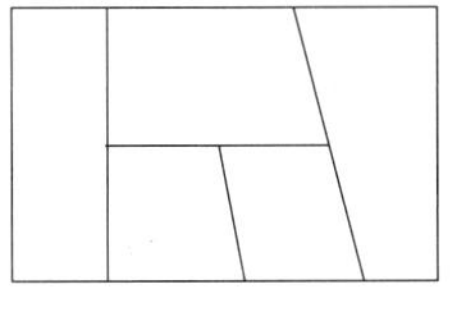

① 48 ② 56 ③ 76
④ 84 ⑤ 96

19

[2009학년도 교육청]

서로 다른 네 가지의 색이 있다. 이 중 네 가지 이하의 색을 이용하여 인접한 행정 구역을 구별할 수 있도록 모두 칠하고자 한다. 다섯 개의 구역을 서로 다른 색으로 칠할 수 있는 모든 경우의 수는? (단, 행정 구역에는 한 가지 색만을 칠한다.) [3점]

① 108 ② 144 ③ 216
④ 288 ⑤ 324

20

그림에서 다섯 영역 A, B, C, D E를 빨강, 노랑, 초록, 파랑, 보라의 5가지 색을 사용하여 칠하는 경우의 수는? (단, 같은 색을 여러 번 사용할 수 있으나 인접한 영역은 다른 색으로 칠한다.) [3점]

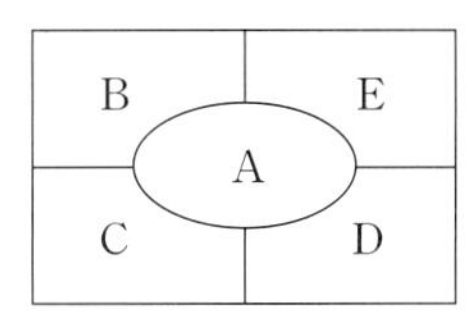

① 120 ② 180 ③ 240
④ 360 ⑤ 420

Very Important Test

01

서로 다른 3개의 주사위 A, B, C를 던질 때 나오는 눈의 수의 합이 5 이하가 되는 경우의 수는? [3점]

① 6 ② 7 ③ 8
④ 9 ⑤ 10

02

십의 자리의 숫자와 일의 자리의 숫자의 합이 짝수인 두 자리 자연수의 개수는? [3점]

① 35 ② 40 ③ 45
④ 50 ⑤ 55

03

1부터 100까지 자연수 중에서 4의 배수 또는 7의 배수의 개수를 구하시오. [3점]

04

200 이상 500 미만의 자연수 중에서 짝수의 개수를 구하시오. [3점]

05

0, 1, 2, 3, 4, 5에서 서로 다른 세 숫자를 사용하여 세 자리 정수를 만들려고 한다. 이 중 홀수의 개수를 a, 5의 배수의 개수를 b라 할 때, $a-b$의 값은? [3점]

① 11 ② 12 ③ 13
④ 14 ⑤ 15

06

a, b, c, d, e의 5개의 문자 중에서 서로 다른 3개의 문자를 차례로 택할 때, 자음과 모음을 교대로 택하는 경우의 수는? [3점]

① 12 ② 14 ③ 16
④ 18 ⑤ 20

07

100 이하의 자연수 중에서 2로 나누어떨어지지 않고, 5로도 나누어떨어지지 않는 자연수의 개수는? [3점]

① 40　② 45　③ 50　④ 55　⑤ 60

08

부등식 $x+y\leq5$를 만족시키는 음이 아닌 정수 x, y의 순서쌍 (x, y)의 개수는? [3점]

① 15　② 18　③ 21　④ 24　⑤ 27

09

그림과 같은 도로망이 있다. A지점에서 출발하여 두 지점 B, C를 경유하여 D지점으로 가는 방법의 수는? [3점]

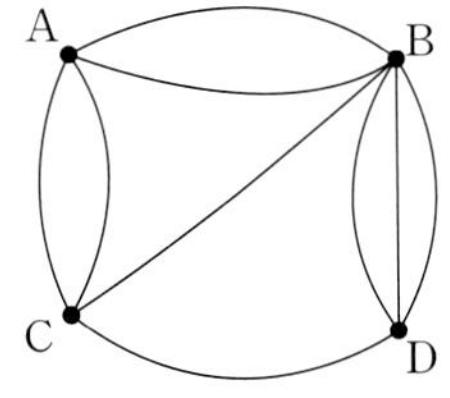

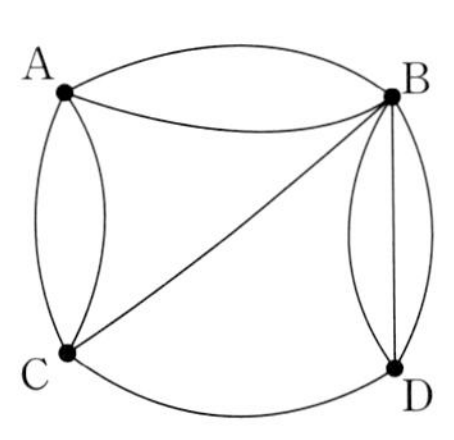

① 6　② 8　③ 10　④ 12　⑤ 14

10

520의 양의 약수의 개수를 구하시오. [3점]

11

120의 약수 중 3의 배수인 것의 개수는? [3점]

① 7　② 8　③ 9　④ 10　⑤ 11

12

오른쪽 그림의 4개의 영역 A, B, C, D에 서로 다른 4가지 색을 칠하여 구분하려고 한다. 같은 색을 중복하여 사용해도 좋으나 인접한 영역은 서로 다른 색으로 칠할 때, 칠하는 방법의 수를 구하시오. [3점]

Ⅲ. 경우의 수

09 순열

출제경향 ${}_{n}P_{r}$의 계산과 순열을 이용한 경우의 수를 구하는 쉬운 유형의 문항들이 출제된다. 순열의 의미와 계산 원리를 이해하고, 순열의 수를 구할 수 있어야 한다.

핵심개념 1 순열

서로 다른 n개에서 r $(r \le n)$개를 택하여 일렬로 나열하는 것을 n개에서 r개를 택하는 순열이라 하고, 이 순열의 수를 기호로 ${}_{n}\mathbf{P}_{r}$와 같이 나타낸다.

└ ${}_{n}P_{r}$에서 P는 순열을 뜻하는 'Permutation'의 첫글자이다.

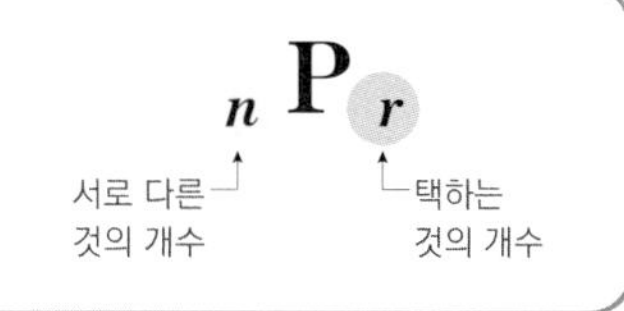

01 [보기]에서 ${}_{4}P_{2}$로 나타낼 수 있는 것을 있는 대로 고른 것은? [2점]

| 보기 |
ㄱ. 서로 다른 4장의 카드에서 2장을 뽑는 경우의 수
ㄴ. 네 사람 중에서 두 사람을 뽑아 한 줄로 세우는 경우의 수
ㄷ. 1, 2, 3, 4 중에서 2개의 숫자를 사용하여 만들 수 있는 두 자리 자연수의 개수
ㄹ. a, s, i, a에서 2개의 알파벳을 뽑아 만들 수 있는 문자열의 개수

① ㄱ, ㄷ ② ㄱ, ㄹ ③ ㄴ, ㄷ ④ ㄱ, ㄴ, ㄷ ⑤ ㄱ, ㄷ, ㄹ

핵심개념 2 순열의 수

(1) 순열의 수 (1)

① 서로 다른 n개에서 r개를 택하는 순열의 수는

$${}_{n}P_{r} = \underbrace{n(n-1)(n-2)\cdots(n-r+1)}_{r\text{개}} \text{ (단, } 0 < r \le n)$$

첫 번째	두 번째	세 번째	…	r번째
n가지	$(n-1)$가지	$(n-2)$가지	…	$(n-r+1)$가지

r번째 자리에 올 수 있는 것은 이미 택해진 $(r-1)$개를 제외한 $n-(r-1)$, 즉 $(n-r+1)$가지

② 1부터 n까지의 자연수를 차례로 곱한 것을 n의 계승이라 하고, 기호 $\boldsymbol{n!}$로 나타낸다. 즉 → $n!$에서 !은 팩토리얼(factorial)이라고 읽어.

$$n! = n(n-1)(n-2)\cdots3\times2\times1$$

(2) 순열의 수 (2)

① ${}_{n}P_{r} = \dfrac{n!}{(n-r)!}$ (단, $0 \le r \le n$)

→ $${}_{n}P_{r} = n(n-1)(n-2)\cdots(n-r+1) = \frac{n(n-1)(n-2)\cdots(n-r+1)(n-r)\cdots3\times2\times1}{(n-r)\cdots3\times2\times1} = \frac{n!}{(n-r)!}$$

② ${}_{n}P_{n} = n!$

→ 서로 다른 n개에서 n개를 모두 택하는 순열의 수는 ${}_{n}P_{r}$에서 $r=n$인 경우이므로 ${}_{n}P_{n} = n(n-1)(n-2)\cdots3\times2\times1 = n!$

③ $0! = 1$, ${}_{n}P_{0} = 1$

[2019학년도 수능 모의평가]

02 ${}_{8}P_{2}$의 값은? [2점]

① 32 ② 40 ③ 48 ④ 56 ⑤ 64

[2016학년도 교육청]

03 ${}_{n}P_{2} = 56$일 때, 자연수 n의 값은? [2점]

① 5 ② 6 ③ 7 ④ 8 ⑤ 9

친절한 해설 45쪽

기출유형 01 ${}_{n}P_{r}$의 계산

등식 ${}_{n}P_{2}\times 3!=336$을 만족시키는 n의 값은? [3점]

① 4 ② 5 ③ 6 ④ 7 ⑤ 8

Act 1
순열의 수와 관련된 등식이 주어진 경우는 자연수 n에 대한 방정식을 푸는 것으로 생각한다.

해결의 실마리

(1) ${}_{n}P_{r}=\underbrace{n(n-1)(n-2)\cdots(n-r+1)}_{r\text{개}}$ (단, $0<r\le n$)

$=\dfrac{n!}{(n-r)!}$ (단, $0\le r\le n$)

(2) ${}_{n}P_{n}=n!$, $0!=1$, ${}_{n}P_{0}=1$

${}_{n}P_{r}$ ⇨ n부터 시작해서 하나씩 작아지는 수를 r개 곱한다.

01
[2017학년도 수능 모의평가]

${}_{4}P_{3}$의 값을 구하시오. [3점]

02
[2017학년도 교육청]

${}_{n}P_{2}=110$을 만족시키는 자연수 n의 값을 구하시오. [3점]

03

등식 ${}_{n}P_{3}={}_{n-1}P_{3}+3\times{}_{4}P_{2}$를 만족시키는 자연수 n의 값은? [3점]

① 5 ② 6 ③ 7
④ 8 ⑤ 9

04

등식 $4{}_{n}P_{1}+2{}_{n}P_{2}={}_{n}P_{3}$을 만족시키는 자연수 n의 값을 구하시오. [3점]

기출유형 02 순열을 이용한 경우의 수

회원 수가 10명인 모임에서 회장, 부회장, 총무를 각각 1명씩 선출하는 경우의 수는? [3점]

① 84 ② 120 ③ 504 ④ 720 ⑤ 1440

Act ①
10명에서 3명을 뽑아 일렬로 배열하는 것과 같으므로 순열의 수를 이용한다.

해결의 실마리

(1) 서로 다른 n개를 모두 나열하는 순열의 수는 ⇨ ${}_n\mathrm{P}_n=n!$

(2) 서로 다른 n개에서 r개를 뽑아 나열하는 순열의 수는 ⇨ ${}_n\mathrm{P}_r$

다음과 같은 조건을 모두 포함하고 있으면 순열의 수 ${}_n\mathrm{P}_r$를 이용한다.
(i) 서로 다른 대상에서 뽑는다.
(ii) 뽑은 것을 일렬로 배열한다.

05

학생 30명 중에서 대표 1명과 부대표 1명을 정하는 경우의 수를 구하시오. [3점]

06

[2008학년도 교육청]

6명의 학생을 첫째 날 4명, 둘째 날 2명으로 나누어 한 사람씩 순서대로 상담하려고 한다. 이때 상담 순서를 정하는 방법의 수는? [3점]

① 120 ② 240 ③ 360
④ 480 ⑤ 720

07

[2007학년도 교육청]

여학생 2명이 먼저, 남학생 3명이 나중에 한 명씩 차례로 놀이공원에 입장하려고 한다. 이 학생 5명이 놀이공원에 입장하는 방법의 수는? [3점]

① 10 ② 12 ③ 14
④ 16 ⑤ 18

08

서로 다른 책 10권 중에서 r권을 뽑아 책꽂이에 일렬로 꽂는 경우의 수가 90일 때, r의 값을 구하면? [3점]

① 2 ② 3 ③ 4
④ 5 ⑤ 6

기출유형 03 이웃하거나 이웃하지 않는 순열의 수

여학생 4명과 남학생 3명이 한 명씩 강당에 들어가려고 한다. 남학생 3명이 잇달아 들어가는 경우의 수는? [3점]

① 480 ② 540 ③ 610 ④ 720 ⑤ 840

Act ①
남학생 3명을 한 묶음으로 하여 순열의 수를 구한 다음, 남학생 3명이 자리를 바꾸는 경우의 수를 곱한다.

해결의 실마리

(1) 이웃하는 순열의 수 구하기
① 이웃하는 것을 한 묶음으로 하여 순열의 수를 구한다.
② 한 묶음 안에서 자리를 바꾸는 경우의 수를 구하여 ①과 곱한다.

(2) 이웃하지 않는 순열의 수 구하기
① 이웃하지 않는 것을 제외한 나머지 것을 일렬로 나열하는 경우의 수를 구한다.
② 나열한 것의 사이사이와 양 끝의 자리에 이웃하지 않는 것을 나열하는 경우의 수를 구하여 ①과 곱한다.

09

[2006학년도 교육청]

여학생 2명과 남학생 4명이 순서를 정하여 차례로 뜀틀 넘기를 할 때, 여학생 2명이 연이어 뜀틀 넘기를 하게 되는 경우의 수는? [3점]

① 120 ② 180 ③ 240
④ 300 ⑤ 360

10

다섯 개의 문자 A, B, C, D, E를 일렬로 나열할 때, A, B 또는 C, D가 이웃하는 경우의 수는? [3점]

① 60 ② 72 ③ 84
④ 96 ⑤ 108

11

남학생 4명과 여학생 3명을 일렬로 세우려고 한다. 여학생끼리 이웃하지 않도록 세우는 방법의 수는? [3점]

① 120 ② 720 ③ 980
④ 1024 ⑤ 1440

12

6개의 문자 A, B, C, D, E, F를 일렬로 나열할 때, 세 개의 문자 A, B, C가 서로 이웃하지 않게 하는 방법의 수를 구하시오. [3점]

기출유형 04 자리가 정해진 순열의 수

[2010학년도 교육청]

남자 3명과 여자 4명이 한 줄로 서서 등산을 할 때, 남자가 양 끝에 서는 경우의 수는? [3점]

① 360 ② 480 ③ 600 ④ 720 ⑤ 1440

Act ①
주어진 조건에 맞도록 남자를 양 끝에 먼저 배열하고 나머지를 배열한다.

해결의 실마리

자리가 정해진 순열의 수 구하기
① 조건이 주어진 k개의 자리를 먼저 배열한다.
② 나머지 $(r-k)$개의 자리를 배열한다.
③ ①, ②에서 구한 경우의 수를 곱한다.

자리가 정해진 순열의 수 ⇨ 주어진 조건에 맞도록 특정한 것을 먼저 배열하고 나머지를 배열한다.
특정한 것은 문제에서 주로 끝 부분에 나타나 있어.

13

1부터 7까지 자연수를 모두 사용하여 일곱 자리의 자연수를 만들 때, 양 끝에 소수가 오는 경우의 수는? [3점]

① 600 ② 720 ③ 1080
④ 1440 ⑤ 2880

14

[2005학년도 교육청]

1, 2, 3, 4, 5, 6을 한 번씩만 사용하여 만들 수 있는 여섯 자리 자연수 중에서 일의 자리의 수와 백의 자리의 수가 모두 3의 배수인 자연수의 개수를 구하시오. [3점]

15

[2016학년도 교육청]

할머니, 아버지, 어머니, 아들, 딸로 구성된 5명의 가족이 있다. 이 가족이 그림과 같이 번호가 적힌 5개의 의자에 모두 앉을 때, 아버지, 어머니가 모두 홀수 번호가 적힌 의자에 앉는 경우의 수는? [3점]

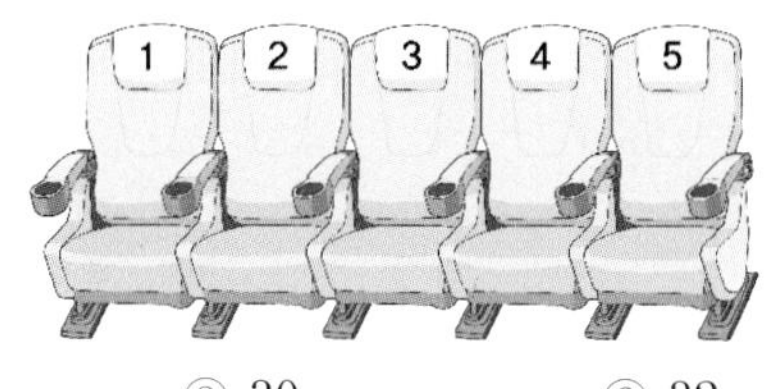

① 28 ② 30 ③ 32
④ 34 ⑤ 36

16

여섯 개의 문자 F, L, O, W, E, R를 일렬로 나열할 때, E와 O 사이에 두 개의 문자가 들어가는 경우의 수는? [3점]

① 96 ② 120 ③ 126
④ 138 ⑤ 144

기출유형 05 함수의 개수

두 집합 $X=\{a, b, c\}$, $Y=\{1, 2, 3, 4\}$에 대하여 함수 $f: X \to Y$가 $x_1 \neq x_2$이면 $f(x_1) \neq f(x_2)$를 만족시킬 때, 함수 f의 개수는? (단, $x_1 \in X$, $x_2 \in X$) [3점]

① 6 ② 12 ③ 18 ④ 24 ⑤ 36

Act ①
$x_1 \neq x_2$이면 $f(x_1) \neq f(x_2)$를 만족시키는 함수 f는 일대일함수이다.

해결의 실마리

두 집합 $X=\{x_1, x_2, \cdots, x_m\}$, $Y=\{y_1, y_2, \cdots, y_n\}$에 대하여 $f: X \to Y$일 때

(1) 일대일함수인 f의 개수

$x_1 \neq x_2$이면 $f(x_1) \neq f(x_2)$인 함수의 개수 ⇨ ${}_n\mathrm{P}_m$ (단, $m \leq n$)

► 일대일함수 : 서로 다른 x값에 서로 다른 y값이 대응하는 함수

(2) 일대일대응인 f의 개수

⇨ $m=n$이므로 ${}_n\mathrm{P}_n=n!$

► 일대일함수이고, 공역과 치역이 같은 함수

17

두 집합 $X=\{1, 2, 3\}$, $Y=\{1, 3, 5, 7, 9\}$에 대하여 X에서 Y로의 일대일함수의 개수를 구하시오. [3점]

18

집합 $X=\{1, 2, 3, 4\}$에 대하여 함수 $f: X \to X$는 일대일대응이다. 함수 f의 개수는? [3점]

① 20 ② 21 ③ 22
④ 23 ⑤ 24

19

집합 $X=\{a, b, c, d, e\}$에 대하여 함수 $f: X \to X$ 중에서 $f(a) \neq e$이고 일대일대응인 함수 f의 개수는? [3점]

① 36 ② 48 ③ 64
④ 72 ⑤ 96

20

집합 $X=\{1, 2, 3, 4\}$에 대하여 함수 $f: X \to X$ 중에서 $f(1) \neq 1$, $f(3) \neq 3$이고 치역과 공역이 일치하는 일대일함수 f의 개수는? [3점]

① 12 ② 14 ③ 18
④ 20 ⑤ 24

Very Important Test

01

${}_{n}\mathrm{P}_{2}+4{}_{n}\mathrm{P}_{1}=28$을 만족시키는 자연수 n의 값은? [3점]

① 3 ② 4 ③ 5
④ 6 ⑤ 7

02

선생님이 5명의 학생을 첫째 날에는 3명, 둘째 날에는 2명으로 나누어 한 사람씩 순서대로 상담하려고 한다. 이때 상담 순서를 정하는 방법의 수는? [3점]

① 120 ② 240 ③ 360
④ 480 ⑤ 720

03

6개의 도시 런던, 파리, 빈, 마드리드, 취리히, 로마 중 4개의 도시를 선택하여 여행을 갈 때, 첫 번째 여행 도시를 파리로 하여 여행 순서를 정하는 방법의 수는? [3점]

① 12 ② 20 ③ 30
④ 60 ⑤ 120

04

남학생 4명과 여학생 3명이 일렬로 서서 등산을 할 때, 맨 앞과 맨 뒤에 남학생이 서고 여학생 3명끼리 이웃하여 서는 방법의 수는? [3점]

① 72 ② 144 ③ 216
④ 288 ⑤ 432

05

남학생 2명과 여학생 3명을 일렬로 세우려고 한다. 여학생 3명을 서로 이웃하게 세우는 방법의 수를 a, 남학생을 양 끝에 세우는 방법의 수를 b라 할 때, $a+b$의 값을 구하시오. [3점]

06

pencil의 6개의 문자를 일렬로 나열할 때, 적어도 한쪽 끝에 자음이 오게 나열하는 경우의 수는? [3점]

① 640 ② 658 ③ 672
④ 694 ⑤ 720

다섯 개의 숫자 1, 2, 3, 4, 5에서 각 숫자를 많아야 한 번 사용하여 만들 수 있는 300 이상 2000 이하의 자연수의 개수는? [3점]

① 45 ② 50 ③ 55
④ 60 ⑤ 65

08

1부터 8까지 자연수를 일렬로 나열할 때, 홀수와 짝수가 교대로 오는 경우의 수는? [3점]

① 512 ② 840 ③ 1024
④ 1152 ⑤ 2048

09

6개의 숫자 1, 2, 3, 5, 6, 7을 일렬로 나열할 때, 짝수는 짝수 번째 오도록 나열하는 방법의 수는? [3점]

① 116 ② 128 ③ 136
④ 144 ⑤ 156

10

남녀 학생 10명으로 구성된 동아리에서 회장과 부회장을 각각 한 명씩 뽑으려고 한다. 적어도 한 명의 여학생을 뽑는 방법의 수가 48일 때, 여학생의 수를 구하시오. [3점]

11

숫자 1, 2, 3, 4, 5, 6, 7이 적혀 있는 7개의 카드 중에서 5개의 카드를 뽑아 다음과 같은 규칙에 따라 나열한다.

(가) 첫 번째 카드와 다섯 번째 카드에 적힌 숫자의 합은 짝수이다.
(나) 다섯 번째 카드에 적힌 숫자는 5 이상의 수이다.

예를 들어 45736은 위의 조건을 만족하는 수이다. 위의 조건에 맞게 나열하는 방법의 수는? [3점]

① 240 ② 320 ③ 360
④ 420 ⑤ 480

12

두 집합

$$X=\{2,\ 3,\ 5\},\ Y=\{2,\ 4,\ 6,\ 8,\ 10,\ 12\}$$

에 대하여 X에서 Y로의 일대일함수의 개수를 구하시오. [3점]

Ⅲ. 경우의 수

10 조합

출제경향 $_{n}C_{r}$의 계산과 조합의 수를 구하는 유형의 문항들이 출제된다. 조합의 의미와 계산 원리를 이해하고, 조합의 수를 구할 수 있어야 한다.

핵심개념 1 조합

서로 다른 n개에서 순서를 생각하지 않고 r $(r\le n)$개를 택하는 것을 n개에서 r개를 택하는 조합이라 하고, 이 조합의 수를 기호로 $_{n}\mathrm{C}_{r}$와 같이 나타낸다.

→ $_{n}C_{r}$에서 C는 조합을 뜻하는 'Combination'의 첫글자이다.

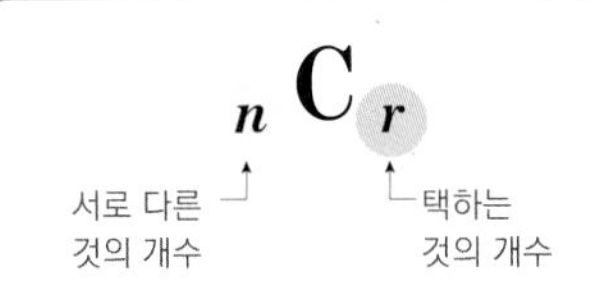

뽑은 것에서 순서를 생각하면 순열이고, 순서를 생각하지 않으면 조합이다!

01 [보기]에서 $_{4}C_{2}$로 나타낼 수 있는 것을 있는 대로 고른 것은? [2점]

| 보기 |
ㄱ. 네 사람에서 두 사람을 뽑는 경우의 수
ㄴ. 네 사람 중에서 회장과 부회장을 뽑는 경우의 수
ㄷ. 1, 2, 3, 4가 하나씩 적힌 구슬에서 2개의 구슬을 뽑는 경우의 수
ㄹ. p, o, p, s에서 2개의 알파벳을 뽑아 만들 수 있는 문자열의 개수

① ㄱ, ㄷ ② ㄱ, ㄹ ③ ㄴ, ㄷ ④ ㄱ, ㄴ, ㄷ ⑤ ㄱ, ㄷ, ㄹ

핵심개념 2 조합의 수

(1) 서로 다른 n개에서 r개를 택하는 조합의 수는

$$_{n}C_{r}=\frac{_{n}P_{r}}{r!}=\frac{n(n-1)(n-2)\cdots(n-r+1)}{r!}=\frac{n!}{r!(n-r)!}\ (\text{단, } 0\le r\le n)$$

→ 서로 다른 n개에서 r개를 뽑을때, 뽑은 r개의 순서를 생각하면 순열이고 순서를 생각하지 않으면 조합이므로, 조합의 수는 순열의 수에서 r개를 일렬로 나열하는 방법의 수 $r!$로 나누어 구한다.

(2) ① $_{n}C_{0}=1$, $_{n}C_{n}=1$

② $_{n}C_{r}={}_{n}C_{n-r}$ (단, $0\le r\le n$)

→ 서로 다른 n개 중에서 r개를 택하는 조합의 수와 $(n-r)$개를 택하는 조합의 수는 같다.

③ $_{n}C_{r}={}_{n-1}C_{r}+{}_{n-1}C_{r-1}$ (단, $1\le r\le n-1$)

서로 다른 n개 중에서 r개를 뽑는 경우의 수는 n개 중에서 특정한 1개인 a를 기준으로 다음과 같이 나누어 생각할 수 있다.

(i) r개 중 a가 포함되지 않는 경우

a를 제외하고 남은 $(n-1)$개 중에서 r개를 뽑으면 되므로 $_{n-1}C_{r}$가지

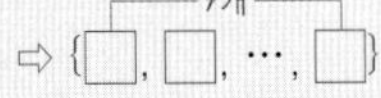

a 이외의 $(n-1)$개에서 r개를 뽑는 조합의 수

(ii) r개 중 a가 포함되는 경우

a를 먼저 뽑고 남은 $(n-1)$개 중에서 $(r-1)$개를 뽑으면 되므로 $_{n-1}C_{r-1}$가지

⇨ {a, □, □, ⋯, □} ($(r-1)$개)

a 이외의 $(n-1)$개에서 $(r-1)$개를 뽑는 조합의 수

따라서 서로 다른 n개에서 개를 뽑는 조합의 수는 $_{n}C_{r}={}_{n-1}C_{r}+{}_{n-1}C_{r-1}$

[2017학년도 교육청]

02 $_{6}C_{3}$의 값은? [2점]

① 12 ② 14 ③ 16 ④ 18 ⑤ 20

[2016학년도 교육청]

03 $_{5}P_{2}+{}_{5}C_{3}$의 값은? [2점]

① 30 ② 35 ③ 40 ④ 45 ⑤ 50

친절한 해설 49쪽

기출유형 01 ${}_{n}C_{r}$의 계산

[2010학년도 교육청]

등식 ${}_{n}P_{3}=12\times{}_{n}C_{2}$를 만족시키는 자연수 n의 값을 구하시오. [3점]

Act ①
순열과 조합의 공식을 이용하여 주어진 방정식을 푼다.

해결의 실마리

(1) ${}_{n}C_{r}=\frac{{}_{n}P_{r}}{r!}=\frac{n!}{r!(n-r)!}$ (단, $0\le r\le n$)

(2) ${}_{n}C_{0}=1$, ${}_{n}C_{n}=1$

(3) ${}_{n}C_{r}={}_{n}C_{n-r}$(단, $0\le r\le n$)

01

[2019학년도 수능]

${}_{6}P_{2}-{}_{6}C_{2}$의 값을 구하시오. [3점]

02

[2016학년도 교육청]

등식 ${}_{n}P_{2}-{}_{7}C_{2}=21$을 만족시키는 자연수 n의 값은? [3점]

① 6 ② 7 ③ 8
④ 9 ⑤ 10

03

[2008학년도 교육청]

${}_{n-1}P_{2}+4={}_{n+1}C_{n-1}$이 성립하는 모든 n의 값의 합은? [3점]

① 7 ② 8 ③ 9
④ 10 ⑤ 11

04

[2012학년도 수능]

등식 $2\times{}_{n}C_{3}=3\times{}_{n}P_{2}$를 만족시키는 자연수 n의 값을 구하시오. [3점]

기출유형 02 조합을 이용한 경우의 수

[2009학년도 교육청]

갑, 을 두 사람이 각각 동전을 6번씩 던질 때, 앞면이 나온 횟수의 합이 6인 경우의 수는? [3점]

① 924 ② 982 ③ 1120 ④ 1262 ⑤ 1324

Act①
두 사람이 던진 12번 중에서 앞면이 6번 나온 사건은 순서를 생각하지 않으므로 조합의 수를 이용한다.

해결의 실마리

n개에서 r개를 뽑는 방법의 수는 → 순서를 바꿨을 때 결과가 달라지면 ⇨ 순열, 결과가 같으면 ⇨ 조합

⇨ ${}_nC_r$

다음과 같은 조건을 모두 포함하고 있으면 조합의 수 ${}_nC_r$를 이용한다.
(i) 서로 다른 대상에서 뽑는다.
(ii) 뽑은 것의 순서를 고려하지 않는다.

05

색이 모두 다른 색종이 7장 중에서 3장을 택하는 경우의 수는? [3점]

① 30 ② 35 ③ 40
④ 45 ⑤ 50

06

남자 6명, 여자 4명 중에서 남자 3명, 여자 2명의 대표를 각각 선출하는 경우의 수는? [3점]

① 112 ② 114 ③ 116
④ 118 ⑤ 120

07

[2017학년도 수능 모의평가]

어느 학교 동아리 회원은 1학년이 6명, 2학년이 4명이다. 이 동아리에서 7명을 뽑을 때, 1학년에서 4명, 2학년에서 3명을 뽑는 경우의 수를 구하시오. [3점]

08

[2006학년도 교육청]

그림과 같이 5개의 돌로 만들어진 징검다리가 있다. 5개의 돌 중에서 3개 또는 4개만 밟고 A에서 B까지 건널 수 있는 방법의 수는? (단, 중간에 되돌아가는 경우는 생각하지 않는다.) [3점]

① 13 ② 15 ③ 17
④ 19 ⑤ 21

기출유형 03 특정한 것을 포함하거나 포함하지 않는 조합의 수

8명의 학생 중에서 4명의 위원을 뽑을 때, 특정한 세 학생 A, B, C 중 A는 선출되지 않고 B, C는 함께 선출되는 경우의 수는? [3점]

① 10 ② 12 ③ 14 ④ 16 ⑤ 18

Act ①
A, B, C를 뺀 5명 중에서 2명을 뽑는 경우의 수를 구한다.

해결의 실마리

(1) 서로 다른 n개에서 특정한 k개를 포함하여 r개를 뽑는 방법의 수
⇨ 특정한 k개를 이미 뽑았다고 생각하고 나머지 $(n-k)$개에서 필요한 $(r-k)$개를 뽑는다.
⇨ ${}_{n-k}C_{r-k}$

(2) 서로 다른 n개에서 특정한 k개를 포함하지 않고 r개를 뽑는 방법의 수
⇨ 특정한 k개를 제외하고 나머지 $(n-k)$개에서 필요한 r개를 뽑는다.
⇨ ${}_{n-k}C_{r}$

09

4명의 회원을 뽑는 어느 동아리에 A, B를 포함한 10명의 학생이 지원하였다. 이때 두 학생 A, B가 선발되는 경우의 수는? [3점]

① 24 ② 26 ③ 28 ④ 30 ⑤ 32

10

A, B를 포함한 10명의 학생 중에서 4명의 위원을 뽑을 때, A는 선출되고 B는 선출되지 않는 경우의 수는? [3점]

① 21 ② 28 ③ 56 ④ 72 ⑤ 120

10

1부터 10까지의 자연수가 하나씩 적힌 구슬 10개가 들어 있는 주머니에서 6개의 구슬을 뽑을 때, 3, 5, 7이 적힌 구슬은 포함하고 2가 적힌 구슬은 포함하지 않도록 구슬을 뽑는 경우의 수를 구하시오. [3점]

12

남학생 3명, 여학생 4명 중에서 특정한 2명이 포함되도록 n명을 뽑는 경우의 수가 10일 때, 모든 n의 값의 합은? [3점]

① 8 ② 9 ③ 10 ④ 11 ⑤ 12

기출유형 04 곱의 법칙을 이용한 조합의 수

어느 고등학교 봉사 동아리는 남학생 4명, 여학생 5명으로 구성되어 있다. 이 중 남학생 2명, 여학생 3명을 선발하여 봉사 활동을 하러 가는 방법의 수는? [3점]

① 58 ② 60 ③ 62 ④ 64 ⑤ 68

Act ①
두 종류의 사건이 함께 일어날 경우는 곱의 법칙을 이용한다.

해결의 실마리
두 개의 사건이 함께 일어나는 경우에는 곱의 법칙을 이용해 경우의 수를 구한다.

13

서로 다른 4개 학교의 학생이 각각 2명씩 있다. 이 8명의 학생 중 임의로 3명을 선택할 때, 같은 학교의 학생이 동시에 선택되지 않는 경우의 수는? [3점]

① 20 ② 24 ③ 28
④ 32 ⑤ 36

14

남자가 6명, 여자가 4명인 모임에서 남자 2명, 여자 2명을 대표로 뽑는 경우의 수는? [3점]

① 60 ② 70 ③ 80
④ 90 ⑤ 100

15

남자 6명과 여자 4명 중에서 남자 3명과 여자 2명을 뽑는 경우의 수는? [3점]

① 100 ② 110 ③ 120
④ 130 ⑤ 140

16

7개의 문자 O, P, Q, R, S, T, U 중에서 서로 다른 4개의 문자를 택할 때, 자음을 3개, 모음을 1개 택하는 경우의 수를 구하시오. [3점]

기출유형 05 '적어도'의 조건이 있는 조합의 수

1부터 6까지의 숫자가 각각 하나씩 적힌 6개의 공 중에서 2개의 공을 뽑을 때, 홀수가 적힌 공이 적어도 1개 포함되도록 뽑는 경우의 수는? [3점]

① 12 ② 14 ③ 16 ④ 18 ⑤ 20

Act ①
전체 경우의 수에서 짝수가 적힌 공만 뽑는 경우의 수를 뺀다.

해결의 실마리
'적어도 ~' 인 경우의 수 ⇨ (전체 경우의 수) − (그 반대 경우의 수)

17

남학생 4명, 여학생 4명 중에서 2명의 대표를 뽑으려고 할 때, 적어도 1명의 여학생이 포함되도록 뽑는 경우의 수는? [3점]

① 14 ② 16 ③ 18
④ 20 ⑤ 22

18

1부터 10까지의 자연수가 하나씩 적힌 10장의 카드에서 4장을 뽑을 때, 홀수가 적힌 카드가 적어도 1장 포함되는 경우의 수를 구하시오. [3점]

19

여학생 4명과 남학생 5명 중에서 대표 3명을 뽑을 때, 남학생과 여학생이 적어도 한 명씩 포함되도록 하는 경우의 수는? [3점]

① 64 ② 66 ③ 68
④ 70 ⑤ 72

20

회원이 10명인 인터넷 동호회에서 2명의 운영자를 뽑으려고 한다. 적어도 한 명은 여자 회원이 뽑히는 경우의 수가 30일 때, 이 동호회의 여자 회원 수는? [3점]

① 2 ② 4 ③ 6
④ 8 ⑤ 10

기출유형 06 뽑아서 나열하는 경우의 수

아버지와 어머니를 포함한 7명의 가족 중에서 아버지와 어머니를 포함하여 4명을 뽑아 일렬로 세우는 경우의 수를 구하시오. [3점]

Act ①

아버지와 어머니를 뺀 5명 중에서 2명을 뽑는 경우의 수와 아버지와 어머니를 포함한 4명을 일렬로 세우는 경우의 수를 곱한다.

해결의 실마리

(1) 뽑는 방법의 수 ⇨ 조합, 나열하는 방법의 수 ⇨ 순열

(2) n개에서 r개를 뽑아 나열하는 방법의 수 ⇨ ${}_nC_r \times r!$

뽑는 사건과 그 다음에 나열하는 사건이 함께 일어나므로 곱의 법칙을 이용한다.

21

6개의 숫자 1, 2, 3, 4, 5, 6에서 서로 다른 4개의 숫자를 택하여 만들 수 있는 네 자리 자연수 중에서 1, 2를 모두 포함하는 것의 개수는? [3점]

① 132 ② 136 ③ 140 ④ 144 ⑤ 148

22 [2011학년도 수능]

어느 회사원이 처리해야 할 업무는 A, B를 포함하여 모두 6가지이다. 이 중에서 A, B를 포함한 4가지 업무를 오늘 처리하려고 하는데, A를 B보다 먼저 처리해야 한다. 오늘 처리할 업무를 택하고, 택한 업무의 처리 순서를 정하는 경우의 수는? [3점]

① 60 ② 66 ③ 72 ④ 78 ⑤ 84

23

서로 다른 5개의 풍선과 3개의 깃발 중에서 3개의 풍선과 2개의 깃발을 뽑아서 일렬로 배열하여 신호를 보내는 경우의 수는? [3점]

① 2600 ② 2800 ③ 3000 ④ 3200 ⑤ 3600

24

경수와 효린이를 포함한 학생 8명 중에서 경수와 효린이를 포함하여 5명을 뽑아 일렬로 세울 때, 경수와 효린이를 이웃하지 않게 세우는 경우의 수는? [3점]

① 1420 ② 1430 ③ 1440 ④ 1450 ⑤ 1460

기출유형 07 직선, 삼각형, 사각형의 개수

그림과 같이 4개의 평행선과 6개의 평행선이 서로 만나고 있다. 이들 평행선으로 만들 수 있는 평행사변형의 개수는? [3점]

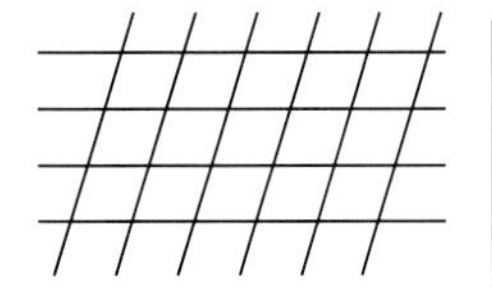

① 85 ② 90 ③ 95
④ 100 ⑤ 105

Act ①
가로 방향의 평행선 중 2개, 세로 방향의 평행선 중 2개를 선택하면 한 개의 평행사변형이 만들어짐을 이용한다.

해결의 실마리

서로 다른 n개의 점 중에서 어느 세 점도 일직선 위에 있지 않을 때
(1) 두 점을 이어 만들 수 있는 직선의 개수는 ⇨ ${}_nC_2$
(2) 세 점을 이어 만들 수 있는 삼각형의 개수는 ⇨ ${}_nC_3$
(3) m개의 평행선과 이와 평행하지 않은 n개의 평행선으로 만들 수 있는 평행사변형의 개수는
⇨ ${}_mC_2 \times {}_nC_2$

25

[2007학년도 교육청]

어느 세 점도 한 직선 위에 있지 않은 서로 다른 6개의 점이 있다. 이 중 두 점을 연결하여 만들 수 있는 직선의 개수는? [3점]

① 9 ② 12 ③ 15
④ 18 ⑤ 21

26

그림과 같이 한 점에서 만나는 두 직선 l, m 위에 8개의 점이 있다. 3개의 점을 이어 만들 수 있는 삼각형의 개수는? [3점]

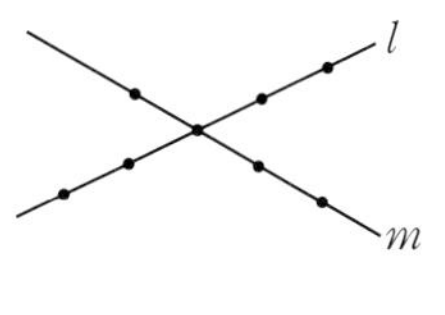

① 41 ② 42 ③ 43
④ 44 ⑤ 45

27

[2010학년도 교육청]

그림은 평행사변형의 각 변을 4등분하여 얻은 도형이다. 이 도형의 선들로 만들 수 있는 평행사변형 중에서 색칠한 부분을 포함하는 평행사변형의 개수는? [3점]

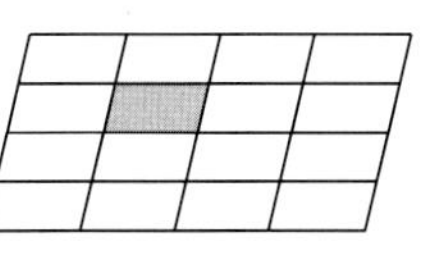

① 24 ② 30 ③ 36
④ 42 ⑤ 48

28

그림은 정사각형 16개로 이루어진 도형이다. 이 도형의 선으로 만들 수 있는 사각형 중에서 정사각형이 아닌 직사각형의 개수는? [3점]

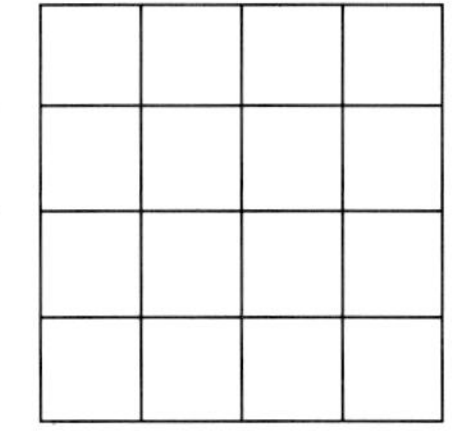

① 64 ② 66
③ 68 ④ 70
⑤ 72

기출유형 08 분할과 분배

A회사는 중국, 일본, 영국에 각각 지사가 있다. 이 회사에서 7명의 사원을 2명, 2명, 3명의 3개 조로 나누어 세 곳의 지사에 파견하는 방법의 수는? [3점]

① 590 ② 600 ③ 610 ④ 620 ⑤ 630

Act①
2명, 2명, 3명의 조에서 같은 수의 조가 2개 있으므로 같은 분할이 2!가지가 생긴다.

해결의 실마리

(1) 분할하는 경우의 수

서로 다른 n개를 p개, q개, r개$(p+q+r=n)$로 분할하는 방법의 수는

① p, q, r가 모두 다른 수일 때 ⇨ ${}_{n}C_{p}\times{}_{n-p}C_{q}\times{}_{r}C_{r}$

② p, q, r 중에서 어느 두 수가 같을 때 ⇨ ${}_{n}C_{p}\times{}_{n-p}C_{q}\times{}_{r}C_{r}\times\frac{1}{2!}$

③ p, q, r가 모두 같은 수일 때 ⇨ ${}_{n}C_{p}\times{}_{n-p}C_{q}\times{}_{r}C_{r}\times\frac{1}{3!}$

(2) n묶음으로 분할하여 n명에게 분배하는 경우의 수

⇨ (n묶음으로 분할하는 방법의 수)$\times n!$

▶ 여러 개의 물건을 몇 개의 묶음으로 나누는 것을 분할이라 하고, 분할된 묶음을 나누어 주는 것을 분배라 한다.

▶ 같은 수의 조가 2개 있다면 같은 분할이 2!가지가 생기고, 같은 수의 조가 3개 있다면 같은 분할이 3!가지가 생기니까 같은 분할의 수만큼 나누어 주는 거야.

29

6명의 학생이 봉사 활동을 하기 위하여 조를 나누려고 한다. 이 6명을 세 개의 조로 나누는 방법의 수는? [3점]

① 60 ② 90 ③ 150
④ 180 ⑤ 210

30

[2012학년도 수능]

서로 다른 6개의 공을 두 바구니 A, B에 3개씩 담을 때, 그 결과로 나올 수 있는 경우의 수를 구하시오. [3점]

31

서로 다른 8종류의 꽃을 2종류, 3종류, 3종류로 묶어 꽃다발을 만든 다음 이 세 개의 꽃다발을 3명에게 나누어 주는 방법의 수를 구하시오. [3점]

32

두 집합 $X=\{1, 2, 3, 4\}$, $Y=\{a, b, c\}$에 대하여 함수 $f: X\rightarrow Y$의 치역과 공역이 같을 때, 함수 f의 개수는? [3점]

① 12 ② 24 ③ 36
④ 48 ⑤ 60

Very Important Test

친절한 해설 53쪽

01

${}_{n}C_{3}=2\times{}_{n}P_{2}$를 만족시키는 자연수 n의 값을 구하시오. [3점]

02

등식 ${}_{12}C_{r+2}={}_{12}C_{2r-5}$를 만족시키는 자연수 r의 값의 합은? [3점]

① 9 ② 10 ③ 11 ④ 12 ⑤ 13

03

어느 학교에서 합창단원을 모집하는데, 남학생 6명, 여학생 8명이 지원하였다. 이 중에서 남학생 2명, 여학생 3명을 뽑는 경우의 수를 구하시오. [3점]

04

두 집합 $A=\{1, 2, 3\}$, $B=\{5, 6, 7, 8\}$에 대하여 집합 A에서 B로 대응하는 함수 중에서 $i, j\in A$, $i<j$이면 $f(i)<f(j)$로 대응하는 함수의 개수는? [3점]

① 1 ② 2 ③ 3 ④ 4 ⑤ 5

05

두 집합 $X=\{1, 2, 3\}$, $Y=\{4, 5, 6, 7, 8\}$에 대하여 함수 $f: X\to Y$ 중에서 $a<b$이면 $f(a)<f(b)$인 함수의 개수는? [3점]

① 4 ② 6 ③ 8 ④ 10 ⑤ 12

06

집합 $A=\{x|x$는 20 이하의 소수$\}$에 대하여 집합 $B=\{x|x=ab,\ a\in A,\ b\in A,\ a\neq b\}$의 원소의 개수는? [3점]

① 20 ② 24 ③ 28 ④ 32 ⑤ 36

07

집합 $A=\{x|x$는 10 이하의 자연수$\}$의 부분집합 중에서 소수와 합성수를 각각 2개씩 포함하는 원소의 개수가 4인 부분집합의 개수는? [3점]

① 40 ② 45 ③ 50 ④ 55 ⑤ 60

08

네 개의 숫자 2, 4, 6, 8 중에서 서로 다른 세 개를 택하고, 네 개의 숫자 1, 3, 5, 7 중에서 서로 다른 두 개를 택하여 만들 수 있는 다섯 자리 자연수의 개수는? [3점]

① 180 ② 360 ③ 720 ④ 1440 ⑤ 2880

09

1부터 9까지 자연수 중에서 서로 다른 두 수를 택할 때, 택한 두 수의 합이 짝수가 되는 경우의 수는? [3점]

① 12 ② 14 ③ 16 ④ 18 ⑤ 20

10

A지역에는 세 곳, B지역에는 네 곳, C지역에는 다섯 곳, D지역에는 여섯 곳의 관광지가 있다. 이 중에서 세 곳을 선택하여 관광하려고 할 때, 선택한 세 곳이 모두 같은 지역이 되는 경우의 수는? [3점]

① 20 ② 25 ③ 30 ④ 35 ⑤ 40

11

7명의 가족이 두 대의 택시 A, B에 나누어 타려고 한다. 한 대의 택시에 4명까지 탈 수 있을 때, 두 대의 택시 A, B에 나누어 타는 방법의 수는? [3점]

① 7 ② 35 ③ 70 ④ 105 ⑤ 140

12

남자 5명, 여자 3명 중에서 대표 3명을 선출할 때, 여자를 1명 이상 선출하는 경우의 수는? [3점]

① 76 ② 46 ③ 40 ④ 37 ⑤ 30

13

여학생 5명과 남학생 3명 중에서 대표 3명을 뽑을 때, 남학생과 여학생이 적어도 한 명씩 포함되는 경우의 수는? [3점]

① 37 ② 39 ③ 41
④ 43 ⑤ 45

14

남녀 학생 15명으로 구성된 동아리에서 3명의 대표를 뽑으려고 한다. 적어도 한 명의 여학생이 뽑히는 경우의 수가 445가지일 때, 남학생의 수를 구하시오. [3점]

15

오른쪽 그림과 같이 반원 위에 있는 8개의 점 중에서 2개의 점을 연결하여 만들 수 있는 직선의 개수는? [3점]

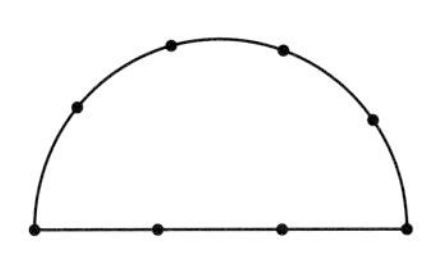

① 23 ② 24 ③ 25
④ 26 ⑤ 27

16

오른쪽 그림과 같이 정팔각형의 꼭짓점 중에서 3개를 택하여 만들 수 있는 삼각형의 개수는? [3점]

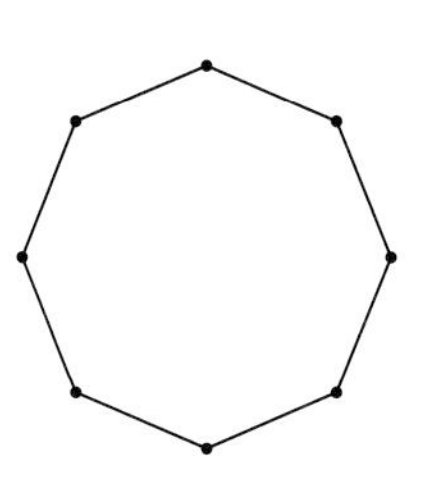

① 42 ② 56
③ 64 ④ 78
⑤ 98

17

여섯 개의 서로 다른 종류의 사탕을 두 봉지에 담기 위해 두 묶음으로 나누는 방법의 수는? [3점]

① 28 ② 29 ③ 30
④ 31 ⑤ 33

18

9명의 학생을 2명, 3명, 4명의 세 조로 나누는 방법의 수를 a, 4명, 4명, 1명의 세 조로 나누는 방법의 수를 b, 3명, 3명, 3명의 세 조로 나누는 방법의 수를 c라 할 때, $a-b+c$의 값은? [3점]

① 325 ② 550 ③ 775
④ 1000 ⑤ 1225

memo

조금이라도 달라지고 싶다면
지금 이 순간부터 변해야 한다.
-프레드 스미스

당신이 친구들이 보고 싶으면
친구들이 당신에게 관심을 가지게 하려 하지 말고
당신이 먼저 친구들에게 관심을 가져라.
- 데일 카네기

좋은 기회를 만나지 못한 사람은 아무도 없다.
다만 그것을 붙잡지 못했을 뿐이다.
- 앤드루 카네기

참 쉬운 3점

정답과 해설

고등 **수학(하)**

참 쉬운 3점

정답과 해설

고등 **수학(하)**

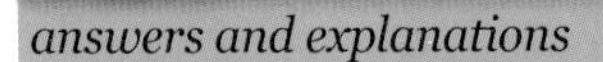

answers and explanations

I 집합과 명제

01 집합의 뜻과 표현

pp. 6~7

01. 2	**02.** 6	**03.** ④	**04.** ③	**05.** ④
06. ③				

01 '잘하는', '재미있는'은 기준이 명확하지 않으므로 집합이 아니다.
따라서 집합인 것의 개수는 2이다. 답 2

02 $1-(-1)=2$, $1-1=0$,
$2-(-1)=3$, $2-1=1$이므로
$C=\{0,\ 1,\ 2,\ 3\}$
따라서 집합 C의 모든 원소의 합은
$0+1+2+3=6$ 답 6

03 집합 A의 원소의 개수는 4이므로
$n(A)=4$ 답 ④

04 $A\subset B$이므로 $7\in A$이다. 따라서 $a=7$ 답 ③

05 $a+1=3$, $b=5$이므로
$a+b=2+5$
$=7$ 답 ④

06 $\{1,\ 2\}\subset B\subset\{1,\ 2,\ 3,\ 4,\ 5\}$이므로 집합 B의 개수는 집합 $\{3,\ 4,\ 5\}$의 부분집합의 개수와 같다.
따라서 집합 B의 개수는 $2^3=8$ 답 ③

유형따라잡기

pp. 8~12

기출유형 01 ⑤	**01.** ①	**02.** ⑤	**03.** ④	**04.** ④
기출유형 02 ⑤	**05.** 7	**06.** ④	**07.** ①	**08.** 7
기출유형 03 ④	**09.** ⑤	**10.** ③	**11.** ⑤	**12.** ②
기출유형 04 ③	**13.** 16	**14.** 4	**15.** ④	**16.** ④
기출유형 05 4	**17.** ②	**18.** ④	**19.** 8	**20.** ③

기출유형 01

Act ① **어떤 대상이 주어진 집합의 원소이면 $\in$, 부분집합이면 $\subset$를 사용한다.**

집합 A의 원소가 0, $\varnothing$, $\{\varnothing\}$이므로
$0\in A$, $\varnothing\in A$, $\{\varnothing\}\in A$이고
$\{0\}\subset A$, $\{\varnothing\}\subset A$, $\{\{\varnothing\}\}\subset A$
또, $\varnothing$은 모든 집합의 부분집합이므로 $\varnothing\subset A$
따라서 옳지 않은 것은 ⑤ $\{0\}\in A$ 답 ⑤

01 **Act ①** **어떤 대상이 주어진 집합의 원소이면 $\in$, 부분집합이면 $\subset$를 사용한다.**
집합 A의 원소가 1, 2, $\{2,\ 3\}$, $\varnothing$이고 $\varnothing$은 모든 집합의 부분집합이다.
① $\{\varnothing\}\subset A$
② $3\notin A$
③ $\{1\}\subset A$
④ $\{1, 2\}\subset A$
⑤ $\{2, 3\}\in A$ 답 ①

02 **Act ①** **어떤 대상이 주어진 집합의 원소이면 $\in$, 부분집합이면 $\subset$를 사용한다.**
집합 A의 원소가 1, 2, 3, $\{1,\ 2\}$이고 $\varnothing$은 모든 집합의 부분집합이다.
⑤ $\{3\}$은 집합 A의 원소가 아니므로
$\{\{3\},\ \{1,\ 2\}\}\not\subset A$ 답 ⑤

03 **Act ①** **어떤 대상이 주어진 집합의 원소이면 $\in$, 부분집합이면 $\subset$를 사용한다.**
집합 A의 원소가 $\varnothing$, a, $\{a\}$이고 $\varnothing$은 모든 집합의 부분집합이다.
④ $\{\varnothing,\ a\}$는 집합 A의 부분집합이므로
$\{0,\ a\}\subset A$ 답 ④

04 **Act ①** **어떤 대상이 주어진 집합의 원소이면 $\in$, 부분집합이면 $\subset$를 사용한다.**
집합 S의 원소가 ▲, ■, {▲}이다.
④ {▲, ■}는 집합 S의 부분집합이므로
{▲, ■}$\subset S$ 답 ④

기출유형 02

Act ① **$A\subset B$이므로 집합 B의 원소 중에 집합 A의 원소인 a가 있어야 함을 이용한다.**
$A\subset B$이므로
$a=2a+1$ 또는 $a=4$
즉 $a=-1$ 또는 $a=4$
(i) $a=-1$일 때
$A=\{-1,\ 1\}$, $B=\{-1,\ 1,\ 4\}$이므로
$A\subset B$
(ii) $a=4$일 때
$A=\{1,\ 4\}$, $B=\{1,\ 4,\ 9\}$이므로
$A\subset B$
(i), (ii)에서 구하는 모든 정수 a의 값의 합은

$-1+4=3$ 답 ⑤

05 **Act①** $A \subset B$이므로 집합 B의 원소 중에 집합 A의 원소인 $2a$가 있어야 함을 이용한다.

$B=\{1, 2, 4, 8\}$이고 $A \subset B$이므로

$2a=2$ 또는 $2a=4$ 또는 $2a=8$

즉 $a=1$ 또는 $a=2$ 또는 $a=4$

(i) $a=1$일 때

$A=\{1, 2\}$이므로 $A \subset B$

(ii) $a=2$일 때

$A=\{1, 4\}$이므로 $A \subset B$

(iii) $a=4$일 때

$A=\{1, 8\}$이므로 $A \subset B$

(i), (ii), (iii)에서 $A \subset B$를 만족시키는 모든 자연수 a의 값의 합은

$1+2+4=7$ 답 7

06 **Act①** 집합 A의 모든 원소가 모두 포함되도록 하는 a 값의 범위를 구한다.

$A \subset B$가 성립하려면 집합 A의 모든 원소가 집합 B에 속해야 하므로

$-a<-5$, $a>6$

즉 $a>5$, $a>6$을 동시에 만족하는 a 값의 범위는 $a>6$

따라서 자연수 a의 최솟값은 7이다. 답 ④

07 **Act①** $A \subset B$이므로 집합 B의 원소 중에 집합 A의 원소인 2가 있어야 함을 이용한다.

$A \subset B$이므로

$a+1=2$ 또는 $a^2-7=2$

즉 $a=1$ 또는 $a=3$ 또는 $a=-3$

(i) $a=1$일 때

$A=\{0, 2\}$, $B=\{-6, 0, 2\}$이므로

$A \subset B$

(ii) $a=-3$일 때

$A=\{2, 8\}$, $B=\{-2, 0, 2\}$이므로

$A \not\subset B$

(iii) $a=3$일 때

$A=\{2, 8\}$, $B=\{0, 2, 4\}$이므로

$A \not\subset B$

(i), (ii), (iii)에서 구하는 실수 a의 값은 1이다. 답 ①

08 **Act①** $A \subset B$이므로 집합 B의 원소 중에 집합 A의 원소인 2가 있어야 함을 이용한다.

$A \subset B$이므로

$a+2=2$ 또는 $a^2-7=2$

즉 $a=0$ 또는 $a=-3$ 또는 $a=3$

(i) $a=0$일 때

$A=\{-3, 2\}$, $B=\{-7, 0, 2\}$이므로

$A \not\subset B$

(ii) $a=-3$일 때

$A=\{-6, 2\}$, $B=\{-1, 0, 2\}$이므로

$A \not\subset B$

(iii) $a=3$일 때

$A=\{0, 2\}$, $B=\{0, 2, 5\}$이므로

$A \subset B$

(i), (ii), (iii)에서 $A \subset B$를 만족시키는 실수 a의 값은 3이고, 이때 집합 B의 모든 원소의 합은 $0+2+5=7$이다. 답 7

기출유형 03

Act① $A=B$이므로 두 집합의 원소가 서로 같음을 이용한다.

$A=B$이므로 $4 \in B$, $8 \in A$

따라서 $b=4$, $1+a=8$이므로

$ab=7 \times 4=28$ 답 ④

09 **Act①** $A=B$이므로 두 집합의 원소가 서로 같음을 이용한다.

$A=B$이므로 $4 \in A$, $2 \in B$

따라서 $x=4$, $2y=2$이므로

$x+y=4+1=5$ 답 ⑤

10 **Act①** $A \subset B$이고 $B \subset A$이므로 $A=B$임을 이용한다.

$A=B$이므로 $5 \in A$, $20 \in B$

따라서 $a=5$, $a+b=20$이므로

$b=20-5=15$ 답 ③

11 **Act①** $A=B$이므로 두 집합의 원소가 서로 같음을 이용한다.

$A=B$에서

$a+2 \in B$이므로

$a+2=2$ 또는 $a+2=6-a$

(i) $a+2=2$일 때

$a=0$이므로 $A=\{-2, 2\}$, $B=\{2, 6\}$

$\therefore A \neq B$

(ii) $a+2=6-a$일 때

$a=2$이므로 $A=B=\{2, 4\}$

(i), (ii)에서 $A=B$를 만족하는 a의 값은 2이다. 답 ⑤

12 **Act①** $A \subset B$이고 $B \subset A$이므로 $A=B$임을 이용한다.

$A \subset B$, $B \subset A$이므로 $A=B$

이때 $A=\{x | x$는 8의 약수$\}$

$=\{1, 2, 4, 8\}$이므로

$\{1, 2, 4, 8\}=\{1, a+2, a^2-2, 8\}$

에서 $a+2=2$ 또는 $a+2=4$

(i) $a+2=2$일 때

$a=0$이므로 $B=\{-2, 1, 2, 8\}$

$\therefore A \neq B$

(ii) $a+2=4$일 때

$a=2$이므로 $B=\{1, 2, 4, 8\}$

$\therefore A=B$

(i), (ii)에서 $A=B$를 만족하는 a의 값은 2이다. 답 ②

기출유형 04

Act① 2, 3은 반드시 포함하고, 5는 포함하지 않는 부분집합 X의 개수를 구한다.

집합 $A=\{1, 2, 3, 4, 5, 6\}$의 부분집합 중에서 2, 3은 반드시 포함하고, 5는 포함하지 않는 부분집합 X의 개수는

$2^{6-2-1}=2^3=8$ 답 ③

13 **Act① 집합 A의 원소의 개수가 n이면 부분집합의 개수는 2^n임을 이용한다.**

집합 $A=\{1, 2, 3, 6\}$이므로 $n(A)=4$

따라서 집합 A의 모든 부분집합의 개수는

$2^4=16$ 답 16

14 **Act① 원소의 개수가 n인 집합의 부분집합 중에서 특정한 원소 m개를 포함하고 l개는 원소로 갖지 않는 부분집합의 개수는 2^{n-m-l}임을 이용한다.**

집합 $A=\{1, 3, 5, 7, 9\}$이므로 $n(A)=5$

따라서 구하는 집합의 개수는

$2^{5-2-1}=2^2=4$ 답 4

15 **Act① 집합 A의 부분집합의 개수에서 짝수로만 이루어진 집합의 부분집합의 개수를 뺀다.**

$A=\{1, 2, 3, 4, 5\}$의 부분집합 중 홀수가 한 개 이상 속해 있는 집합은 A의 부분집합 중 짝수로만 이루어진 집합 $\{2, 4\}$의 부분집합을 제외하면 된다.

따라서 구하는 집합의 개수는

$2^5-2^2=32-4=28$ 답 ④

16 **Act① 집합 A의 부분집합의 개수에서 홀수로만 이루어진 집합의 부분집합의 개수를 뺀다.**

$A=\{1, 2, 3, 4, 6, 12\}$이므로 집합 A의 부분집합 중 짝수가 한 개 이상 속해 있는 집합의 개수는 집합 A의 부분집합 중 홀수로만 이루어진 집합 $\{1, 3\}$의 부분집합을 제외하면 된다.

따라서 구하는 부분집합의 개수는

$2^6-2^2=64-4=60$ 답 ④

기출유형 05

Act① $A\subset X\subset B$인 집합 X는 집합 B의 부분집합 중 집합 A의 모든 원소를 포함하는 집합임을 이용한다.

집합 B를 원소나열법으로 나타내면

$B=\{2, 3, 5, 7\}$

$A\subset X\subset B$에서

$\{2, 3\}\subset X\subset\{2, 3, 5, 7\}$

이때 집합 X는 $\{2, 3, 5, 7\}$의 부분집합 중 원소 2, 3을 포함하는 집합이다.

따라서 구하는 집합 X의 개수는

$2^{4-2}=4$ 답 4

17 **Act① $B\subset X\subset A$인 집합 X는 집합 A의 부분집합 중 집합 B의 모든 원소를 포함하는 집합임을 이용한다.**

$B\subset X\subset A$에서

$\{3, 5, 7\}\subset X\subset\{1, 3, 5, 7, 9\}$

이때 집합 X는 집합 $\{1, 3, 5, 7, 9\}$의 부분집합 중 원소 3, 5, 7을 포함하는 집합이다.

따라서 구하는 집합 X의 개수는

$2^{5-3}=2^2=4$ 답 ②

18 **Act① $\{1, 2\}\subset X$인 집합 X는 집합 U의 부분집합 중 원소 1, 2를 포함하는 집합임을 이용한다.**

$\{1,2\}\subset X\subset\{1, 2, 3, 4, 5\}$

이때 집합 X는 $\{1, 2, 3, 4, 5\}$의 부분집합 중 원소 1, 2를 포함하는 집합이다.

따라서 구하는 집합 X의 개수는

$2^{5-2}=2^3=8$ 답 ④

19 **Act① $B\subset X\subset A$인 집합 X는 집합 A의 부분집합 중 집합 B의 모든 원소를 포함하는 집합임을 이용한다.**

집합 X는 A의 부분집합 중 원소 1, 2를 반드시 포함하는 집합이다.

따라서 구하는 집합 X의 개수는

$2^{5-2}=2^3=8$ 답 8

20 **Act① $A\subset X\subset B$인 집합 X는 집합 B의 부분집합 중 집합 A의 모든 원소를 포함하는 집합임을 이용한다.**

두 집합 A, B를 원소나열법으로 나타내자.

집합 A의 원소는 $x^2-4x+3=0$의 해이므로

$(x-1)(x-3)=0$, $x=1$ 또는 $x=3$

$A=\{1, 3\}$

집합 B의 원소는 한 자리의 홀수이므로

$B=\{1, 3, 5, 7, 9\}$

$A\subset X\subset B$에서

$\{1, 3\}\subset X\subset\{1, 3, 5, 7, 9\}$

이때 집합 X는 $\{1, 3, 5, 7, 9\}$의 부분집합 중 원소 1, 3을 포함하는 집합이다.

따라서 구하는 집합 X의 개수는

$2^{5-2}=2^3=8$ 답 ③

VIT Very Important Test pp. 13~15

01. ③	02. ④	03. 26	04. ③	05. ②
06. ④	07. ③	08. ③	09. ②	10. ④
11. ③	12. 1	13. 3	14. 64	15. ③
16. 8	17. 24	18. ③		

01

$A=\{1, 3, 5, 15\}$이므로 옳은 것은 ㄱ, ㄷ이다. 답 ③

02

$B=\{-6, -4, -3, -2, -1, 0, 1, 2, 3, 4, 6, 9\}$

따라서 옳지 않은 것은 ④이다. 답 ④

03

$A=\{2, 3, 4\}$이고 $B=\{3, 8, 15\}$이므로 집합 B의 모든 원소의 합은

$3+8+15=26$ 답 26

04

집합 $C=\{z|z=x+y, x\in A, y\in B\}$이므로 집합 C의 원소 z를 구하면 다음 표와 같다.

y \ x	0	1	2	3	4
2	2	3	4	5	6
3	3	4	5	6	7

$\therefore C=\{2, 3, 4, 5, 6, 7\}$

따라서 집합 C의 모든 원소의 합은

$2+3+4+5+6+7=27$ 답 ③

05

ㄱ. $A=\{0\}$이면 $n(A)=1$ (거짓)

ㄴ. $B=\varnothing$이면 집합 B의 원소가 하나도 없으므로 $n(B)=0$ (참)

ㄷ. $n(\{3\})-n(\{1\})=1-1=0$ (거짓)

이상에서 옳은 것은 ㄴ뿐이다. 답 ②

06

집합 A의 원소는 4개이므로 $n(A)=4$

6의 양의 약수는 1, 2, 3, 6이므로 $n(B)=4$

2보다 작은 소수는 없으므로 $n(C)=0$

$\therefore n(A)+n(B)+n(C)=4+4+0=8$ 답 ④

07

집합 A가 자연수 전체집합의 부분집합이므로 a, $\frac{16}{a}$은 모두 자연수이고 a는 16의 약수이다.

$1\in A$이면 $\frac{16}{1}=16\in A$에서 1, 16은 동시에 집합 A의 원소가 된다.

$2\in A$이면 $\frac{16}{2}=8\in A$에서 2, 8은 동시에 집합 A의 원소가 된다.

또 $4\in A$이면 $\frac{16}{4}=4\in A$이다.

$\therefore A=\{4\}, A=\{1, 16\}, A=\{2, 8\}, A=\{1, 4, 16\}$,
$A=\{2, 4, 8\}, A=\{1, 2, 8, 16\}, A=\{1, 2, 4, 8, 16\}$

따라서 집합 A의 개수는 7이다. 답 ③

08

$A=\{-1, 0, 1\}, B=\{0\}, C=\{-1, 0, 1, 2\}$

이므로 세 집합 A, B, C 사이의 포함 관계는

$B\subset A\subset C$ 답 ③

09

$a=2$이면 $A=\{2, 4\}$이므로 $A\subset B$

$a=3$이면 $A=\{3, 5\}$이므로 $A\subset B$

따라서 모든 a의 값의 합은 $2+3=5$ 답 ②

10

$A=B$에서 $6\in A$, $4\in B$이어야 한다.

$2+a=6$에서 $a=4$

$4=b-1$에서 $b=5$

$\therefore a+b=9$ 답 ④

11

두 집합 $A=\{x|ax^2-x-6=0\}$, $B=\{-2, b\}$에 대하여 $A\subset B$, $B\subset A$이면 $A=B$이므로 두 집합의 모든 원소가 같다.

즉 $\{x|ax^2-x-6=0\}=\{-2, b\}$이므로

$ax^2-x-6=0$의 두 근은 -2와 b이다.

따라서 $x=-2$를 $ax^2-x-6=0$에 대입하면

$4a-(-2)-6=0$, $4a=4$

$\therefore a=1$

이때 $x^2-x-6=(x+2)(x-3)=0$이므로 $b=3$이다.

$\therefore a+b=4$ 답 ③

12

$A\subset B$이고 $B\subset A$이므로 $A=B$이다.

즉 $2\in A$이므로 $a^2+a=2$에서

$a^2+a-2=0$, $(a+2)(a-1)=0$

$a=-2$ 또는 $a=1$ ······㉠

또, $1\in B$이므로 $a^2=1$에서 $a=\pm1$ ······㉡

㉠, ㉡을 모두 만족하는 a의 값은 1이다. 답 1

13

세 집합 A, B, C를 수직선 위에 나타내면 각각 다음과 같다.

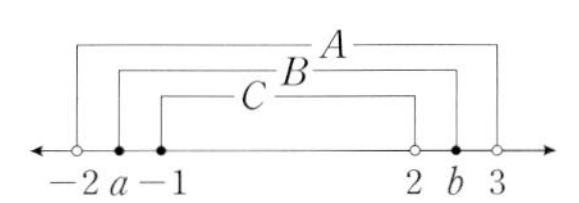

이때 a, b가 정수이므로 $a=-1$, $b=2$

따라서 $b-a=2-(-1)=3$ 답 3

14

집합 $A=\{1, 2, 3, 4, 5, 6, 7, 8, 9, 10\}$의 원소 중 소수는 2, 3, 5, 7이다.

따라서 집합 A의 부분집합 중 원소 2, 3, 5, 7을 모두 포함하는 것의 개수는 집합 $\{1, 4, 6, 8, 9, 10\}$의 부분집합의 개수와 같으므로 $2^6=64$이다. 답 64

15

집합 $\{2, 4, 6, 8, 10\}$의 모든 부분집합의 개수는 $2^5=32$이고, 4의 배수는 4와 8이므로 4의 배수를 원소로 갖지 않는 부분집합의 개수는 $2^{5-2}=2^3=8$이다.

따라서 4의 배수가 한 개 이상 속해 있는 집합의 개수는

$32-8=24$ 답 ③

16

$\{1, 2, 4\} \subset X \subset \{1, 2, 3, 4, 6, 12\}$이므로
조건을 만족시키는 집합 X의 개수는 $2^{6-3}=2^3=8$이다. 답 8

17

집합 A의 부분집합 중 원소 1을 포함하는 것의 개수는
집합 $\{2, 3, 4, 5\}$의 부분집합의 개수와 같으므로 $2^4=16$이고,
같은 방법으로 집합 A의 부분집합 중 원소 2를 포함하는 것의
개수는 $2^4=16$이다.
또, 집합 A의 부분집합 중 원소 1, 2를 모두 포함하는 것의 개수는 집합 $\{3, 4, 5\}$의 부분집합의 개수와 같으므로 $2^3=8$이다.
따라서 집합 A의 부분집합 중 원소 1 또는 2를 포함하는 것의
개수는
$16+16-8=24$ 답 24

18

모든 부분집합의 개수는 $2^4=16$이고, 원소 a, b를 모두 포함하지 않는 부분집합의 개수는 $2^2=4$이다.
따라서 구하는 부분집합의 개수는 모든 부분집합의 개수에서 원소 a, b를 모두 포함하지 않는 부분집합의 개수를 뺀 것과 같으므로
$16-4=12$ 답 ③

02 집합의 연산

pp. 16~17

01. ④	02. ③	03. ⑤	04. ③	05. ①
06. ④	07. ④	08. 34		

01 $A\cap B=\{1, 3\}$이므로 집합 $A\cap B$의 모든 원소의 합은 4이다. 답 ④

02 $A\cup B=\{1, 2, 3, 4, 5\}$이므로
$n(A\cup B)=5$ 답 ③

03 $A=\{3, 5, 7, 9\}$, $B=\{3, 7\}$에서
$A-B=\{5, 9\}$이므로 $a=5$ 답 ⑤

04 $A=\{1, 3, 5, 7\}$, $B=\{1, 5\}$에서
$A-B=\{3, 7\}$이므로 모든 원소의 합은 10이다. 답 ③

05 $A\cap B^C=\varnothing$이면 $A-B=\varnothing$이므로 $A\subset B$이다. 답 ①

06 $A-B=A\cap B^C$이므로
드모르간의 법칙에 의해
$(A-B)^C=(A\cap B^C)^C$
$=A^C\cup(B^C)^C$
$=A^C\cup B$ 답 ④

07 드모르간의 법칙에 의해
$(A^C\cap B)^C=A\cup B^C=\{1, 2, 3\}\cup\{1, 3, 5\}=\{1, 2, 3, 5\}$
따라서 집합 $(A^C\cap B)^C$의 모든 원소의 합은 11 답 ④

08 $n(A^C\cup B^C)=n((A\cap B)^C)$
$=n(U)-n(A\cap B)=40-6=34$ 답 34

유형따라잡기 pp. 18~23

기출유형 01 ④	01. ③	02. ③	03. ⑤	04. ⑤
기출유형 02 12	05. ④	06. ④	07. ①	08. ③
기출유형 03 7	09. ①	10. ⑤	11. 8	12. ③
기출유형 04 ③	13. ②	14. 12	15. ⑤	16. ⑤
기출유형 05 ④	17. 10	18. 32	19. ④	20. 22
기출유형 06 ②	21. ①	22. ⑤	23. ⑤	

기출유형 01

Act① 합집합을 구할 때 원소가 빠지거나 중복되지 않도록 한다.
$A\cup B=\{1, 2, 4\}$
모든 원소의 합은
$1+2+4=7$ 답 ④

01 **Act① 합집합을 구할 때 원소가 빠지거나 중복되지 않도록 한다.**
$A\cup B=\{1, 2, 3, 4, 5\}\cup\{2, 4, 6, 8, 10\}$
$=\{1, 2, 3, 4, 5, 6, 8, 10\}$
이므로
$n(A\cup B)=8$ 답 ③

02 **Act① 교집합은 공통인 원소만을 구한다.**
$A\cap B=\{3, 4, 5\}$이므로
$n(A\cap B)=3$ 답 ③

03 **Act① 주어진 집합 A와 공통인 원소가 하나도 없는 집합을 찾는다.**
집합 $A=\{3, 4\}$와 서로소인 집합은 원소 3, 4를 포함하지 않아야 한다.
① $\{4\}\cap\{3, 4\}=\{4\}\neq\varnothing$
② $\{1, 3, 5\}\cap\{3, 4\}=\{3\}\neq\varnothing$
③ $\{x|x$는 10 이하의 홀수$\}=\{1, 3, 5, 7, 9\}$이므로
$\{1, 3, 5, 7, 9\}\cap\{3, 4\}=\{3\}\neq\varnothing$
④ $\{x|x$는 10 이하의 3의 배수$\}=\{3, 6, 9\}$이므로
$\{3, 6, 9\}\cap\{3, 4\}=\{3\}\neq\varnothing$
⑤ $\{x|x$는 7의 양의 약수$\}=\{1, 7\}$이므로
$\{1, 7\}\cap\{3, 4\}=\varnothing$
따라서 $\{1, 7\}$과 A는 서로소이다. 답 ⑤

04 **Act①** S의 부분집합 중 원소 1, 2를 포함하지 않는 집합의 개수를 구한다.

집합 S의 부분집합 중에서 $\{1,2\}$와 서로소인 집합은 집합 $\{1, 2, 3, 4, 5\}$에서 원소 1과 2를 제외한 집합 $\{3, 4, 5\}$의 부분집합이므로

$2^3=8$(개) 답 ⑤

[다른 풀이]

집합 S의 부분집합이 집합 $\{1, 2\}$와 서로소가 되어야 하므로 집합 $\{1, 2\}$와 교집합이 공집합인 집합 S의 부분집합을 찾으면 된다.

그러므로 $\{1, 2, 3, 4, 5\}$에서 원소 1과 2를 제외한 집합 $\{3, 4, 5\}$의 부분집합을 구하면 다음과 같다.

$\varnothing$, $\{3\}$, $\{4\}$, $\{5\}$, $\{3, 4\}$, $\{3, 5\}$, $\{4, 5\}$, $\{3, 4, 5\}$

따라서 집합 S의 부분집합 중에서 $\{1, 2\}$와 서로소인 집합의 개수는 8이다.

기출유형 02

Act① 집합 A의 원소를 A에만 속하는 원소와 그렇지 않은 원소로 구분해서 풀면 쉽다.

두 집합

$A-B=\{2, 6\}$은 A에만 속하는 원소들로 이루어진 집합이므로 벤다이어그램에 2, 6을 적어 넣으면 집합 A의 나머지 원소는 $A\cap B$의 원소가 된다.

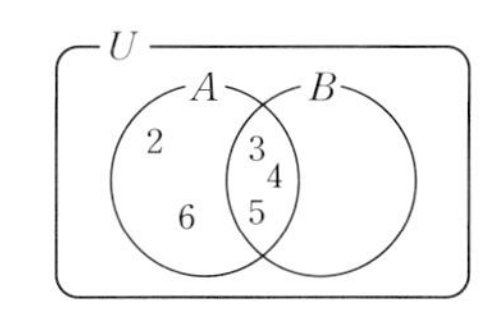

벤다이어그램에서 $A\cap B=\{3, 4, 5\}$

따라서 $A\cap B$의 모든 원소의 합은 $3+4+5=12$ 답 12

[다른 풀이]

$A-(A-B)=A\cap(A\cap B^C)^C$

$=A\cap(A^C\cup B)$

$=(A\cap A^C)\cup(A\cap B)$

$=\varnothing\cup(A\cap B)$

$=A\cap B$

$\therefore A\cap B=\{2, 3, 4, 5, 6\}-\{2, 6\}$

$=\{3, 4, 5\}$

따라서 $A\cap B$의 모든 원소의 합은 $3+4+5=12$

05 **Act①** A^C은 전체집합 U에서 집합 A의 원소를 제외한다.

$U=\{1, 2, 3, \cdots, 8\}$, $A=\{2, 4, 6, 8\}$에서

$A^C=\{1, 3, 5, 7\}$

따라서 A^C의 모든 원소의 합은

$1+3+5+7=16$ 답 ④

06 **Act①** A^C을 구한 다음 B와의 합집합을 구한다.

$U=\{1, 2, 3, 4, 5\}$, $A=\{1, 2\}$에서

$A^C=\{3, 4, 5\}$이므로

$A^C\cup B=\{3, 4, 5\}\cup\{2, 3, 4\}=\{2, 3, 4, 5\}$

따라서 집합 $A^C\cup B$의 원소의 개수는 4이다. 답 ④

07 **Act①** 집합 A에서 집합 B의 원소를 제외한다.

$A=\{1, 2, 3, 4, 5\}$, $B=\{4, 5, 6\}$에서

$A-B=\{1, 2, 3\}$

따라서 집합 $A-B$의 모든 원소의 합은

$1+2+3=6$ 답 ①

08 **Act①** 집합 $A\cup B$에서 집합 $A\cap B$의 원소를 제외한다.

$A=\{1, 2, 3, 6\}$, $B=\{2, 4, 6, 8\}$에서

$A\cup B=\{1, 2, 3, 4, 6, 8\}$,

$A\cap B=\{2, 6\}$

이므로

$(A\cup B)-(A\cap B)=\{1, 2, 3, 4, 6, 8\}-\{2, 6\}$

$=\{1, 3, 4, 8\}$

따라서 모든 원소의 합은

$1+3+4+8=16$ 답 ③

기출유형 03

Act① $A\cap B^C=A-B=\{6, 7\}$이므로 A의 원소 3은 B에도 속한다.

$A\cap B^C=A-B=\{6, 7\}$이므로 $3\in B$

따라서 $a-4=3$이므로 $a=7$ 답 7

09 **Act①** 벤다이어그램을 그려서 옳은 것을 찾는다.

$A\cap B=\varnothing$이므로 벤다이어그램으로 나타내면 그림과 같다.

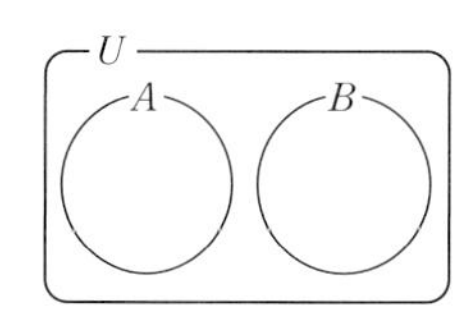

$\therefore A\subset B^C$ 답 ①

10 **Act①** 연산의 성질과 벤다이어그램을 이용하여 집합 B에 속하는 원소를 찾는다.

$A=\{1, 2, 4, 8\}$

$(A\cap B^C)\cup(A^C\cap B)=(A-B)\cup(B-A)$

$=\{1, 3, 4, 7, 10\}$

이를 벤다이어그램으로 나타내면 다음 그림과 같다.

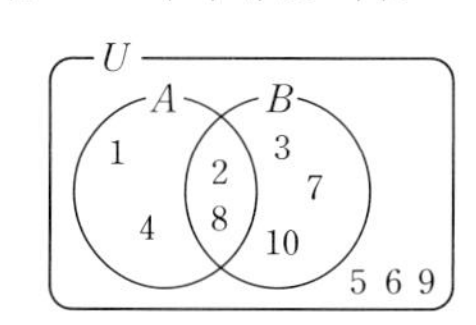

따라서 집합 $B=\{2, 3, 7, 8, 10\}$이므로

집합 B의 모든 원소의 합은

$2+3+7+8+10=30$ 답 ⑤

11 **Act①** 집합 C는 집합 $A-B$의 원소를 가지지 않고, 집합 A의 부분집합임을 이용한다.

$A=\{1, 2, 3, 4, 5\}$, $B=\{1, 3, 5, 9\}$이므로
$A-B=\{2, 4\}$
$(A-B)\cap C=\varnothing$이므로 $2\notin C$, $4\notin C$이고,
$A\cap C=C$이므로 $C\subset A$
즉 집합 C는 $2\notin C$, $4\notin C$인 A의 부분집합이다.
따라서 집합 C의 개수는 $2^{5-2}=2^3=8$ 답 8

12 **Act ①** **집합 C는 집합 B의 원소를 가지지 않고, 집합 A의 원소 중 적어도 하나를 원소로 갖는 U의 부분집합임을 이용한다.**
$B=\{1, 2, 3, 6\}$
집합 C는 $B\cap C=\varnothing$이므로 1, 2, 3, 6을 원소로 가지지 않고, $A\cap C\neq\varnothing$이므로 5, 10 중 적어도 하나를 원소로 갖는다.
1, 2, 3, 6을 원소로 가지지 않는 U의 부분집합의 개수는 $2^6=64$이고, 그 중 5, 10을 모두 원소로 가지지 않는 집합의 개수는 $2^4=16$이다.
따라서 주어진 조건을 만족시키는 집합 C의 개수는
$64-16=48$ 답 ③

기출유형 04

Act ① **집합의 분배법칙을 이용하여 집합의 포함 관계를 간단히 나타낸다.**
$A\cap(A^C\cup B)=(A\cap A^C)\cup(A\cap B)$
$=\varnothing\cup(A\cap B)$
$=A\cap B$
$A\cap B=\{3, 4\}$이므로
집합 $A\cap(A^C\cup B)$의 모든 원소의 합은
$3+4=7$ 답 ③

[다른 풀이]
$A=\{1, 2, 3, 4\}$
$A^C=\{5, 6\}$
$B=\{3, 4, 5\}$
$A^C\cup B=\{3, 4, 5, 6\}$
$A\cap(A^C\cup B)=\{3, 4\}$이므로
집합 $A\cap(A^C\cup B)$의 모든 원소의 합은
$3+4=7$

13 **Act ①** **집합의 연산법칙을 이용하여 선택지에 주어진 집합을 벤다이어그램으로 나타낸다.**
각 집합을 벤다이어그램으로 나타내면 다음과 같다.
① $A\cap B^C=A-B$

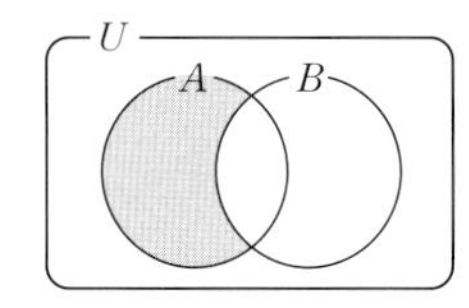

② $(A\cap B)\cup B^C=(A\cup B^C)\cap(B\cup B^C)$
$=(A\cup B^C)\cap U$
$=A\cup B^C$

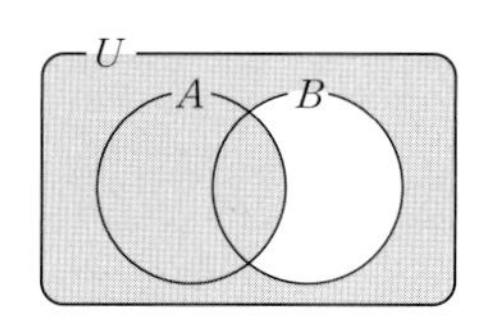

③ $(A\cap B^C)\cup A^C=(A\cup A^C)\cap(B^C\cup A^C)$
$=U\cap(A\cap B)^C$
$=(A\cap B)^C$

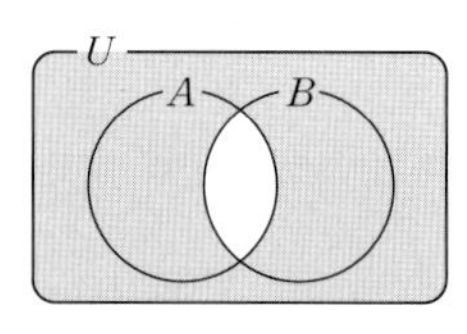

④ $(A\cup B)\cap(A\cap B)^C=(A\cup B)-(A\cap B)$

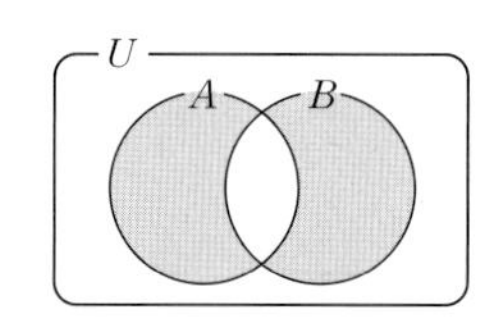

⑤ $(A-B)\cup(A^C\cap B^C)=(A\cap B^C)\cup(A^C\cap B^C)$
$=(A\cup A^C)\cap B^C$
$=U\cap B^C$
$=B^C$

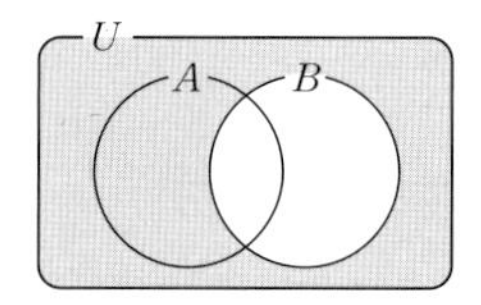

답 ②

14 **Act ①** **드모르간의 법칙과 벤다이어그램을 이용하여 $A-B$의 원소를 구한다.**
$A^C\cap B^C=(A\cup B)^C$이므로
두 집합 $A^C\cap B^C$과 B^C의 원소를 벤다이어그램을 이용하여 나타내면 오른쪽 그림과 같다.

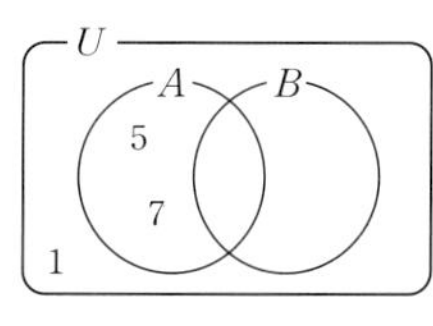

$A-B=\{5, 7\}$이므로 $A-B$의 원소의 합은 12 답 12

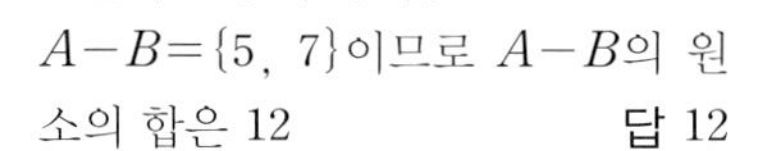

15 **Act ①** **차집합의 성질과 드모르간의 법칙을 이용하여 집합의 포함 관계를 간단히 나타낸다.**
$U=\{1, 2, 3, \cdots, 9\}$,
$A\cap B=\{1, 2\}$,
$A^C\cap B=B-A=\{3, 4, 5\}$,
$A^C\cap B^C=(A\cup B)^C=\{8, 9\}$

Act ② **벤다이어그램을 이용하여 집합 A의 원소를 구한다.**
주어진 집합들을 벤다이어그램으로 나타내면 다음과 같다.

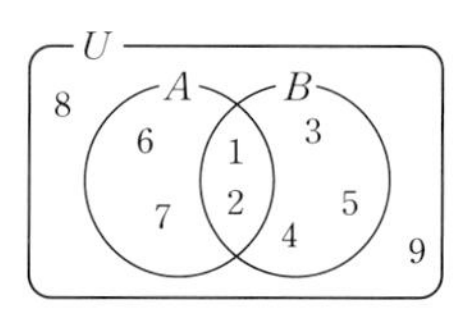

따라서 집합 A의 모든 원소의 합은 16 답 ⑤

16 **Act①** 집합의 연산법칙을 이용하여 [보기]의 참, 거짓을 판단한다.

ㄱ. $A-B^C=A\cap(B^C)^C=A\cap B$ (참)

ㄴ. $(A-B)-C=(A\cap B^C)-C$
$=A\cap B^C\cap C^C$
$=A\cap(B\cup C)^C$
$=A-(B\cup C)$ (참)

ㄷ. $A\cap(B-A)^C=A\cap(B\cap A^C)^C$
$=A\cap(B^C\cup A)$
$=A$

$(B-A)\cap A=(B\cap A^C)\cap A=\varnothing$이므로
$\{A\cap(B-A)^C\}\cup\{(B-A)\cap A\}=A\cup\varnothing$
$=A$ (참)

따라서 옳은 것은 ㄱ, ㄴ, ㄷ이다. 답 ⑤

기출유형 05

Act① 벤다이어그램을 그려 각 부분에 원소가 중복되지 않도록 써넣는다.

$U=\{1, 2, 3, 4, 5\}$, $A=\{1, 2, 4\}$, $B=\{4, 5\}$의 원소를 조건에 맞도록 벤다이어그램에 써넣으면 다음과 같다.

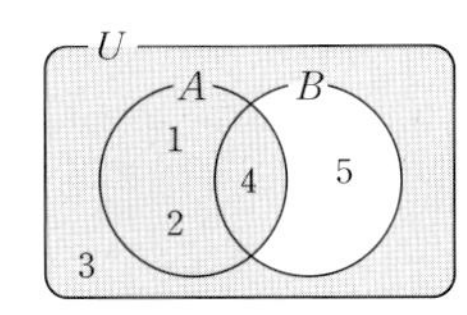

$A\cup B^C=\{1, 2, 3, 4\}$이므로 구하는 원소의 개수는 4이다. 답 ④

17 **Act①** 색칠한 부분이 나타내는 집합 $(A\cup B)^C$의 원소의 개수는 $n(U)-n(A\cup B)$임을 이용한다.

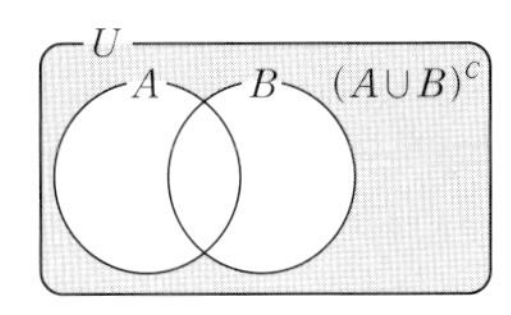

색칠한 부분이 나타내는 집합은 $(A\cup B)^C$이고
$n((A\cup B)^C)=n(U)-n(A\cup B)$
$=n(U)-\{n(A)+n(B-A)\}$
$n(U)=80$, $n(A)=45$, $n(B-A)=25$에서
구하는 집합의 원소의 개수는
$80-(45+25)=10$ 답 10

18 **Act①** 벤다이어그램을 그려 각 부분에 원소가 중복되지 않도록 써넣는다.

$U=\{1, 2, 3, \cdots, 10\}$이고 주어진 집합의 원소를 조건에 맞도록 벤다이어그램에 써넣으면 다음과 같다.

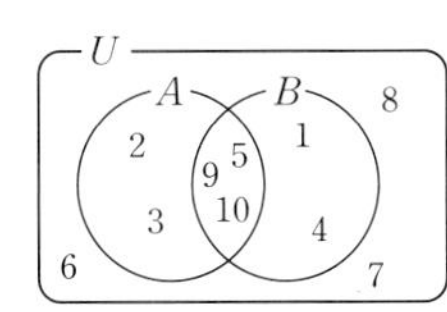

따라서 $n(A)=5$이므로 집합 A의 부분집합의 개수는 $2^5=32$ 답 32

19 **Act①** $n((A-B)\cup(B-A))=n(A\cup B)-n(A\cap B)$임을 이용한다.

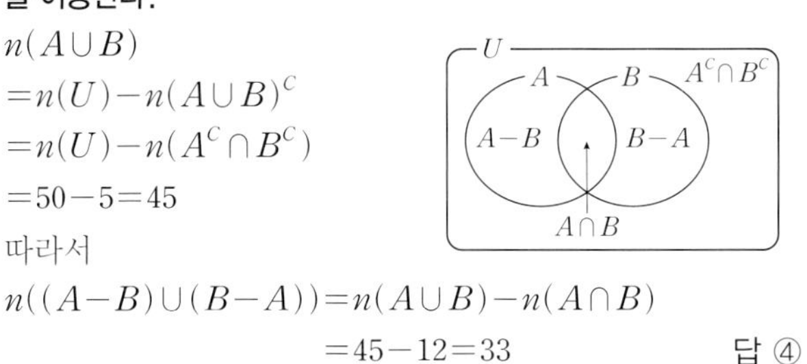

$n(A\cup B)$
$=n(U)-n(A\cup B)^C$
$=n(U)-n(A^C\cap B^C)$
$=50-5=45$
따라서
$n((A-B)\cup(B-A))=n(A\cup B)-n(A\cap B)$
$=45-12=33$ 답 ④

20 **Act①** $n(A-B)=n(A)-n(A\cap B)$임을 이용하여 $n(A)$, $n(B)$를 구해서 $n(A\cup B)=n(A)+n(B)-n(A\cap B)$에 대입한다.

$n(A-B)=n(A)-n(A\cap B)$이므로 $10=n(A)-5$에서
$n(A)=15$,
$n(B)=n(A)-3=12$
$\therefore n(A\cup B)=n(A)+n(B)-n(A\cap B)$
$=15+12-5$
$=22$ 답 22

기출유형 06

Act① 주어진 조건을 집합과 그 원소의 개수로 나타낸다.

전체 신입사원의 집합을 U,
소방안전 교육을 받은 사원의 집합을 A,
심폐소생술 교육을 받은 사원의 집합을 B라 하면
$n(U)=200$, $n(A)=120$, $n(B)=115$
두 교육을 모두 받지 않은 사원의 수는
$n(U)-n(A\cup B)=17$이므로
심폐소생술 교육 또는 소방안전 교육을 받은 사원의 수는
$n(A\cup B)=200-17=183$

Act② $n(A\cup B)=n(A)+n(B)-n(A\cap B)$를 이용하여 구하는 집합의 원소의 개수를 구한다.

$n(A\cup B)=n(A)+n(B)-n(A\cap B)$에서
$183=120+115-n(A\cap B)$
$\therefore n(A\cap B)=52$
따라서 심폐소생술 교육만을 받은 사원의 수는
$n(B)-n(A\cap B)=115-52=63$ 답 ②

21 **Act①** 주어진 조건을 집합과 그 원소의 개수로 나타낸다.

국내 체험활동에 참여한 학생의 집합을 A,
해외 체험활동에 참여한 학생의 집합을 B라 하면
$n(A\cup B)=34$이고 $n(A)=31$, $n(B)=8$

Act② $n(A\cup B)=n(A)+n(B)-n(A\cap B)$를 이용하여 구하는 집합의 원소의 개수를 구한다.

$n(A\cup B)=n(A)+n(B)-n(A\cap B)$이므로
$34=31+8-n(A\cap B)$
$\therefore n(A\cap B)=5$

따라서 국내 체험활동과 해외 체험활동에 모두 참여한 학생 수는 5명이다. 답 ①

22 **Act ①** **주어진 조건을 집합과 그 원소의 개수로 나타낸다.**

등 번호가 2의 배수인 선수의 집합을 A,
등 번호가 3의 배수인 선수의 집합을 B 라 하면
등 번호가 2의 배수 또는 3의 배수인 선수가 25명이므로
$n(A\cup B)=25$
등 번호가 2의 배수인 선수의 수와 등 번호가 3의 배수인 선수의 수가 같으므로
$n(A)=n(B)$
등 번호가 6의 배수인 선수가 3명이고 6의 배수는 2의 배수이면서 동시에 3의 배수인 수이므로
$n(A\cap B)=3$

Act ② **$n(A\cup B)=n(A)+n(B)-n(A\cap B)$에서 구하는 집합의 원소의 개수를 구한다.**

$$\begin{aligned}n(A\cup B)&=n(A)+n(B)-n(A\cap B)\\&=n(A)+n(A)-n(A\cap B)\\&=2\times n(A)-n(A\cap B)\end{aligned}$$
$25=2\times n(A)-3$
$n(A)=14$
따라서 등 번호가 2의 배수인 선수의 수는 14이다. 답 ⑤

23 **Act ①** **주어진 조건을 집합과 그 원소의 개수로 나타내고, 합집합의 원소 개수 범위에서 교집합의 원소 개수의 범위를 구한다.**

수학을 신청한 모든 학생의 집합을 A, 영어를 신청한 모든 학생의 집합을 B라 하면
$$\begin{aligned}n(A\cup B)&=n(A)+n(B)-n(A\cap B)\\&=24+15-n(A\cap B)\le 30\end{aligned}$$
$\therefore\ n(A\cap B)\ge 9$
한편 $(A\cap B)\subset B$이므로 $n(A\cap B)\le n(B)=15$
$\therefore\ 9\le n(A\cap B)\le 15$
따라서 최댓값과 최솟값의 합은
$15+9=24$ 답 ⑤

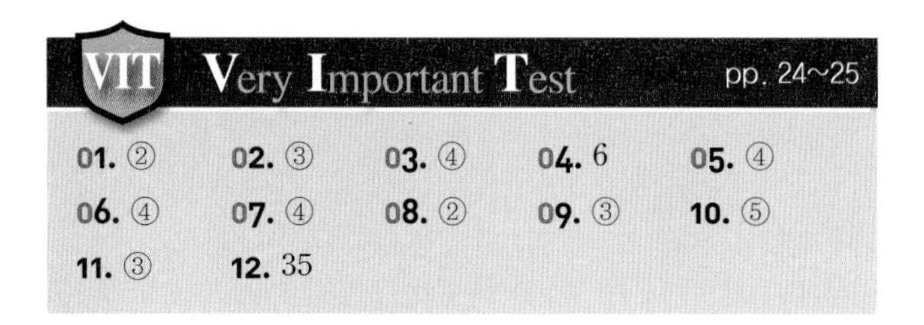
VIT Very Important Test pp. 24~25

01. ②	02. ③	03. ④	04. 6	05. ④
06. ④	07. ④	08. ②	09. ③	10. ⑤
11. ③	12. 35			

01

$A\cup(B\cap C)$
$=(A\cup B)\cap(A\cup C)$
$=\{-2,\ -1,\ 0,\ 1\}\cap\{-2,\ 1,\ 4,\ 5\}$
$=\{-2,\ 1\}$
따라서 구하는 모든 원소의 합은
$(-2)+1=-1$ 답 ②

02

$$\begin{aligned}B-A&=(A\cup B)-A\\&=(A\cup B)\cap A^C\\&=\{3,\ 9\}\end{aligned}$$
따라서 집합 $B-A$의 모든 원소의 합은
$3+9=12$ 답 ③

03

$A\cap B=\{3\}$이므로 집합 A에서
$a+1=3,\ a=2$
즉 집합 $A=\{1,\ 2,\ 3\}$이다.
집합 B에서 $a-2=2-2=0$이므로
$B=\{0,\ 3\}$
따라서 $A\cup B=\{0,\ 1,\ 2,\ 3\}$이다.
모든 원소의 합은 $0+1+2+3=6$ 답 ④

04

집합 X는 원소 a, b 중 적어도 하나를 포함하는 집합이므로 구하는 집합 X의 개수는 집합 A의 부분집합의 개수에서 원소 a, b를 포함하지 않는 집합 A의 부분집합의 개수를 뺀 것과 같다.
$\therefore\ 2^3-2^1=8-2=6$
답 6

05

$$\begin{aligned}A&=(A\cap B)\cup(A\cap B^C)\\&=\{1,\ 3\}\cup\{5\}=\{1,\ 3,\ 5\}\end{aligned}$$
이므로
$$\begin{aligned}A^C&=U-A\\&=\{1,\ 2,\ 3,\ 4,\ 5,\ 6,\ 7,\ 8\}-\{1,\ 3,\ 5\}\\&=\{2,\ 4,\ 6,\ 7,\ 8\}\end{aligned}$$
따라서 A^C의 원소의 개수는 5이다. 답 ④

06

전체집합 U의 두 부분집합 A, B에 대하여 주어진 조건을 만족하는 경우는 다음과 같다.
(i) $A=\{2,\ 3,\ 4,\ 5,\ 6\}$, $B=\{2,\ 3,\ 5\}$인 경우
$f(A)\times f(B)=20\times 10=200$
(ii) $A=\{2,\ 3,\ 5,\ 6\}$, $B=\{2,\ 3,\ 4,\ 5\}$인 경우
$f(A)\times f(B)=16\times 14=224$
(iii) $A=\{2,\ 3,\ 4,\ 5\}$, $B=\{2,\ 3,\ 5,\ 6\}$인 경우
$f(A)\times f(B)=14\times 16=224$
(iv) $A=\{2,\ 3,\ 5\}$, $B=\{2,\ 3,\ 4,\ 5,\ 6\}$인 경우
$f(A)\times f(B)=10\times 20=200$
따라서 $f(A)\times f(B)$의 최댓값은 224이다. 답 ④

07

$A-B=\{3\}$에서 $A\cap B=\{1,\ 5,\ 2a-b\}$
따라서 $5\in B$이므로
$-a+2b=5$ ……㉠
또, $2a-b\in A\cap B$에서 $2a-b\in B$이고,

$n(A)=4$이므로

$2a-b=8$ ⋯⋯ ㉡

㉠, ㉡을 연립하여 풀면 $a=7$, $b=6$

$\therefore a+b=13$ 답 ④

08

조건 (가)에서 $A\cap B\neq\varnothing$이므로 집합 B는 공집합이 아닌 A의 부분집합을 포함한다.

조건 (나)에서 $A^C=\{2,\ 4,\ 5\}\subset B$이므로 구하는 집합 B의 개수는 $2^2-1=3$이다. 답 ②

09

ㄱ. $A\cap(A\cap B)^C=A\cap(A^C\cup B^C)$

$=(A\cap A^C)\cup(A\cap B^C)$

$=\varnothing\cup(A-B)$

$=A-B$ (참)

ㄴ. $(A-C)\cup(B-C)=(A\cap C^C)\cup(B\cap C^C)$

$=(A\cup B)\cap C^C$

$=(A\cup B)-C$ (참)

ㄷ. $(A-B)-C=(A\cap B^C)\cap C^C$

$=A\cap(B^C\cap C^C)$

$=A\cap(B\cup C)^C$

$A-(B-C)=A\cap(B\cap C^C)^C$

$=A\cap(B^C\cup C)$

이므로 $(A-B)-C\neq A-(B-C)$ (거짓)

따라서 [보기] 중 옳은 것은 ㄱ, ㄴ이다. 답 ③

10

$A^C\cap B^C=(A\cup B)^C$이므로

$n(A\cup B)=n(U)-n((A\cup B)^C)$

$=n(U)\quad n(A^C\cap B^C)$

$=60-5=55$

$n(A\cup B)=n(A)+n(B)-n(A\cap B)$

에서 $55=37+n(B)-22$

$\therefore n(B)=40$ 답 ⑤

11

$A^C\cap B^C=(A\cup B)^C$이므로

$n(A\cup B)=n(U)-n((A\cup B)^C)$

$=n(U)-n(A^C\cap B^C)$

$=30-5=25$

$n(A\cap B)=n(A)+n(B)-n(A\cup B)$

$=15+17-25=7$

$\therefore n(A\cap B^C)=n(A-B)$

$=n(A)-n(A\cap B)$

$=15-7=8$ 답 ③

12

전체 컴퓨터 동호회 회원의 집합을 U, 데스크톱을 가진 회원의 집합을 A, 노트북을 가진 회원의 집합을 B라 하면

$n(U)=40$, $n(A)=16$, $n(B)=25$, $n(A\cap B)=6$

이므로

$n(A\cup B)=n(A)+n(B)-n(A\cap B)$

$=16+25-6=35$

따라서 데스크톱 또는 노트북을 가진 회원 수는 35이다. 답 35

03 명제

pp. 26~29

01. 25	**02.** 7	**03.** ②	**04.** ⑤	**05.** ④
06. ⑤	**07.** ②	**08.** ①	**09.** ①	**10.** ①
11. ③	**12.** ③	**13.** ①	**14.** 10	

01 명제 '$x=5$이면 $x^2=a$이다.'가 참이 되기 위해서는 $5^2=25$이므로 a의 값은 25 답 25

02 명제가 참이기 위해서는 $x=a$가 $x^2-5x-14=0$의 근이어야 하므로

$a^2-5a-14=0$

$(a+2)(a-7)=0$

$a=-2$ 또는 $a=7$

a는 양수이므로 $a=7$ 답 7

03 조건 p의 진리집합 $P=\{1,\ 2,\ 3,\ 4,\ 6,\ 8\}$

조건 $\sim p$의 진리집합 $P^C=\{5,\ 7\}$

따라서 모든 원소의 합은 12 답 ②

04 $\sim p : x(x-11)<0$

이므로 조건 $\sim p$의 진리집합은

$\{x|0<x<11,\ x$는 정수$\}$

이다.

따라서 진리집합의 원소의 개수는 10이다. 답 ⑤

05 모든 양의 실수 x에 대하여 $x-a+4>0$이려면 $-a+4\geq0$을 만족해야 한다.

따라서 자연수 a의 개수는 4 답 ④

06 명제 $p\longrightarrow q$의 역이 참이므로 명제 $q\longrightarrow p$가 참이다.

그러므로 $Q\subset P$가 성립해야 한다.

$4\in Q$이므로 $4\in P$이어야 한다.

$a^2=4$, 즉 $a=2$ 또는 $a=-2$

(i) $a=-2$일 때

$P=\{2,\ 3,\ 4\}$, $Q=\{-1,\ 4\}$이므로

$Q\not\subset P$

(ii) $a=2$일 때

$P=\{2,\ 3,\ 4\}$, $Q=\{3,\ 4\}$이므로

$Q\subset P$

따라서 (i), (ii)에 의하여 $a=2$ 답 ⑤

07 $a\geq\sqrt{3}\longrightarrow a^2\geq3$의 대우는

$a^2<3\longrightarrow a<3$ 답 ②

08 조건 p, q의 진리집합을 각각 P, Q라 하면

$P=\left\{x\middle|x-\frac{a}{2}=1\right\}=\left\{x\middle|x=\frac{a}{2}+1\right\}$,

$Q=\{x|2\leq2x-1\leq12\}=\left\{x\middle|\frac{3}{2}\leq x\leq\frac{13}{2}\right\}$이다.

p가 q이기 위한 충분조건이 되는 것은 $P\subset Q$와 같으므로

$\frac{3}{2}\leq\frac{a}{2}+1\leq\frac{13}{2}$에서 $1\leq a\leq11$이다.

따라서 자연수 a의 개수는 11 답 ①

09 $q\Longrightarrow p$이므로 $x=3\Longrightarrow x^2+2x-a=0$

$\therefore a=15$ 답 ①

10 세 조건 p, q, r의 진리집합을 각각 P, Q, R라 하자.

명제 $p\longrightarrow\sim q$가 참이므로 대우 $q\longrightarrow\sim p$도 참이다.

그러므로 $Q\subset P^C$이고 명제 $r\longrightarrow q$가 참이므로 $R\subset Q$

따라서 $R\subset Q\subset P^C$이 성립하므로 $R\subset P^C$이다.

$\therefore$ 명제 $r\longrightarrow\sim p$가 항상 참이다. 답 ①

11 $r\Longrightarrow\sim q$이므로 $q\Longrightarrow\sim r$ 또한 $p\Longrightarrow q$이므로 $p\Longrightarrow\sim r$

따라서 $r\Longrightarrow\sim p$ 답 ③

12 ㄱ. $a<b<0$이면 $a^2>b^2$이다. (참)

ㄴ. $a\geq0$ 또는 $b\geq0$이면 $\sqrt{a}\sqrt{b}=\sqrt{ab}$이다. (참)

ㄷ. $|a|+|b|\geq|a+b|$이면 $a\geq0$이고 $b\geq0$이다. (거짓)

[반례] $|3|+|-4|\geq|3-4|$이 성립하지만

$3\geq0$이고 $-4\leq0$ 답 ③

13 $x>0$, $\frac{9}{x}>0$이므로 $x+\frac{9}{x}\geq2\sqrt{x\times\frac{9}{x}}=6$

(단, 등호는 $x=3$일 때 성립한다.)

따라서 $x+\frac{9}{x}$의 최솟값은 6 답 ①

14 $a>0$이므로

$5a+\frac{5}{a}\geq2\sqrt{5a\times\frac{5}{a}}=10$

(단, 등호는 $a=1$일 때 성립한다.)

따라서 최솟값은 10 답 10

유형따라잡기 pp. 30~36

기출유형 01 ③	01. ②	02. ①	03. ⑤	04. ④
기출유형 02 ⑤	05. ②	06. 12	07. 81	08. ②
기출유형 03 ④	09. ③	10. ④	11. ④	12. ④
기출유형 04 ③	13. ⑤	14. ⑤	15. ⑤	16. ③
기출유형 05 ⑤	17. ④	18. ④	19. ③	20. ③
기출유형 06 ⑤	21. ①	22. ③		
기출유형 07 15	23. ①	24. ④	25. ①	26. 9

기출유형 01

Act ① 참, 거짓을 판별할 수 있는 것을 고른다.

ㄱ. $x=2$를 $x+2=2x-1$에 대입하면

$2+2\neq2\times2-1$

즉 거짓인 명제이다.

ㄴ. $3x-1=2x+3$, $x=4$

즉 참, 거짓을 판단할 수 없으므로 명제가 아니다.

ㄷ. 두 자연수 a, b가 홀수이면 $a+b$는 짝수이다.

즉 참인 명제이다.

따라서 명제인 것은 ㄱ, ㄷ이다. 답 ③

01 **Act ①** 항상 참이 되는 것을 찾는다.

ㄱ. $51=3\times17$이므로 소수가 아니다.

ㄴ. $x+1=0$이면 $x=-1$이므로

$x^2-2x-3=1+2-3=0$

ㄷ. $x>\frac{1}{2}$이라고 하여 반드시 $x>1$인 것은 아니다.

[반례] $x=\frac{3}{4}$일 때 $2x-1>0$이지만 $x-1<0$이므로 참이 아니다. 답 ②

02 **Act ①** 주어진 명제가 참이려면 $x=a$는 $x^2+6x-7=0$의 해가 되어야 한다.

명제가 참이 되기 위해서는 $x=a$일 때 $x^2+6x-7=0$이 성립해야 하므로 $x=a$는 $x^2+6x-7=0$의 해가 된다.

$a^2+6a-7=0$에서 $(a-1)(a+7)=0$

$a=1$ 또는 $a=-7$

$a>0$이므로 $a=1$ 답 ①

03 **Act ①** 주어진 조건을 진리집합으로 나타낸 후 생각한다.

두 조건 p, q의 진리집합을 각각 P, Q라 하면

조건 '$\sim p$이고 q'의 진리집합은 $P^C\cap Q$이다.

$|x|>3$에서 $x>3$ 또는 $x<-3$이므로

$P=\{x|x>3$ 또는 $x<-3\}$

$\therefore P^C=\{x|-3\leq x\leq3\}$

$x^2-4x-5\leq0$에서

$(x+1)(x-5)\leq0$, $-1\leq x\leq5$

이므로

$Q=\{x|-1\leq x\leq5\}$

따라서 $P^C\cap Q=\{x|-1\leq x\leq3\}$이므로

집합 $P^C\cap Q$에 속하는 정수는 -1, 0, 1, 2, 3의 5개이다.

답 ⑤

04 **Act ①** 주어진 조건을 진리집합으로 나타낸 후 생각한다.

전체집합 U에서

$P=\{1, 2, 4\}$, $Q=\{1, 2, 3, 4, 5, 6, 7, 8\}$

$P\subset X\subset Q$이므로 집합 X는 집합 Q의 부분집합 중 1, 2, 4를 원소로 가지는 집합이다. 따라서 집합 X의 개수는

$2^{8-3}=32$(개)이다. 답 ④

기출유형 02

Act ① '모든 x에 대하여 p이다.'는 $P=U$일 때 참이고, '어떤 x에 대하여 p이다.'는 $P\neq\varnothing$일 때 참임을 이용한다.

ㄱ. '모든 x에 대하여 $p(x)$'가 참이므로 전체집합 U의 모든 x에 대하여 $p(x)$가 참이다. 즉 $P=U$이다. (참)

ㄴ. '어떤 x에 대하여 $p(x)$'가 참이므로 P에는 적어도 하나의 원소가 존재한다. 따라서 $P\neq\varnothing$이다. (참)

ㄷ. '어떤 x에 대하여 $p(x)$'가 거짓이므로 이 명제의 부정은 참이다. 즉 '모든 x에 대하여 $\sim p(x)$'가 참이므로 $P^C=U$이다.

따라서 $P=\varnothing$이다. (참)

그러므로 참인 명제인 것은 ㄱ, ㄴ, ㄷ이다. 답 ⑤

05 **Act ①** 주어진 명제가 참이 되려면 모든 자연수 x에 대해 성립해야 하므로 $k-5<1$임을 이용한다.

'모든 자연수 x에 대하여 $x>k-5$이다.'가 참인 명제가 되려면 $k-5<1$, $k<6$이어야 하므로 자연수 k는 1, 2, 3, 4, 5이다.

따라서 모든 k의 값의 합은 15 답 ②

06 **Act ①** 주어진 명제가 참이 되려면 집합 P는 적어도 하나의 3의 배수를 원소로 가져야 함을 이용한다.

명제 '집합 P의 어떤 원소 x에 대하여 x는 3의 배수이다.'가 참이 되도록 하려면 집합 P는 적어도 하나의 3의 배수를 원소로 가져야 한다.

(i) $\{3\}\subset P\subset\{1, 2, 3, 6\}$인 경우

집합 P의 개수는 8

(ii) $\{6\}\subset P\subset\{1, 2, 3, 6\}$인 경우

집합 P의 개수는 8

(iii) $\{3, 6\}\subset P\subset\{1, 2, 3, 6\}$인 경우

집합 P의 개수는 4

따라서 (iii)은 (i)과 (ii)에 동시에 포함되므로 구하는 집합 P의 개수는 $8+8-4=12$ 답 12

07 **Act ①** 명제 '어떤 x에 대하여 p이다.'의 부정은 '모든 x에 대하여 $\sim p$이다.'임을 이용한다.

주어진 명제의 부정은

'모든 실수 x에 대하여 $x^2-18x+k\geq 0$'

모든 실수 x에 대하여 $x^2-18x+k\geq 0$이 성립하려면 방정식 $x^2-18x+k=0$의 판별식이 $D\leq 0$이어야 한다.

$\frac{D}{4}=(-9)^2-1\times k\leq 0$

$81-k\leq 0$ $\therefore k\geq 81$

따라서 k의 최솟값은 81이다. 답 81

08 **Act ①** '모든 x에 대하여 p이다.'는 $P=U$일 때 참이고, '어떤 x에 대하여 p이다.'는 $P\neq\varnothing$일 때 참임을 이용한다.

ㄱ. 모든 실수 x에 대하여 $x^2+1>0$이다. (거짓)

ㄴ. $x^2-5x+6\geq 0$에서

$(x-2)(x-3)\geq 0$, $x\leq 2$ 또는 $x\geq 3$

따라서 모든 자연수 x에 대하여 $x^2-5x+6\geq 0$이다. (참)

ㄷ. $x^2-x-2\geq 0$에서

$(x+1)(x-2)\geq 0$, $x\leq -1$ 또는 $x\geq 2$

$x=1$일 때, 주어진 부등식을 만족하지 않는다. (거짓)

따라서 옳은 것은 ㄴ이다. 답 ②

기출유형 03

Act ① 명제 $p\longrightarrow q$가 참이 되려면 진리집합 P, Q의 포함 관계가 $P\subset Q$이어야 함을 이용한다.

두 조건 p, q의 진리집합을 각각 P, Q라 하면

$P=\{x|x\geq a\}$

$Q=\{x|1\leq x\leq 3$ 또는 $x\geq 7\}$

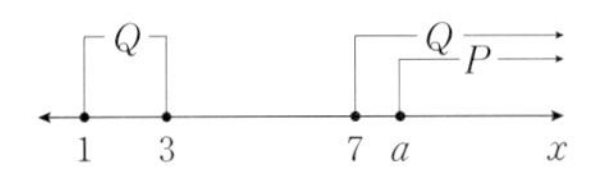

명제 $p\longrightarrow q$가 참이 되려면 $P\subset Q$이어야 하므로 $a\geq 7$

따라서 a의 최솟값은 7 답 ④

09 **Act ①** 명제 $p\longrightarrow q$가 참이 되려면 진리집합 P, Q의 포함 관계가 $P\subset Q$이어야 함을 이용한다.

두 조건 p, q의 진리집합을 각각 P, Q라 하면

$P=\{x|-a\leq x\leq a\}$, $Q=\{x|-3\leq x\leq 7\}$

명제 $p\longrightarrow q$가 참이면 $P\subset Q$이어야 하므로

$-a\geq -3$이고 $a\leq 7$

$\therefore a\leq 3$

따라서 양수 a의 최댓값은 3 답 ③

10 **Act ①** 명제 $p\longrightarrow q$가 참이 되려면 진리집합 P, Q의 포함 관계가 $P\subset Q$이어야 함을 이용한다.

두 조건 p, q의 진리집합을 각각 P, Q라 하면

$P=\{x|a-3\leq x\leq a+3\}$,

$Q=\{x|-6\leq x\leq 4\}$

명제 $p\longrightarrow q$가 참이 되려면 $P\subset Q$이어야 하므로

$-6\leq a-3$이고 $a+3\leq 4$

$\therefore -3\leq a\leq 1$

따라서 실수 a의 최댓값은 1 답 ④

11 **Act ①** 명제 $p\longrightarrow q$가 참이 되려면 진리집합 P, Q의 포함 관계가 $P\subset Q$이어야 함을 이용한다.

조건 q에서

$x^2-3x-4\leq 0$, $(x-4)(x+1)\leq 0$, $-1\leq x\leq 4$

명제 $p\longrightarrow q$가 참이 되려면

$-1\leq a\leq 4$

따라서 a의 최댓값은 4 답 ④

12 **Act ①** 명제 $\sim p\longrightarrow q$가 참이 되려면 진리집합 P^C, Q의 포함 관계가 $P^C\subset Q$이어야 함을 이용한다.

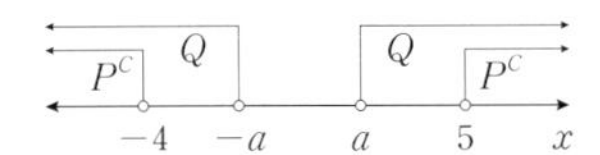

명제 $\sim p \to q$가 참이기 위해서는 $P^C \subset Q$이어야 하므로
$-4 \le -a$이고 $a \le 5$
$\therefore a \le 4$
따라서 자연수 a의 개수는 4 답 ④

기출유형 04

Act① 대우의 참, 거짓은 주어진 명제의 참, 거짓과 일치함을 이용한다.
ㄱ, ㄴ은 주어진 명제가 참이므로 그 대우도 참이다.
ㄷ은 주어진 명제가 거짓이므로 그 대우도 거짓이다.
따라서 대우가 참인 것은 ㄱ, ㄴ이다. 답 ③

13 **Act① 대우의 참, 거짓은 주어진 명제의 참, 거짓과 일치함을 이용한다.**
$Q \subset P$이므로 명제 $q \to p$는 항상 참이다.
따라서 명제 $q \to p$의 대우 $\sim p \to \sim q$도 항상 참이다. 답 ⑤

14 **Act① 벤다이어그램으로 명제의 참, 거짓을 판단하고, 대우의 참, 거짓은 주어진 명제의 참, 거짓과 일치함을 이용한다.**
주어진 벤다이어그램에서 두 집합 P, R의 포함 관계는 $R \subset P$이므로 $r \to p$는 참이다.
따라서 $r \to p$의 대우 $\sim p \to \sim r$도 참이다. 답 ⑤

15 **Act① 벤다이어그램으로 명제의 참, 거짓을 판단한다.**
① $Q \not\subset R$이므로 $q \not\to r$ 이다.
② $Q^C \not\subset P$이므로 $\sim q \not\to p$이다.
③ $(P \cap Q) \not\subset R$이므로 (p이고 q) $\not\to r$이다.
④ $(P \cup R) \not\subset Q$이므로 (p 또는 r) $\not\to q$이다.
⑤ $P \subset R^C$이므로 $p \to \sim r$이다.
따라서 옳은 것은 ⑤이다. 답 ⑤

16 **Act① 삼단논법을 적용하고 참인 명제의 대우는 참임을 이용한다.**
명제 $p \to q$, $q \to \sim r$가 모두 참이므로 명제 $p \to \sim r$는 참이다.
참인 명제의 대우도 항상 참이므로 $r \to \sim p$도 항상 참이다.
답 ③

기출유형 05

Act① 두 조건 p, q의 진리집합을 구해 두 집합의 포함 관계를 알아본다.
두 조건 p, q의 진리집합을 각각 P, Q라 하면
$P=\{1,\ 4\}$
$Q=\left\{x \middle| \frac{1}{2} < x \le \frac{a}{2}\right\}$
이때 p가 q이기 위한 충분조건이므로 $P \subset Q$이어야 한다.
$4 \le \frac{a}{2}$에서 $a \ge 8$
따라서 자연수 a의 최솟값은 8이다. 답 ⑤

17 **Act① 두 조건 p, q의 진리집합을 구해 두 집합의 포함 관계를 알아본다.**
두 조건 p, q의 진리집합을 각각 P, Q라 하면
$P=\{x|k \le x \le k+3\}$
$Q=\{x|3 \le x \le 10\}$
p가 q이기 위한 충분조건이므로 $P \subset Q$이어야 한다.
$3 \le k$, $k+3 \le 10$에서
$3 \le k \le 7$
따라서 실수 k의 최댓값은 7이다. 답 ④

18 **Act① 두 조건 p, q의 진리집합을 구해 두 집합의 포함 관계를 알아본다.**
두 조건 p, q의 진리집합을 각각 P, Q라 하면
$P=\{x||x-1| \le 3\}=\{x|-3 \le x-1 \le 3\}$
$=\{x|-2 \le x \le 4\}$
또, a가 자연수이므로
$Q=\{x||x| \le a\}=\{x|-a \le x \le a\}$
이때 p가 q이기 위한 충분조건이므로 $P \subset Q$이어야 한다.
$-a \le -2$이고 $a \ge 4$에서
$a \ge 2$이고 $a \ge 4$
따라서 $a \ge 4$이므로 자연수 a의 최솟값은 4이다. 답 ④

19 **Act① $\sim p$가 q이기 위한 충분조건이므로 $P^C \subset Q$이어야 함을 이용한다.**
두 조건 p, q의 진리집합을 각각 P, Q라 하면 조건 $\sim p$의 진리집합은 P^C이므로
$P^C=\{x|x^2-4x+3 \le 0\}$
$=\{x|1 \le x \le 3\}$
$Q=\{x|x \le a\}$
$\sim p$가 q이기 위한 충분조건이므로 $P^C \subset Q$이어야 한다.
따라서 $a \ge 3$에서 실수 a의 최솟값은 3 답 ③

20 **Act① p는 q이기 위한 필요충분조건이므로 $x^2+ax+b<0$의 해가 $-1<x<2$임을 이용한다.**
p는 q이기 위한 필요충분조건이므로 두 조건 p, q의 진리집합은 같다.
$x^2+ax+b<0$의 해가 $-1<x<2$이므로
$x^2+ax+b=(x+1)(x-2)$에서
$x^2+ax+b=x^2-x-2$
따라서 $a=-1$, $b=-2$이므로
$a+b=-3$ 답 ③

기출유형 06

Act① 빈칸의 앞뒤를 주의해서 살펴보고, 알맞은 식이나 수를 추론한다.
주어진 명제의 대우가
'n이 3의 배수가 아니면 n^2이 3의 배수가 아니다.'이므로
자연수 k에 대하여 $n=3k-1$ 또는 $n=\boxed{3k-2}$이다.
(i) $n=3k-1$인 경우

$n^2=3\times(\boxed{3k^2-2k})+1$이고 $\boxed{3k^2-2k}$는 자연수이므로 n^2은 3의 배수가 아니다.

(ii) $n=\boxed{3k-2}$인 경우

$n^2=3(3k^2-4k+1)+\boxed{1}$이고, $3k^2-4k+1$은 음이 아닌 정수이므로 n^2은 3의 배수가 아니다.

(i), (ii)에서 주어진 명제의 대우가 참이므로 주어진 명제도 참이다.

이때 $f(k)=3k-2$, $g(k)=3k^2-2k$, $\alpha=1$이므로

$f(\alpha)+g(2\alpha)=f(1)+g(2)$

$=1+8=9$ 답 ⑤

21 **Act①** **빈칸의 앞뒤를 주의해서 살펴보고, 알맞은 식이나 수를 추론한다.**

a, b가 모두 홀수라고 가정하면 자연수 m, n에 대하여 $a=2m-1$, $b=2n-1$이다.

$a^2+b^2=4(m^2-m+\boxed{n^2-n})+\boxed{2}$이므로

a^2+b^2은 짝수이고, $a^2+b^2=c^2$이므로 c는 짝수이다.

c가 짝수이므로 $a^2+b^2=c^2$에서 a^2+b^2은 $\boxed{4}$의 배수이다.

그러나 $a^2+b^2=4(m^2-m+\boxed{n^2-n})+\boxed{2}$에서

a^2+b^2은 $\boxed{4}$의 배수가 아니므로 모순이다.

따라서 a, b 중 적어도 하나는 짝수이다. 답 ①

22 **Act①** **(가), (나), (다)에 주어진 명제를 조건**
p : 10대, 20대에게 선호도가 높다, q : 판매량이 많다,
r : 가격이 싸다, s : 기능이 많다
로 분해하여 나타낸 후 추론한다.

조사에서 얻은 결과를 명제라 하고 다음 각 조건 p, q, r, s를 아래와 같이 정하기로 하자.

> p : 10대, 20대에게 선호도가 높다.
> q : 판매량이 많다.
> r : 가격이 싸다.
> s : 기능이 많다.

그러면 (가), (나), (다)를 다음과 같이 나타낼 수 있다.

> (가) $p \Rightarrow q$
> (나) $r \Rightarrow q$
> (다) $s \Rightarrow p$

위의 결과로부터 추론할 수 있는 사실은

(다) $s \Rightarrow p$와 (가) $p \Rightarrow q$에서 $s \Rightarrow q$이다.

그러므로 $\sim q \Rightarrow \sim s$이다.

나열된 선택지의 내용을 p, q, r, s를 이용하여 나타내면 다음과 같다.

① $s \rightarrow \sim r$
② $\sim r \rightarrow \sim q$
③ $\sim q \rightarrow \sim s$
④ $p \rightarrow s$
⑤ $p \rightarrow \sim r$

따라서 항상 옳은 것은 ③이다. 답 ③

기출유형 07

Act① **두 양수의 합의 최솟값을 구할 때는 산술평균과 기하평균의 관계를 이용한다.**

$a>1$일 때 $a-1>0$이므로 산술평균과 기하평균의 관계에 의하여

$$9a+\frac{1}{a-1}=9(a-1)+\frac{1}{a-1}+9$$
$$\geq 2\sqrt{9(a-1)\times\frac{1}{a-1}}+9=2\times3+9=15$$

$\left(\text{단, 등호는 } a=\frac{4}{3}\text{일 때 성립한다.}\right)$

따라서 $9a+\frac{1}{a-1}$의 최솟값은 15이다. 답 15

23 **Act①** **두 양수의 합의 최솟값을 구할 때는 산술평균과 기하평균의 관계를 이용한다.**

a가 양수일 때 $18a>0$, $\frac{1}{2a}>0$이므로 산술평균과 기하평균의 관계에 의하여

$$18a+\frac{1}{2a}\geq 2\sqrt{18a\times\frac{1}{2a}}=2\times\sqrt{9}=6$$

$\left(\text{단, 등호는 } a=\frac{1}{6}\text{일 때 성립한다.}\right)$

따라서 $18a+\frac{1}{2a}$의 최솟값은 6이다. 답 ①

24 **Act①** **두 양수의 합의 최솟값을 구할 때는 산술평균과 기하평균의 관계를 이용한다.**

x가 양수일 때 $2x>0$, $\frac{8}{x}>0$ 이므로 산술평균과 기하평균의 관계에 의하여

$$2x+\frac{8}{x}\geq 2\sqrt{2x\times\frac{8}{x}}=8$$

(단, 등호는 $x=2$일 때 성립한다.)

따라서 $2x+\frac{8}{x}$의 최솟값은 8이다. 답 ④

25 **Act①** **두 양수의 합의 최솟값을 구할 때는 산술평균과 기하평균의 관계를 이용한다.**

a가 양수일 때 $4a>0$, $\frac{1}{a}>0$이므로 산술평균과 기하평균의 관계에 의하여

$$4a+\frac{1}{a}\geq 2\sqrt{4a\times\frac{1}{a}}=4$$

$\left(\text{단, 등호는 } a=\frac{1}{2}\text{일 때 성립한다.}\right)$

$$4a+\frac{1}{a}+1\geq 4+1=5$$

따라서 $4a+\frac{1}{a}+1$의 최솟값은 5이다. 답 ①

26 **Act①** **두 양수의 합의 최솟값을 구할 때는 산술평균과 기하평균의 관계를 이용한다.**

a가 양수일 때 $a+4>0$, $\frac{1}{a}+1>0$이므로 산술평균과 기하

평균의 관계에 의하여

$(a+4)\left(\frac{1}{a}+1\right)=1+a+\frac{4}{a}+4$

$\geq 5+2\sqrt{a\times\frac{4}{a}}$

$=5+4=9$

(단, 등호는 $a=2$일 때 성립한다.)

따라서 $(a+4)\left(\frac{1}{a}+1\right)$의 최솟값은 9이다. 답 9

VIT Very Important Test pp. 37~39

01. ①	02. 4	03. ②	04. ③	05. ③
06. ②	07. ④	08. ④	09. ⑤	10. ②
11. ③	12. ①	13. ⑤	14. ③	15. ②
16. ③	17. ③	18. ⑤		

01

$2(x-2)+1\leq 5$에서

$2(x-2)\leq 4$, $x\leq 4$

$\therefore P=\{1, 2, 3, 4\}$

10 이하의 자연수 중에서 2의 배수는 2, 4, 6, 8, 10이므로

$Q=\{2, 4, 6, 8, 10\}$

$\therefore\ P\cap Q=\{2, 4\}$

따라서 $P\cap Q$의 모든 원소의 합은

$2+4=6$ 답 ①

02

명제 $q \longrightarrow \sim p$가 참이므로 $Q\subset P^C$이다.

따라서 $Q\subset\{4, 5\}$이므로 주어진 조건을 만족시키는 집합 Q의 개수는 $2^2=4$ 답 4

03

두 조건 p, q의 진리집합을 각각 P, Q라 하면

$P=\{x|1-k<x<1+k\}$, $Q=\{x|-7<x<3\}$

명제 $p \longrightarrow q$가 참이므로 $P\subset Q$

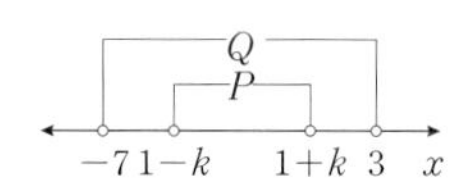

즉 $-7\leq 1-k$이고 $1+k\leq 3$에서

$k\leq 8$이고 $k\leq 2$ $\therefore k\leq 2$

따라서 구하는 k의 최댓값은 2이다. 답 ②

04

p가 q이기 위한 충분조건이므로 $p\Rightarrow q$

이때 명제의 대우도 참이므로 $\sim q\Rightarrow\sim p$

두 조건 p, q의 진리집합을 각각 P, Q라 하면

$P^C=\{x|x^2-x-12\leq 0\}$

$=\{x|(x+3)(x-4)\leq 0\}$

$=\{x|-3\leq x\leq 4\}$

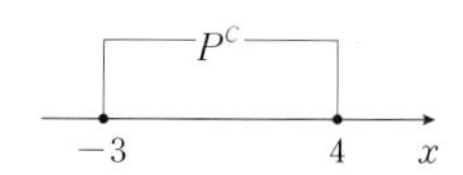

$Q^C=\{x||x|=a\}$

$=\{x|x=a$ 또는 $x=-a\}$

$\sim q\Rightarrow\sim p$이므로 $Q^C\subset P^C$이어야 한다.

a가 자연수이므로 가능한 자연수 a는 1, 2, 3으로 그 개수는 3이다. 답 ③

05

세 조건 p, q, r의 진리집합을 각각 P, Q, R라 하면

$P=\{x|x<k\}$, $Q=\{x|x\leq -2\}$, $R=\{x|3\leq x<6\}$

'q 또는 r'가 p이기 위한 충분조건이므로

$(Q\cup R)\subset P$

따라서 $k\geq 6$이므로 구하는 k의 최솟값은 6이다. 답 ③

06

명제 $p \longrightarrow q$가 참이므로 그 대우 $\sim q \longrightarrow \sim p$도 참이다.

즉 명제 '$x+3=0$이면 $x^2+x+a=0$'은 참이어야 한다.

따라서 $9-3+a=0$에서 $a=-6$ 답 ②

07

ㄱ. '$x>0$, $y>0$'은 '$xy>0$'이기 위한 충분조건이지만 필요조건은 아니다.

ㄴ. '$x<1$'은 '$-2\leq x<0$'이기 위한 필요조건이지만 충분조건은 아니다.

ㄷ. $x=1+\sqrt{2}$, $y=1-\sqrt{2}$일 때, $x+y$는 유리수이지만 x, y는 모두 유리수가 아니다.

따라서 '$x+y$가 유리수'는 'x, y는 모두 유리수'이기 위한 필요조건이지만 충분조건은 아니다.

따라서 p는 q이기 위한 필요조건이지만 충분조건이 아닌 것은 ㄴ, ㄷ이다. 답 ④

08

명제 $q \longrightarrow \sim p$가 참이므로 $Q\subset P^C$이다.

이를 벤다이어그램으로 나타내면 오른쪽 그림과 같다. 따라서 $P^C\cap Q=Q$이므로 옳지 않은 것은 ④이다. 답 ④

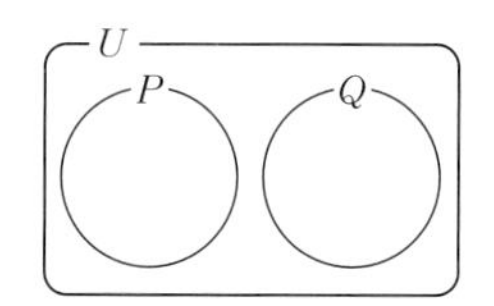

09

두 조건 p, q의 진리집합을 각각 P, Q라 하면

$|x-2|<3$에서

$-3<x-2<3$, $-1<x<5$

이므로

$P=\{x|-1<x<5\}$

$x^2-4x+3>0$에서

$(x-1)(x-3)>0$, $x<1$ 또는 $x>3$
이므로
$Q=\{x|x<1$ 또는 $x>3\}$
$Q^C=\{x|1\le x\le 3\}$
따라서 $Q^C\subset P$이므로 명제 $\sim q \to p$는 항상 참이다. 답 ⑤

10

ㄱ. $P\subset Q$이므로 $p \to q$는 참이다.
ㄴ. $Q\not\subset R$이므로 $q \to r$는 거짓이다.
ㄷ. $(P\cap R)\subset Q$이므로 'p이고 r' $\to q$는 참이다.
ㄹ. $Q\not\subset (P\cup R)$이므로 $q \to$ 'p 또는 r'는 거짓이다.
따라서 참인 명제는 ㄱ, ㄷ이다. 답 ②

11

$P\cap Q=Q$에서 $Q\subset P$이고,
$P-R=P$에서 $P\cap R=\varnothing$이다.
ㄱ. $Q\subset P$이므로 $q \to p$ (참)
ㄴ. 명제 $\sim r \to \sim p$의 대우는 $p \to r$이고,
$P\cap R=\varnothing$이므로 $P\not\subset R$
즉 명제 $p \to r$가 거짓이므로
그 대우 $\sim r \to \sim p$도 거짓이다. (거짓)
ㄷ. $P\cap R=\varnothing$에서 $P\subset R^C$이므로
명제 $p \to \sim r$는 참이고, ㄱ에서 명제 $q \to p$가 참이다.
즉 두 명제 $q \to p$, $p \to \sim r$가 참이므로
명제 $q \to \sim r$도 참이다.
따라서 그 대우인 $r \to \sim q$도 참이다. (참)
따라서 옳은 것은 ㄱ, ㄷ이다. 답 ③

12

명제 'p 또는 q' $\to r$가 거짓임을 보이는 반례는 집합 $P\cup Q$의 원소이지만 집합 R의 원소가 아닌 것이다.
따라서 반례가 속하는 집합은 $(P\cup Q)\cap R^C$이므로 그 집합의 원소는 a이다. 답 ①

13

$$\left(3x+\frac{4}{y}\right)\left(\frac{3}{x}+4y\right)=9+12xy+\frac{12}{xy}+16$$
$$=25+12xy+\frac{12}{xy}$$
$$\ge 25+2\sqrt{12xy\times\frac{12}{xy}}$$
$$=25+2\times 12=49$$
(단, 등호는 $xy=1$일 때 성립)
따라서 구하는 최솟값은 49이다. 답 ⑤

14

$2x>0$, $3y>0$이므로
$2x+3y\ge 2\sqrt{6xy}$ (단, 등호는 $2x=3y$일 때 성립)
이때 $2x+3y=12$이므로
$12\ge 2\sqrt{6xy}$, $6\ge\sqrt{6xy}$
양변을 제곱하면
$36\ge 6xy$ $\therefore xy\le 6$
따라서 xy의 최댓값은 6이다. 답 ③

15

$3x+2y=10$이므로
$(\sqrt{3x}+\sqrt{2y})^2=3x+2y+2\sqrt{6xy}$
$=10+2\sqrt{6xy}$ ……㉠
한편 $x>0$, $y>0$이므로 산술평균과 기하평균의 관계에 의하여
$3x+2y\ge 2\sqrt{3x\times 2y}=2\sqrt{6xy}$
그런데 $3x+2y=10$이므로
$10\ge 2\sqrt{6xy}$ (단, 등호는 $3x=2y$일 때 성립한다.) ……㉡
㉠, ㉡에 의하여
$(\sqrt{3x}+\sqrt{2y})^2=10+2\sqrt{6xy}\le 10+10=20$
$\therefore 0<\sqrt{3x}+\sqrt{2y}\le 2\sqrt{5}$
따라서 $\sqrt{3x}+\sqrt{2y}$의 최댓값은 $2\sqrt{5}$이다. 답 ②

16

ㄱ. $x^2-x+1=\left(x-\frac{1}{2}\right)^2+\frac{3}{4}\ge\frac{3}{4}>0$ (거짓)
ㄴ. $x^2-6x+9=(x-3)^2\ge 0$ (거짓)
ㄷ. $x^2-2x+1=(x-1)^2\ge 0$ (참)
따라서 항상 성립하는 부등식은 ㄷ이다. 답 ③

17

ㄱ. $(\sqrt{a}+\sqrt{b})^2-(\sqrt{a+b})^2=(a+b+2\sqrt{ab})-(a+b)$
$=2\sqrt{ab}>0$
이므로 두 양수 a, b에 대하여 주어진 부등식은 항상 성립한다. (참)
ㄴ. [반례] 주어진 부등식에 $a=3$, $b=4$를 대입하면
(좌변)$=\sqrt{3a}+\sqrt{b}=3+2=5$
(우변)$=3\sqrt{ab}=3\sqrt{12}=6\sqrt{3}$
이때 $5<6\sqrt{3}$이므로 두 양수 a, b에 대하여 주어진 부등식이 항상 성립하는 것은 아니다. (거짓)
ㄷ. $\left(\sqrt{\frac{a^2+b^2}{2}}\right)^2-\left(\frac{a+b}{2}\right)^2=\frac{a^2+b^2}{2}-\frac{a^2+b^2+2ab}{4}$
$=\frac{1}{4}(a^2+b^2-2ab)$
$=\frac{1}{4}(a-b)^2\ge 0$
(단, 등호는 $a=b$일 때 성립)
이므로 두 양수 a, b에 대하여 주어진 부등식은 항상 성립한다. (참)
따라서 항상 성립하는 부등식은 ㄱ, ㄷ이다. 답 ③

18

ㄱ. $x\ge 2$일 때만 성립한다.
ㄴ. $5>1$이므로 모든 실수 x에 대하여 성립한다.
ㄷ. $x=2$일 때는 성립하지 않는다.
ㄹ. $-x^2+4x-5=-(x-2)^2-1<0$이므로 모든 실수 x에 대하여 성립한다.
따라서 절대부등식은 ㄴ, ㄹ이다. 답 ⑤

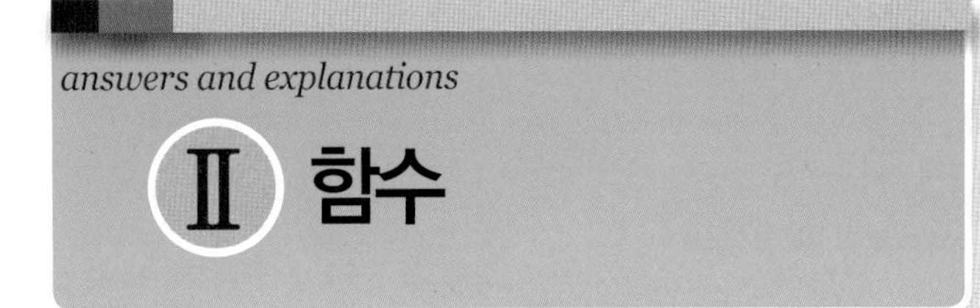

04 함수

pp. 40~41

01. ④ **02.** ⑤ **03.** 일대일대응 − ㄱ, ㄴ, ㄷ, 항등함수 − ㄴ, 상수함수 − ㄹ **04.** 4

01 함수 $f: X \to Y$의 정의역은 집합 X를 뜻하고 공역은 집합 Y, 치역은 정의역 X의 각각의 원소에 대응하는 공역 Y의 원소들의 모임이다.
따라서 정의역은 $\{1, 2, 3\}$, 공역은 $\{a, b, c\}$,
치역은 $\{a, b\}$ 답 ④

02 $f=g$가 성립하려면 $f(1)=g(1)$, $f(2)=g(2)$가 성립해야 한다.
$f(1)=g(1)$에서
$1+a=b$, 즉 $a-b=-1$ …… ㉠
$f(2)=g(2)$에서
$2+a=3+2b$, 즉 $a-2b=1$ …… ㉡
㉠, ㉡을 연립하여 풀면 $a=-3$, $b=-2$
$\therefore ab=6$ 답 ⑤

03 일대일대응은 치역과 공역이 같고, 정의역의 임의의 서로 다른 두 원소에 대응하는 함숫값이 다르므로 그 그래프는 ㄱ, ㄴ, ㄷ이다.
항등함수는 함숫값이 자기 자신이므로 그 그래프는 ㄴ이다.
상수함수는 함숫값이 오직 1개이므로 그 그래프는 ㄹ이다.
답 일대일대응 − ㄱ, ㄴ, ㄷ, 항등함수 − ㄴ, 상수함수 − ㄹ

04 $a<0$이므로 함수 f가 일대일대응이 되려면
$f(-1)=8$, $f(3)=0$
$f(-1)=-a+b=8$ …… ㉠
$f(3)=3a+b=0$ …… ㉡
㉠, ㉡을 연립하여 풀면 $a=-2$, $b=6$
$\therefore a+b=-2+6=4$ 답 4

유형따라잡기

pp. 42~46

기출유형 01 ③	01. ⑤	02. ⑤	03. ⑤	04. ①
기출유형 02 ③	05. 25	06. 20	07. ④	08. ⑤
기출유형 03 ⑤	09. ①	10. ④	11. ③	12. ③
기출유형 04 ④	13. ②	14. ①	15. ③	16. ⑤
기출유형 05 ③	17. ③	18. ③	19. ②	20. ②

기출유형 01

Act① 정의역의 각 원소에 공역의 원소가 오직 하나씩 대응하는 것을 찾는다.
ㄱ. $f(x)=-x$에 대하여
$f(-1)=1\in X$, $f(0)=0\in X$, $f(1)=-1\in X$
이므로 함수이다.
ㄴ. $g(x)=x+1$에 대하여
$g(1)=2\notin X$이므로 $g(1)$이 정의되지 않는다.
따라서 함수가 아니다.
ㄷ. $h(x)=x^2$에 대하여
$h(-1)=1\in X$, $h(0)=0\in X$, $h(1)=1\in X$
이므로 함수이다.
따라서 함수가 되는 것은 ㄱ, ㄷ이다. 답 ③

01 **Act① y축에 평행한 직선을 그어 하나의 x값에 대응되는 y값의 개수를 조사한다.**
①~④ y축에 평행한 직선을 그어 보면 하나의 x값에 하나의 y값이 대응되므로 함수이다.
⑤ y축에 평행한 직선을 그어 보면 하나의 x값에 2개의 y값이 대응되므로 함수가 아니다. 답 ⑤

02 **Act① 정의역의 각 원소에 공역의 원소가 오직 하나씩 대응하는 것을 찾는다.**
ㄱ. $f(-1)=0$, $f(0)=1$, $f(1)=2$
즉 X의 각 원소에 Y의 원소가 하나씩만 대응하는 함수이다.
ㄴ. $g(-1)=2$, $g(0)=1$, $g(1)=2$
즉 X의 각 원소에 Y의 원소가 하나씩만 대응하는 함수이다.
ㄷ. $h(-1)=3$, $h(0)=0$, $h(1)=2$
즉 X의 각 원소에 Y의 원소가 하나씩만 대응하는 함수이다.
따라서 [보기] 중 함수인 것은 ㄱ, ㄴ, ㄷ이다. 답 ⑤

03 **Act① 정의역의 각 원소에 공역의 원소가 오직 하나씩 대응하는 것을 찾는다.**
각 대응을 그림으로 나타내면 다음과 같다.

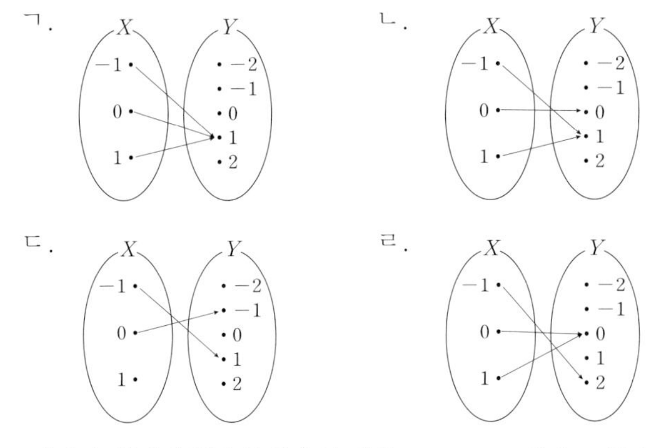

따라서 X에서 Y로의 함수인 것은 ㄱ, ㄴ, ㄹ이다. 답 ⑤

04 **Act①** **정의역의 각 원소에 공역의 원소가 오직 하나씩 대응하는 것을 찾는다.**

ㄱ. $f(-1)=0\in Y$, $f(0)=1\in Y$, $f(1)=2\in Y$이므로 f는 X에서 Y로의 함수이다.

ㄴ. $g(-1)=2\in Y$, $g(0)=1\in Y$, $g(1)=2\in Y$이므로 g는 X에서 Y로의 함수이다.

ㄷ. $h(-1)=-1\notin Y$이므로 h는 X에서 Y로의 함수가 아니다.

ㄹ. $k(1)=4\notin Y$이므로 k는 X에서 Y로의 함수가 아니다.

따라서 X에서 Y로의 함수인 것은 ㄱ, ㄴ이다. 답 ①

기출유형 02

Act① **$f(x)$에 정의역의 원소를 모두 대입하여 $f(a)=2$, $f(b)=8$을 만족시키는 a, b의 값을 찾는다.**

집합 $X=\{1, 2, 3, 4, 5\}$에서

집합 $Y=\{0, 2, 4, 6, 8\}$로의 함수 f가

$f(x)=(2x^2$의 일의 자리의 숫자)

이므로

$f(1)=2$, $f(2)=8$, $f(3)=8$, $f(4)=2$, $f(5)=0$

이며, 함수의 대응을 그림으로 나타내면 다음과 같다.

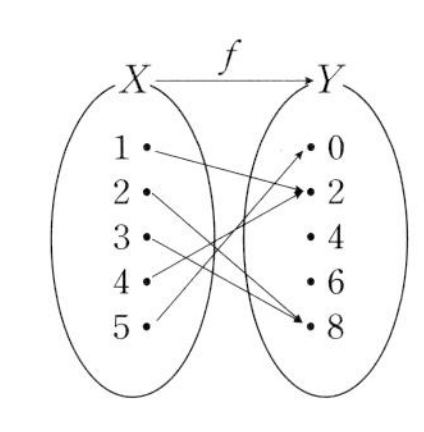

함숫값이 2인 정의역 X의 원소는 1과 4이므로

$f(a)=2$인 X의 원소 a는

$a=1$ 또는 $a=4$

함숫값이 8인 정의역 X의 원소는 2와 3이므로

$f(b)=8$인 X의 원소 b는

$b=2$ 또는 $b=3$

a, b의 순서쌍 (a, b)로 가능한 것은

$(1, 2)$, $(1, 3)$, $(4, 2)$, $(4, 3)$

이므로 $a+b$의 값은 3, 4, 6, 7

따라서 $a+b$의 최댓값은 7 답 ③

05 **Act①** **함수 $f(x)$에서 $f(k)$의 값은 x 대신 k를 대입한다.**

$x=5$를 대입하면

$f(5)=\frac{5}{3}\times 3=5$

$x=14$를 대입하면

$f(14)=\frac{5}{3}\times 12=20$

$\therefore f(5)+f(14)=5+20=25$ 답 25

06 **Act①** **함수 $f(ax+b)$에서 $f(k)$의 값은 $ax+b=k$를 만족시키는 x의 값을 구하여 $f(ax+b)$에 대입한다.**

$x-3=2$에서 $x=5$

$f(x-3)=x^2-5$에 $x=5$를 대입하면

$f(2)=5^2-5=20$ 답 20

[다른 풀이]

$x-3=t$라 하면 $x=t+3$이므로

$f(t)=(t+3)^2-5$

$\quad=t^2+6t+4$

$\therefore f(2)=4+12+4=20$

07 **Act①** **$f(x)$에 정의역의 원소를 모두 대입하여 치역을 구한다.**

$f(-1)=f(1)=1$, $f(0)=0$, $f(2)=2$이므로 함수 f의 치역은 $\{0, 1, 2\}$이다.

따라서 치역의 부분집합의 개수는

$2^3=8$ 답 ④

08 **Act①** **$y=-2x$는 기울기가 음수인 직선이므로 $f(-1)=b$, $f(3)=a$이다.**

$y=-2x$는 기울기가 -2이므로 x의 값이 증가할 때 y의 값이 감소한다.

정의역이 $\{x|-1\le x\le 3\}$이므로

$x=-1$일 때 $y=2$

$x=3$일 때 $y=-6$

이므로 치역은 $\{y|-6\le x\le 2\}$

따라서 $a=-6$, $b=2$이므로

$b-a=8$ 답 ⑤

기출유형 03

Act① **$f=g$이므로 $f(-1)=g(-1)$, $f(2)=g(2)$에서 a, b의 값을 구한다.**

$f(-1)=g(-1)$이므로 $1-a=-1+b$에서

$a+b=2$ …… ㉠

$f(2)=g(2)$이므로 $4+2a=2+b$에서

$2a-b=-2$ …… ㉡

㉠, ㉡을 연립하여 풀면

$a=0$, $b=2$

$\therefore a+b=2$ 답 ⑤

09 **Act①** **$f=g$이므로 $f(1)=g(1)$, $f(2)=g(2)$에서 a, b의 값을 구한다.**

두 함수 f와 g가 서로 같으려면

$f(1)=g(1)$, $f(2)=g(2)$이어야 한다.

$f(1)=g(1)$에서 $a+b=0$

$f(2)=g(2)$에서 $2a+b=3$

두 식을 연립하여 풀면

$a=3$, $b=-3$

$\therefore ab=-9$ 답 ①

10 **Act①** **$f=g$이므로 $f(0)=g(0)$, $f(1)=g(1)$, $f(2)=g(2)$에서 a, b의 값을 구한다.**

두 함수 f와 g가 서로 같으려면

$f(0)=g(0)$, $f(1)=g(1)$, $f(2)=g(2)$이어야 한다.

$f(0)=g(0)$에서 $3=a+b$ ……㉠
$f(1)=g(1)$에서 $2-4+3=b$, $b=1$
$b=1$을 ㉠에 대입하면 $3=a+1$, $a=2$
$\therefore 2a-b=4-1=3$ 답 ④

11 **Act① $f=g$이므로 $f(-1)=g(-1)$, $f(0)=g(0)$에서 a, b의 값을 구한다.**
두 함수 f와 g가 서로 같으려면
$f(-1)=g(-1)$, $f(0)=g(0)$이어야 한다.
$f(-1)=g(-1)$에서
$-1+a=-a+b$, $2a-b=1$
$f(0)=g(0)$에서 $a=b$
두 식을 연립하여 풀면 $a=1$, $b=1$
$\therefore 2a+b=3$ 답 ③

12 **Act① 정의역 X의 모든 원소에 대하여 두 함수 f, g의 함숫값이 같은 것을 찾는다.**
두 함수가 서로 같으려면 정의역 X의 모든 원소에 대하여 두 함수 f, g의 함숫값이 서로 같아야 한다.
ㄱ. $f(x)=x$, $g(x)=x^3$에서
$f(-1)=g(-1)=-1$, $f(0)=g(0)=0$,
$f(1)=g(1)=1$이므로 $f=g$
ㄴ. $f(x)=x-2$, $g(x)=x+2$에서
$f(-1)=-3$, $g(-1)=1$이므로
$f(-1)\neq g(-1)$, 즉 $f\neq g$
ㄷ. $f(x)=|x|+1$, $g(x)=x^2+1$에서
$f(-1)=g(-1)=2$, $f(0)=g(0)=1$,
$f(1)=g(1)=2$이므로 $f=g$
따라서 두 함수 f와 g가 서로 같은 것은 ㄱ, ㄷ이다. 답 ③

기출유형 04

Act① 일대일대응이 되려면 기울기 $(a+3)$과 $(2-a)$의 부호가 같아야 함을 이용하여 정수 a의 값을 찾는다.
$f(x)=ax+b$의 그래프는 x의 값이 증가할 때 y의 값이 항상 증가하거나 항상 감소하므로 함수 $f(x)$가 일대일대응이 되기 위해서는 $(a+3)$과 $(2-a)$의 부호가 같아야 한다.
$(a+3)(2-a)>0$, $(a+3)(a-2)<0$
$\therefore -3<a<2$
조건을 만족시키는 정수 a는 -2, -1, 0, 1로 그 개수는 4이다. 답 ④

13 **Act① 일대일대응이므로 정의역의 양 끝 값의 함숫값이 공역의 양 끝 값과 같아야 함을 이용한다.**
함수 $f(x)=2x+b$가 일대일대응이므로 치역과 공역이 같다.
직선 $y=f(x)$의 기울기가 양수이므로
$f(-3)=-6+b=-a$ ……㉠
$f(5)=10+b=a$ ……㉡
㉠, ㉡에서 $a=8$, $b=-2$
$\therefore a^2+b^2=68$ 답 ②

14 **Act① 일대일대응이므로 치역과 공역이 같음을 이용하여 조건에 맞는 함숫값을 구한다.**
$f(2)-f(3)=3$에서
$f(2)=8$, $f(3)=5$
$f(1)=7$이고, 함수 f가 일대일대응이므로
$f(4)=6$

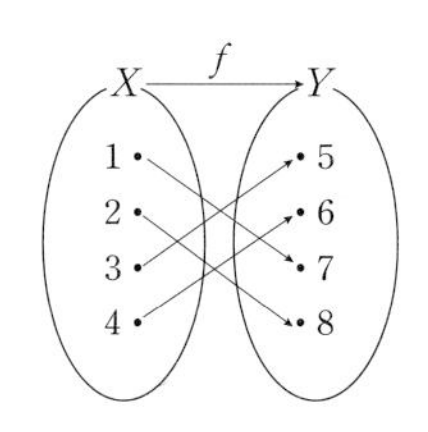

$\therefore f(3)+f(4)=5+6=11$ 답 ①

15 **Act① 함수 $f(x)$가 일대일함수이고 $f(2)=4$이므로 $f(1)$, $f(3)$은 Y의 원소 중 4가 아닌 원소에 대응됨을 이용한다.**
함수 $f(x)$가 일대일함수이고 $f(2)=4$이므로 4가 아닌 집합 Y의 서로 다른 두 원소 a, b에 대하여 $f(1)=a$, $f(3)=b$로 놓을 수 있다.
$f(1)+f(3)$의 최댓값은 $a+b$의 최댓값과 같으므로
$a=2$, $b=3$ 또는 $a=3$, $b=2$일 때 최대이다.
따라서 $f(1)+f(3)$의 최댓값은 5이다. 답 ③

16 **Act① 일대일대응이므로 치역과 공역이 같음을 이용하여 k의 값을 구한다.**
$f(x)=x^2-4x+k$
$=(x-2)^2-4+k$
이므로 $x\geq 3$에서 x의 값이 증가하면 y의 값도 증가한다.
또, 일대일대응이면 함수 f의 치역과 공역이 같아야 하므로
$f(3)=2$
즉 $3^2-4\times 3+k=2$
$\therefore k=5$ 답 ⑤

기출유형 05

Act① 함수 f가 항등함수, 함수 g가 상수함수이면 정의역의 모든 원소 x에 대하여 $f(x)=x$, $g(x)=c$임을 이용한다.
함수 f가 항등함수이므로
$f(x)=x$이고 $f(1)=1$, $f(5)=5$
함수 g가 상수함수이고 $f(1)=g(3)$이므로
$g(3)=1$
즉 $g(x)=1$이므로 $g(5)=1$
$\therefore f(5)+g(5)=6$ 답 ③

17 **Act① 함수 f가 항등함수이면 정의역의 모든 원소 x에 대하여 $f(x)=x$임을 이용한다.**

$f : X \to X$가 항등함수가 되기 위해서는
$f(-2)=-2$, $f(-1)=-1$, $f(3)=3$이어야 한다.
$x \geq 0$일 때 $f(3)=3$을 만족하고,
$x<0$일 때 $f(x)=ax^2+bx-2$이어야 하므로
$f(-2)=4a-2b-2=-2$, $f(-1)=a-b-2=-1$
따라서 $a=-1$, $b=-2$이므로
$a+b=-3$ 답 ③

18 **Act①** **함수 f가 항등함수이면 정의역의 모든 원소 x에 대하여 $f(x)=x$임을 이용한다.**
함수 f가 항등함수가 되려면 $f(x)=x$이어야 하므로
$x^3-6x^2+12x-6=x$
$x^3-6x^2+11x-6=0$
$(x-1)(x-2)(x-3)=0$
$x=1$ 또는 $x=2$ 또는 $x=3$
따라서 집합 X는 집합 $\{1, 2, 3\}$의 부분집합 중 공집합을 제외해야 하므로 구하는 집합 X의 개수는
$2^3-1=7$ 답 ③

19 **Act①** **함수 g가 항등함수, 함수 h가 상수함수이면 정의역의 모든 원소 x에 대하여 $g(x)=x$, $h(x)=c$임을 이용한다.**
$g(x)$가 항등함수이므로 $g(3)=3$이고
$f(2)=h(6)=3$이다.
한편, $f(x)$가 일대일대응이고 $f(2)=3$이므로
$f(2)f(3)=f(6)$이 성립하려면 $f(3)=2$이어야 한다.
또한 $h(x)$가 상수함수이므로 $h(2)=3$이다.
$\therefore f(3)+h(2)=2+3=5$ 답 ②

20 **Act①** **함수 g가 항등함수, 함수 h가 상수함수이면 정의역의 모든 원소 x에 대하여 $g(x)=x$, $h(x)=c$임을 이용한다.**
g가 항등함수이므로 $g(1)=1$, $g(2)=2$, $g(3)=3$에서
$f(1)=g(1)=h(1)=1$
이때 h는 상수함수이고 $h(1)=1$이므로
$h(1)=h(2)=h(3)=1$
조건 (다)에서 $f(2)=h(3)+2=1+2=3$이고,
f가 일대일대응이므로 $f(3)=2$이다.
$\therefore f(3)\times g(3)\times h(3)=2\times 3\times 1=6$ 답 ②

VIT Very Important Test pp. 47~49

01. ④	02. ③	03. ④	04. ⑤	05. ④
06. ③	07. ②	08. ②	09. ②	10. ④
11. ②	12. ⑤	13. ③	14. ④	15. ③
16. 2	17. ④	18. ④		

01
④ $f(x)=x^3+x^2-1$이라 할 때,
$f(-1)=-1+1-1=-1$에서 $f(-1)$의 값이 존재하지 않으므로 함수가 아니다. 답 ④

02
$f(x)=x^2-2x+3=(x-1)^2+2$
이므로 $\{y|y\geq 2\}$ 답 ③

03
2는 유리수이므로
$f(2)=2-1=1$
$\sqrt{3}$은 무리수이므로
$f(\sqrt{3})=(\sqrt{3})^2=3$
$\therefore f(2)+f(\sqrt{3})=1+3=4$ 답 ④

04
$2x-3=1$로 놓으면 $x=2$
$\therefore f(1)=f(2\times 2-3)=2+8=10$ 답 ⑤

05
$f\left(\frac{x-2}{3}\right)=-x+12$에서
$\frac{x-2}{3}=3$으로 놓으면 $x=11$
$\therefore f(3)=f\left(\frac{11-2}{3}\right)=-11+12=1$ 답 ④

06
정의역 $X=\{1, 2, 3, 4, 5\}$이고,
치역 $f(X)=\{1, 5, 7\}$이므로
$X\cap f(X)=\{1, 5\}$
따라서 집합 $X\cap f(X)$에 속하는 모든 원소의 합은
$1+5=6$ 답 ③

07
$f=g$이면 $2x^2-1=2x+3$을 만족하므로
$2x^2-2x-4=0$, $(x-2)(x+1)=0$
$x=-1$ 또는 $x=2$
$\therefore X=\{-1, 2\}$ 답 ②

08
정의역의 원소 0, 1, 2 에 대한 함숫값을 구하면
$f(0)=|2\times 0-1|=|-1|=1$
$f(1)=|2\times 1-1|=|1|=1$
$f(2)=|2\times 2-1|=|3|=3$
이므로 함수 f의 치역은 $\{1, 3\}$이다.
따라서 치역의 원소의 합은 $1+3=4$이다. 답 ②

09
함수는 정의역의 각 원소에 대하여 공역의 원소가 오직 하나씩 대응해야 하므로 함수인 것은 ㄱ, ㄴ, ㄹ이다.
$\therefore a=3$
또 일대일대응은 x의 값이 증가할 때 $f(x)$의 값이 항상 증가하

거나 항상 감소해야 하므로 일대일대응인 것은 ㄴ뿐이다.

$\therefore b=1$

$\therefore a+b=4$ 답 ②

10

정의역 X의 임의의 원소 x_1, x_2에 대하여 $f(x_1)\neq f(x_2)$인 함수를 일대일함수라 하고 이때 치역과 공역이 같은 함수를 일대일대응이라 한다.

ㄱ. $f(x)=x^2$의 치역은 $f(x)\geq 0$

ㄴ. $g(x)=|x|$의 치역은 $g(x)\geq 0$

이므로 주어진 함수 중 실수 전체가 공역이면서 치역인 일대일대응은 ㄷ, ㄹ이다. 답 ④

11

함수 $f(x)=2x+b$가 일대일대응이므로 치역과 공역이 같다.

직선 $y=f(x)$의 기울기가 양수이므로

$f(0)=b=-1$ ……㉠

$f(a)=2a+b=5$ ……㉡

㉠, ㉡을 연립하여 풀면 $a=3$, $b=-1$

$\therefore a+b=2$ 답 ②

12

함수 $f(x)$가 일대일대응이 되려면 $x>0$일 때 직선 $y=f(x)$의 기울기가 0보다 작으므로 $x\leq 0$일 때에도 직선 $y=f(x)$의 기울기가 0보다 작아야 한다.

즉 $a^2-5a<0$에서

$a(a-5)<0$, $0<a<5$

따라서 조건을 만족시키는 정수 a는 1, 2, 3, 4의 4개이다.

답 ⑤

13

f가 일대일함수이고, $f(1)=5$, $f(4)>4$이어야 하므로 $f(4)=6$이다.

또, $f(3)>3$이어야 하므로 $f(3)=4$

$\therefore f(3)+f(4)=4+6=10$ 답 ③

14

$x_1\in X$, $x_2\in X$이고, $x_1<x_2$일 때, $f(x_1)>f(x_2)$를 만족시키므로 함수 $f(x)=ax+b$에서 $a<0$이다.

또, 함수 f가 일대일대응이 되려면

$f(-1)=9$, $f(2)=0$

$f(x)=ax+b$이므로

$-a+b=9$, $2a+b=0$ $\therefore a=-3$, $b=6$

$f(x)=-3x+6$ $\therefore f(0)=6$ 답 ④

15

함수 g가 항등함수이므로 $g(x)=x$

$\therefore g(8)=8$, $g(4)=4$

또, $f(2)=g(4)=h(8)$이므로 $f(2)=h(8)=4$

이때 함수 h가 상수함수이므로 $h(2)=h(8)=4$

한편, 함수 f가 일대일대응이고

$f(2)=4$, $f(2)f(4)=f(8)$이므로 $f(4)=2$, $f(8)=8$

$\therefore f(4)+g(8)+h(2)=2+8+4=14$ 답 ③

16

함수 g는 항등함수이므로

$f(1)=g(2)=h(3)=2$

함수 h는 상수함수이므로

$h(1)=h(2)=h(3)=2$

(다)에서 $f(2)+g(1)+h(3)=f(2)+1+2=6$

즉 $f(2)=3$

이때 함수 f는 일대일대응이므로 $f(3)=1$

$\therefore f(1)f(3)=2\times 1=2$ 답 2

17

$X=\{1, 2, 3, 4\}$에 대하여 함수 f는 X에서 X로의 함수이고 $f(4)=3$이므로

$\{f(1), f(2), f(3)\}=\{1, 2, 4\}$

이때, $f(1)>f(2)>f(3)$이므로

$f(1)=4$, $f(2)=2$, $f(3)=1$

$\therefore f(1)-f(2)-f(3)=1$ 답 ④

18

함수 g가 항등함수, 함수 h가 상수함수이면 정의역의 모든 원소 x에 대하여 $g(x)=x$, $h(x)=c$임을 이용한다.

g가 항등함수이므로 $g(2)=2$

조건 (가)에서

$f(1)=h(3)+g(2)=h(3)+2$ ……㉠

이때 $f(1)$과 $h(3)$의 값은 각각 1, 2, 3 중 하나이므로 ㉠을 만족시키려면

$h(3)=1$, $f(1)=3$

또, h는 상수함수이므로 X의 임의의 원소 x에 대하여

$h(x)=1$

조건 (나)에서

$f(3)=h(1)+g(1)=1+1=2$

함수 f가 일대일대응이고, $f(1)=3$, $f(3)=2$이므로 $f(2)=1$

$\therefore f(2)+g(2)+h(2)=1+2+1=4$ 답 ④

05 합성함수, 역함수

pp. 50~51

01. ③	02. ④	03. ④	04. ①

01 $(g\circ f)(1)=g(f(1))$

$=g(2)$

$=6$ 답 ③

02 역함수의 성질에 의하여

$f(8)=2$이므로 $f^{-1}(2)=8$ 답 ④

03 $y=f(2x+3)$에서 x, y를 서로 바꾸어 쓰면
$x=f(2y+3)$이다.
그러므로
$2y+3=g(x)$
역함수는 $y=\frac{1}{2}g(x)-\frac{3}{2}$이다.
따라서 $a=\frac{1}{2}$, $b=-\frac{3}{2}$이다.
$\therefore\ a+b=-1$ 답 ④

04 합성함수와 역함수의 성질을 이용하여 주어진 그래프에서 함숫값을 구한다.

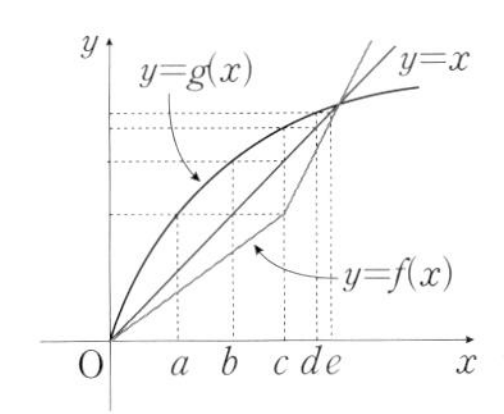

위의 그래프에서 $f(c)=b$이므로
$g^{-1}(f(c))=g^{-1}(b)$
$g^{-1}(b)=k$라 하면 $g(k)=b$이다.
주어진 그래프에서 $g(a)=b$이므로 $k=a$
즉 $g^{-1}(b)=a$이다. 답 ①

유형따라잡기 pp. 52~58

기출유형 01 ⑤	01. ③	02. ②	03. ⑤	04. 500
기출유형 02 ⑤	05. ⑤	06. ④	07. ②	08. ③
기출유형 03 ⑤	09. 4	10. ③	11. ②	12. ③
기출유형 04 ②	13. ④	14. ⑤	15. ③	16. 13
기출유형 05 ③	17. ②	18. ④	19. 2	20. ②
기출유형 06 ④	21. ①	22. 28	23. 5	24. ②
기출유형 07 ②	25. ②	26. ④	27. 490	28. ③

기출유형 01

Act① $(g\circ f)(3)=g(f(3))$의 값은 $f(3)$의 값을 먼저 구한 후 $g(x)$의 x 대신에 $f(3)$을 대입한다.
$f(3)=4$이므로
$(g\circ f)(3)=g(f(3))=g(4)=5$ 답 ⑤

01 **Act①** $(f\circ f)(2)=f(f(2))$의 값은 $f(2)$의 값을 먼저 구한 후 $f(x)$의 x 대신에 $f(2)$를 대입한다.
$f(2)=3$이므로
$(f\circ f)(2)=f(f(2))=f(3)=4$
$\therefore\ f(4)+(f\circ f)(2)=1+4=5$ 답 ③

02 **Act①** $(g\circ f)(3)=g(f(3))$의 값은 $f(3)$의 값을 먼저 구한 후 $g(x)$의 x 대신에 $f(3)$을 대입한다.
두 함수 $f(x)=2x+3$, $g(x)=x-2$에서
$f(3)=2\times3+3=9$이므로
$(g\circ f)(3)=g(f(3))$
$=g(9)$
$=9-2=7$ 답 ②

03 **Act①** $(g\circ f)(5)=g(f(5))$의 값은 $f(5)$의 값을 먼저 구한 후 $g(x)$의 x 대신에 $f(5)$를 대입한다.
두 함수 $f(x)=x-3$, $g(x)=x^2+1$에서
$f(5)=5-3=2$이므로
$(g\circ f)(5)=g(f(5))=g(2)$
$=2^2+1=5$ 답 ⑤

04 **Act①** $(f\circ g)(x)=f(g(x))$는 $f(x)$의 x 대신에 $g(x)$를 대입한 것임을 이용한다.
$(f\circ g)(x)=f(g(x))=a\left(\frac{1}{2}x+b\right)-6$
$=\frac{1}{2}ax+ab-6$
$\frac{1}{2}ax+ab-6=x$이므로 항등식의 성질에 의하여
$\frac{1}{2}a=1$, $ab-6=0$
$a=2$, $b=3$
$\therefore\ 100(a+b)=500$ 답 500

기출유형 02

Act① f^n꼴의 합성함수는 $f^1, f^2, f^3, \cdots$를 구하여 규칙을 찾는다.
$f^1(x)=f(x)=-x+3$에서
$f^2(x)=(f\circ f)(x)=f(f(x))$
$=f(-x+3)=-(-x+3)+3=x$
$f^3(x)=(f\circ f^2)(x)=f(f^2(x))$
$=f(x)=-x+3$
$f^4(x)=(f\circ f^3)(x)=f(f^3(x))$
$=f(-x+3)=-(-x+3)+3=x$
⋮
즉 $f^n(x)$는 $-x+3$, x가 순서대로 반복된다.
따라서 $f^{20}(x)=x$이므로 $f^{20}(10)=10$ 답 ⑤

05 **Act①** f^n꼴의 합성함수는 $f^1, f^2, f^3, \cdots$를 구하여 규칙을 찾는다.
$f^1(x)=f(x)=x+3$에서
$f^2(x)=(f\circ f)(x)=f(f(x))$
$=f(x+3)=(x+3)+3=x+6$
$f^3(x)=(f\circ f^2)(x)=f(f^2(x))$
$=f(x+6)=(x+6)+3=x+9$
$f^4(x)=(f\circ f^3)(x)=f(f^3(x))$
$=f(x+9)=(x+9)+3=x+12$
⋮
즉 $f^n(x)=x+3n$ (n은 자연수)
따라서 $f^{15}(x)=x+45$이므로
$f^{15}(5)=5+45=50$ 답 ⑤

06 **Act①** f^n꼴의 합성함수는 $f^1, f^2, f^3, \cdots$를 구하여 규칙을 찾는다.

주어진 함수의 정의에 따라 대응 관계를 나타내면 그림과 같다.

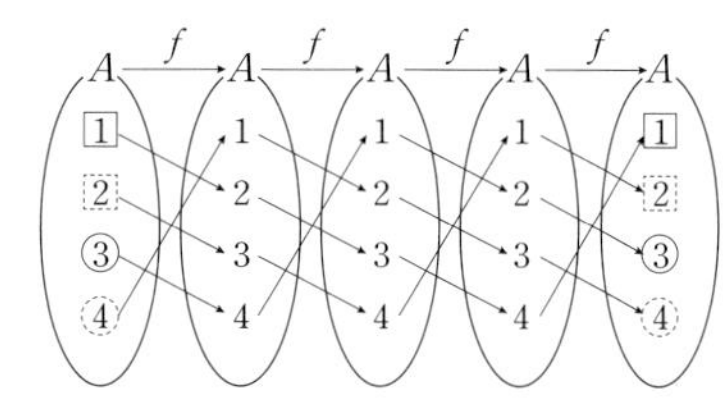

$f^4(x)=x$이므로

$f^{2012}(2)=f^{4\times503}(2)=2$

$f^{2013}(3)=f^{4\times503+1}(3)=f^1(3)=4$

$\therefore f^{2012}(2)+f^{2013}(3)=2+4=6$

답 ④

07 **Act①** f^n꼴의 합성함수는 $f^1, f^2, f^3, \cdots$를 구하여 규칙을 찾는다.

1은 유리수이고 $\sqrt{1}=1$이므로

$f^1(1)=f(1)=1,\ f^2(1)=1,\ \cdots,\ f^n(1)=1$

$\therefore f^{10}(1)=1$

$f^1(\sqrt{3})=f(\sqrt{3})=3,$

$f^2(\sqrt{3})=f(f(\sqrt{3}))=f(3)=\sqrt{3},$

$f^3(\sqrt{3})=(f\circ f^2)(\sqrt{3})=f(\sqrt{3})=3$

$f^4(\sqrt{3})=\sqrt{3},\ \cdots$

이므로 $f^{2n-1}(\sqrt{3})=3,\ f^{2n}(\sqrt{3})=\sqrt{3}$

$\therefore f^{11}(\sqrt{3})=3$

따라서 $f^{10}(1)+f^{11}(\sqrt{3})=1+3=4$

답 ②

08 **Act①** f^n꼴의 합성함수는 $f^1, f^2, f^3, \cdots$를 구하여 규칙을 찾는다.

$f^1\left(\frac{1}{2}\right)=f\left(\frac{1}{2}\right)=1$

$f^2\left(\frac{1}{2}\right)=f\left(f\left(\frac{1}{2}\right)\right)=f(1)=0$

$f^3\left(\frac{1}{2}\right)=f\left(f^2\left(\frac{1}{2}\right)\right)=f(0)=2$

$f^4\left(\frac{1}{2}\right)=f\left(f^3\left(\frac{1}{2}\right)\right)=f(2)=1$

$f^5\left(\frac{1}{2}\right)=f\left(f^4\left(\frac{1}{2}\right)\right)=f(1)=0$

$\vdots$

즉 $f^n\left(\frac{1}{2}\right)$의 값은 1, 0, 2가 이 순서대로 반복된다.

이때 $100=3\times33+1$이므로

$f^{100}\left(\frac{1}{2}\right)=f^1\left(\frac{1}{2}\right)=1$

답 ③

기출유형 03

Act① $f^{-1}(3)=a$로 놓고 $f(a)=3$을 만족하는 a의 값을 구한다.

$f^{-1}(3)=a$라 하면 역함수의 성질에 의하여 $f(a)=3$

$f(a)=2a-1=3,\ a=2$

$\therefore f^{-1}(3)=2$

답 ⑤

09 **Act①** $f^{-1}(5)=a$로 놓고 $f(a)=5$를 만족하는 a의 값을 구한다.

$f^{-1}(5)=a$라 하면 역함수의 성질에 의하여 $f(a)=5$

$f(a)=3a-7=5,\ a=4$

$\therefore f^{-1}(5)=4$

답 4

10 **Act①** $f^{-1}(5)=1$이므로 $f(1)=5$에서 k의 값을 구한다.

$f^{-1}(5)=1$이므로 역함수의 성질에 의하여 $f(1)=5$

$f(1)=2+k=5$

$\therefore k=3$

답 ③

11 **Act①** $f^{-1}(1)=2$이므로 $f(2)=1$을 만족하는 $f(x)$를 구한 후 $f(3)$의 값을 계산한다.

$f^{-1}(1)=2$이므로 역함수의 성질에 의하여 $f(2)=1$

$f(2)=4+a=1,\ a=-3$

따라서 $f(x)=2x-3$이므로

$f(3)=2\times3-3=3$

답 ②

12 **Act①** $f(2x+1)=4x+7$이므로 $f^{-1}(4x+7)=2x+1$에서 $f^{-1}(11)$의 값을 구한다.

$f(2x+1)=4x+7$의 역함수는 $f^{-1}(4x+7)=2x+1$이다.

$\therefore f^{-1}(11)=f^{-1}(4\times1+7)$

$=2\times1+1=3$

답 ③

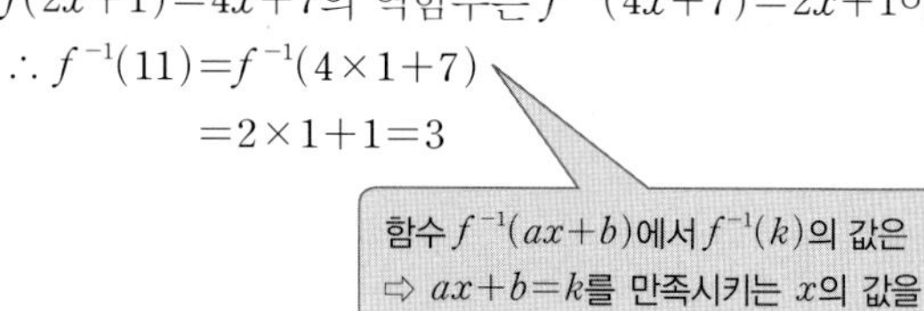

기출유형 04

Act① $(g^{-1}\circ f)(a)$의 값은 $g^{-1}(f(a))=k$로 놓고 $g(k)=f(a)$임을 이용한다.

$(f^{-1}\circ g)(3)=f^{-1}(g(3))=f^{-1}(1)$

$f^{-1}(1)=k$라 하면 $f(k)=1$이므로

$k=2$

$\therefore (f^{-1}\circ g)(3)=2$

답 ②

13 **Act①** $(g^{-1}\circ f)(a)$의 값은 $g^{-1}(f(a))=k$로 놓고 $g(k)=f(a)$임을 이용한다.

$(g^{-1}\circ f)(-1)=g^{-1}(f(-1))=g^{-1}(0)$

$g^{-1}(0)=k$라 하면 $g(k)=0$

$k-4=0,\ k=4$

$\therefore (g^{-1}\circ f)(-1)=4$

답 ④

14 **Act①** $(f^{-1}\circ g)(a)$의 값은 $f^{-1}(g(a))=k$로 놓고 $f(k)=g(a)$임을 이용한다.

$(f^{-1}\circ g)(1)=f^{-1}(g(1))=f^{-1}(1)$

$f^{-1}(1)=k$라 하면 $f(k)=1$

$k-10=1,\ k=11$

$\therefore (f^{-1}\circ g)(1)=11$

답 ⑤

15 **Act①** $(f\circ g^{-1})(k)$의 값은 $g^{-1}(k)=a$로 놓고 $g(a)=k$임을 이용한다.

$g^{-1}(k)=a$라 하면

$(f\circ g^{-1})(k)=f(a)=4a-5=7,\ a=3$

$g^{-1}(k)=3$이므로 $k=g(3)=10$ 답 ③

16 **Act ①** $(g\circ f^{-1})(2)$의 값은 $f^{-1}(2)=k$로 놓고 $f(k)=2$임을 이용한다.

$(g\circ f^{-1})(2)=g(f^{-1}(2))$

$f^{-1}(2)=k$라 하면 $f(k)=2$

$\frac{1}{2}k=2$, $k=4$

$\therefore g(f^{-1}(2))=g(4)=13$ 답 13

[다른 풀이]

$f(x)=\frac{1}{2}x$이므로 함수 $f^{-1}(x)$는

$x=\frac{1}{2}y$에서 $y=2x$

즉 $f^{-1}(x)=2x$이므로

$(g\circ f^{-1})(x)=g(f^{-1}(x))$

$=g(2x)$

$=4x+5$

$\therefore (g\circ f^{-1})(2)=4\times 2+5=13$

기출유형 05

Act ① 치역과 공역이 같을 때의 a, b의 값을 구한다.

함수 $f(x)$의 역함수가 존재하려면 $f(x)$는 일대일대응이어야 하므로 치역과 공역이 같아야 한다.

이때 $y=f(x)$의 그래프의 기울기가 음수이므로

$f(-1)=b$에서 $-2\times(-1)+1=b$, $b=3$

$f(1)=a$에서 $-2\times 1+1=a$, $a=-1$

$\therefore b-a=3-(-1)=4$ 답 ③

17 **Act ①** 치역과 공역이 같을 때의 a, b의 값을 구한다.

함수 $f(x)$의 역함수가 존재하려면 $f(x)$는 일대일대응이어야 하므로 치역과 공역이 같아야 한다.

이때 $y=f(x)$의 그래프의 기울기가 양수이므로

$f(-1)=a$에서 $-1-2=a$, $a=-3$

$f(1)=b$에서 $1-2=b$, $b=-1$

$\therefore ab=(-3)\times(-1)=3$ 답 ②

18 **Act ①** 임의의 두 원소 x_1, x_2에 대하여 $x_1\neq x_2$일 때 $f(x_1)\neq f(x_2)$를 만족시키는 것을 찾는다.

역함수가 존재하는 함수는 일대일대응이므로 $x_1\neq x_2$일 때 $f(x_1)\neq f(x_2)$를 만족시킨다.

ㄱ은 상수함수이므로 일대일대응이 아니고, ㄴ, ㄷ은 일대일대응이다. 답 ④

19 **Act ①** $x\geq 2$일 때와 $x<2$일 때의 직선의 기울기 $k+1$, $k-1$의 부호가 서로 같아야 함을 이용한다.

$$f(x)=\begin{cases}(k+1)x+1 & (x\geq 2)\\(k-1)x+5 & (x<2)\end{cases}$$

함수 $f(x)$의 역함수가 존재하려면 $f(x)$는 일대일대응이어야 하므로 $x\geq 2$일 때와 $x<2$일 때의 직선의 기울기 $k+1$, $k-1$의 부호가 서로 같아야 한다.

즉 $(k+1)(k-1)>0$이므로

$k<-1$ 또는 $k>1$

따라서 자연수 a의 최솟값은 2이다. 답 2

20 **Act ①** $x\geq 2$일 때와 $x<2$일 때의 직선의 기울기 $2-3a$, $2+3a$의 부호가 서로 같아야 함을 이용한다.

$$f(x)=\begin{cases}(2-3a)x+6a-2 & (x\geq 2)\\(2+3a)x-6a-2 & (x<2)\end{cases}$$

함수 $f(x)$의 역함수가 존재하려면 $f(x)$는 일대일대응이어야 하므로 $x\geq 2$일 때와 $x<2$일 때의 직선의 기울기 $2-3a$, $2+3a$의 부호가 서로 같아야 한다.

즉 $(2-3a)(2+3a)>0$이므로 $-\frac{2}{3}<a<\frac{2}{3}$

따라서 정수 a는 0으로 1개이다. 답 ②

기출유형 06

Act ① 역함수의 성질을 이용하여 주어진 식을 간단히 한다.

$(f^{-1}\circ(f^{-1}\circ g)^{-1}\circ f^{-1})(k)$

$=(f^{-1}\circ(g^{-1}\circ f)\circ f^{-1})(k)$

$=((f^{-1}\circ g^{-1})\circ(f\circ f^{-1}))(k)$

$=(f^{-1}\circ g^{-1})(k)$

$=f^{-1}(g^{-1}(k))=9$

이때 $g^{-1}(k)=f(9)$이므로 $g^{-1}(k)=18$

따라서 $g(18)=k$이므로 $k=18-10=8$ 답 ④

21 **Act ①** 역함수의 성질을 이용하여 주어진 식을 간단히 한다.

$f^{-1}\circ g=f$에서

$f\circ(f^{-1}\circ g)=f\circ f$,

$(f\circ f^{-1})\circ g=f\circ f$

이므로 $g=f\circ f$

$g(x)=(f\circ f)(x)=f(f(x))=f(2x+a)$

$=2(2x+a)+a=4x+3a$

따라서 $bx-9=4x+3a$이므로

$a=-3$, $b=4$

$\therefore a+b=1$ 답 ①

22 **Act ①** 역함수의 성질을 이용하여 주어진 식을 간단히 한다.

$f^{-1}(x)$는 $f(x)$의 역함수이므로 실수 a에 대하여

$(f\circ f^{-1})(a)=f(f^{-1}(a))=a$

이다.

$(f^{-1}\circ f\circ f^{-1})(a)=f^{-1}(f(f^{-1}(a)))=f^{-1}(a)$

$f^{-1}(a)=3$에서 역함수의 성질에 의하여

$a=f(3)=3^3+1=28$ 답 28

23 **Act ①** 역함수의 성질을 이용하여 주어진 식을 간단히 한다.

$g\circ(f^{-1}\circ g)^{-1}\circ g=g\circ(g^{-1}\circ f)\circ g$

$=(g\circ g^{-1})\circ(f\circ g)$

$=f\circ g$

이므로

$(g\circ(f^{-1}\circ g)^{-1}\circ g)(2)=(f\circ g)(2)$
$=f(g(2))$
$=f(1)=5$ 답 5

24 Act① 역함수의 성질을 이용하여 주어진 식을 간단히 한다.

$(f\circ g^{-1})(1)=f(g^{-1}(1))$
$=f(2)=3$,
$(g\circ f)^{-1}(4)=(f^{-1}\circ g^{-1})(4)$
$=f^{-1}(g^{-1}(4))$
$=f^{-1}(3)=2$
이므로
$(f\circ g^{-1})(1)+(g\circ f)^{-1}(4)=3+2=5$ 답 ②

기출유형 07

Act① $f(x)$의 그래프가 점 $(a,\ b)$를 지나면 $f^{-1}(x)$의 그래프가 점 $(b,\ a)$를 지남을 이용한다.

$(f^{-1}\circ g)^{-1}(3)=(g^{-1}\circ f)(3)$
$=g^{-1}(f(3))$
$=g^{-1}(4)$
이때 $g^{-1}(4)=k$라 하면 $g(k)=4$이므로 $k=6$
$\therefore\ (f^{-1}\circ g)^{-1}(3)=6$ 답 ②

25 Act① 그래프에서 $f^{-1}(a)=b$이면 $f(b)=a$임을 이용한다.

$f(b)=c$, $f(c)=d$에서
$f^{-1}(c)=b$, $f^{-1}(d)=c$이므로
$(f^{-1}\circ f^{-1})(d)=f^{-1}(f^{-1}(d))$
$=f^{-1}(c)$
$=b$ 답 ②

26 Act① $(1,\ -5)$는 f, f^{-1}의 교점이므로 $f(1)=-5$, $f^{-1}(1)=-5$ 에서 $f(x)$를 구해서 $f(0)$의 값을 계산한다.

함수 $f(x)=ax+b$의 그래프와 그 역함수의 그래프가 모두 점 $(1,\ -5)$를 지나므로
$f(1)=-5$, $f^{-1}(1)=-5$
이다.
$f(1)=-5$에서 $a+b=-5$ ……㉠
$f^{-1}(1)=-5$에서 $f(-5)=1$이므로
$-5a+b=1$ ……㉡
㉠, ㉡을 연립하여 풀면 $a=-1$, $b=-4$
따라서 $f(x)=-x-4$이므로
$f(0)=-4$ 답 ④

27 Act① $y=f(x)$와 역함수 $y=f^{-1}(x)$의 그래프의 교점은 함수 $y=f(x)$의 그래프와 직선 $y=x$의 교점과 같음을 이용한다.

함수 $y=x^2-6x\ (x\ge3)$의 그래프와 그 역함수 $y=f^{-1}(x)$의 그래프의 교점은 함수 $y=x^2-6x\ (x\ge3)$의 그래프와 직선 $y=x$의 교점과 같다.
이차함수 $y=x^2-6x$의 그래프와 직선 $y=x$의 교점의 x좌표를 구하면
$x^2-6x=x$, $x^2-7x=0$, $x(x-7)=0$
$x\ge3$이므로 $x=7$
따라서 $a=b=7$이므로 $10ab=490$ 답 490

28 Act① $f(x)=f^{-1}(x)$의 근은 방정식 $f(x)=x$의 근과 같음을 이용한다.

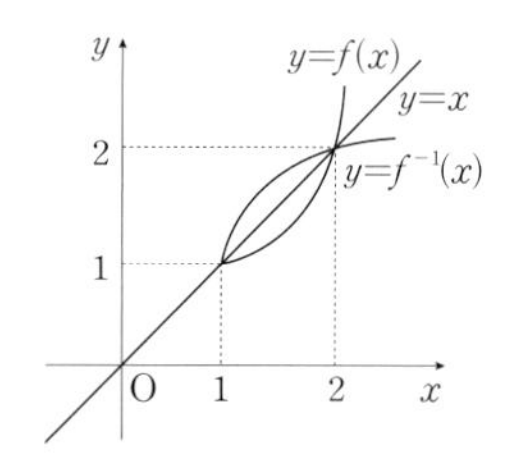

그림과 같이 방정식 $f(x)=f^{-1}(x)$의 근은 방정식 $f(x)=x$의 근과 같다.
$x\ge1$일 때 $x^2-2x+2=x$
$\therefore\ x=1$ 또는 $x=2$
따라서 방정식 $f(x)=f^{-1}(x)$의 근은 $x=1$ 또는 $x=2$이고 그 합은 3이다. 답 ③

VIT Very Important Test pp. 59~61

01. ③	02. ④	03. ⑤	04. ④	05. ③
06. 5	07. ③	08. 1	09. ②	10. 2
11. ②	12. 7	13. ①	14. ④	15. ⑤
16. ④	17. ③	18. ④		

01
$f(1)=3$, $(f\circ f)(1)=f(f(1))=f(3)=2$이므로
$f(1)\times(f\circ f)(1)=3\times2=6$ 답 ③

02
$(f\circ g)(2)=3$에서
$(f\circ g)(2)=f(g(2))$
$=f(a-2)$
$=2(a-2)+1$
$=2a-3=3$
따라서 $a=3$이므로
$(g\circ f)(2)=g(f(2))$
$=g(5)=-5+3=-2$ 답 ④

03
$(f\circ g)(x)=f(g(x))=f(2-x)$
$=2(2-x)+a=-2x+4+a$
$(g\circ f)(x)=g(f(x))=g(2x+a)$
$=2-(2x+a)=-2x+2-a$
$f\circ g=g\circ f$이므로
$-2x+4+a=-2x+2-a$
$2a=-2\quad\therefore\ a=-1$ 답 ⑤

04

$(f \circ g)(x)=f(g(x))=f(-x+k)$

$=3(-x+k)+1=-3x+3k+1$

$(g \circ f)(x)=g(f(x))=g(3x+1)$

$=-(3x+1)+k=-3x+k-1$

$f \circ g=g \circ f$이므로

$-3x+3k+1=-3x+k-1$, $2k=-2$

$\therefore k=-1$

따라서 $g(x)=-x-1$이므로

$g(4)=-5$ 답 ④

05

$g(x)$가 일차함수이므로

$g(x)=ax+b$ (a, b는 상수, $a\neq0$)

으로 놓으면 $g(1)=a+b=3$

이때

$(f \circ g)(x)=f(g(x))$

$(f \circ g)(x)=f(g(x))=f(ax+b)=ax+b+1$

$(g \circ f)(x)=g(f(x))=g(x+1)=a(x+1)+b=ax+a+b$

그런데 $f \circ g=g \circ f$이므로

$b+1=a+b$ 에서 $a=1$

$a+b=3$에서 $b=2$

$a=1$, $b=2$이므로 $g(x)=x+2$

$\therefore g(2)+g(3)=4+5=9$ 답 ③

06

$f(x)=ax+b$에 대하여

$(f \circ f)(x)=f(f(x))=f(ax+b)$

$=a(ax+b)+b=a^2x+ab+b$

이때 $(f \circ f)(x)=9x+8$이므로

$a^2x+ab+b=9x+8$

즉 $a^2=9$, $ab+b=8$

$\therefore a=3$, $b=2$

따라서 $f(x)=3x+2$이므로

$f(1)=5$ 답 5

07

$(g \circ h)(x)=g(h(x))=2h(x)+1$이므로

$(g \circ h)(x)=f(x)$에서

$2h(x)+1=\frac{2}{3}x+2$

따라서 $h(x)=\frac{1}{3}x+\frac{1}{2}$이므로

$h(3)=\frac{1}{3}\times3+\frac{1}{2}=\frac{3}{2}$ 답 ③

08

$(f \circ g)(x)=f(g(x))$

$=f(2x^2+x-3)$

$=(2x^2+x-3)-2$

$=2x^2+x-5$

$(g \circ f)(x)=g(f(x))$

$=g(x-2)$

$=2(x-2)^2+(x-2)-3$

$=2(x^2-4x+4)+(x-2)-3$

$=2x^2-7x+3$

$(f \circ g)(x)=(g \circ f)(x)$에서

$2x^2+x-5=2x^2-7x+3$

$8x=8$, $x=1$

따라서 방정식 $(f \circ g)(x)=(g \circ f)(x)$의 근은 $x=1$이다.

답 1

09

$((h \circ g) \circ f)(x)=(h \circ (g \circ f))(x)$이고

$(g \circ f)(x)=x+2$이므로

$((h \circ g) \circ f)(x)=(h \circ (g \circ f))(x)$

$=h((g \circ f)(x))$

$=h(x+2)$

$=3(x+2)+2=3x+8$

$((h \circ g) \circ f)(x)=5$를 만족시키는 x의 값은 $3x+8=5$

$\therefore x=-1$ 답 ②

10

주어진 식에서

$f(1)=1$, $f(2)=3$, $f(3)=2$, $f(4)=4$

$f(2)=3$

$f^2(2)=f(f(2))=f(3)=2$

$f^3(2)=f(f^2(2))=f(2)=3$

$f^4(2)=f(f^3(2))=f(3)=2$

⋮

n이 자연수일 때, $f^{2n}(2)=2$

$\therefore f^{2018}(2)=2$ 답 2

11

$f^{-1}(1)=3$에서 $f(3)=1$이므로

$6+k=1$ $\therefore k=-5$

따라서 $f(x)=2x-5$이므로 $f(2)=-1$ 답 ②

12

$f^{-1}(3)=1$에서 $f(1)=3$이고, $f(2)=1$이므로

$a+b=3$, $2a+b=1$

위 두 식을 연립하여 풀면

$a=-2$, $b=5$

$\therefore b-a=7$ 답 7

13

$f(x)=x+a$, $g(x)=bx-4$에서

$(f \circ g)=f(g(x))$

$=f(bx-4)$

$=bx-4+a=x-3$

이므로 $b=1$, $-4+a=-3$

따라서 $a=1$, $b=1$

$f(x)=x+1$, $g(x)=x-4$이고

$f^{-1}(2)=k$라 하면 $f(k)=2$이므로

$k+1=2$, $k=1$

$\therefore f^{-1}(2)=1$ 답 ①

14

$f^{-1}(2)=1$에서 $f(1)=2$이므로

$f(1)=a+b=2$ ……㉠

$(f\circ f)(1)=5$에서

$(f\circ f)(1)=f(f(1))=f(2)$이므로

$f(2)=2a+b=5$ ……㉡

㉠, ㉡을 연립하여 풀면 $a=3$, $b=-1$이므로

$f(x)=3x-1$

$f^{-1}(3)=k$라 하면 $f(k)=3$이고

$f(k)=3k-1=3$에서 $k=\frac{4}{3}$이므로

$f^{-1}(3)=\frac{4}{3}$ 답 ④

15

$(f^{-1}\circ g)(1)=f^{-1}(g(1))=f^{-1}(4)$

$f^{-1}(4)=k$라 하면 $f(k)=4$

즉 $-3k+1=4$이므로 $k=-1$

$\therefore (f^{-1}\circ g)(1)=-1$ 답 ⑤

16

함수 $f(x)$의 역함수가 존재하므로 $f(x)$가 일대일대응이어야 한다.

$x=0$, $x=2$일 때 두 함수 $y=\frac{1}{2}x^2+x+1$, $y=ax+b$의 그래프가 만나야 하므로

$b=1$, $2a+b=5$

위의 두 식을 연립하여 풀면 $a=2$, $b=1$

따라서

$$f(x)=\begin{cases}\frac{1}{2}x^2+x+1 & (0\le x\le 2)\\ 2x+1 & (x<0 \text{ 또는 } x>2)\end{cases}$$

이므로

$f(4)=2\times4+1=9$ 답 ④

17

함수 $y=f(x)$의 그래프와 그 역함수 $y=f^{-1}(x)$의 그래프가 모두 점 $(2, -4)$를 지나므로

$f(2)=-4$, $f^{-1}(2)=-4$

$f(2)=-4$에서 $2a+b=-4$ ……㉠

$f^{-1}(2)=-4$에서 $f(-4)=2$이므로

$-4a+b=2$ ……㉡

㉠, ㉡을 연립하여 풀면 $a=-1$, $b=-2$

$\therefore a+b=-3$ 답 ③

18

$(f\circ f)^{-1}(b)=(f^{-1}\circ f^{-1})(b)=f^{-1}(f^{-1}(b))$ ……㉠

$f^{-1}(b)=k$라 하면

$f(k)=b$ $\therefore k=c$

즉 $f^{-1}(b)=c$이므로

㉠에서

$f^{-1}(f^{-1}(b))=f^{-1}(c)$

$f^{-1}(c)=p$라 하면

$f(p)=c$ $\therefore p=d$

$\therefore (f\circ f)^{-1}(b)=d$ 답 ④

06 유리함수

pp. 62~63

01. ① **02.** ① **03.** ① **04.** ⑤

01 $\left(1-\frac{1}{x}\right)\times\frac{2x}{1-x}=\frac{x-1}{x}\times\frac{2x}{1-x}=-2$ 답 ①

02 $\dfrac{x}{1+\dfrac{1}{x-1}}=\dfrac{x(x-1)}{(x-1)+1}=x-1$ 답 ①

03 함수 $y=\frac{1}{x+3}+8$의 그래프의 두 점근선의 방정식은

$x=-3$, $y=8$이므로

$a=-3$, $b=8$

$\therefore a+b=-3+8=5$ 답 ①

04 유리함수 $y=\frac{ax+b}{cx+d}$의 그래프의 점근선은

$y=\frac{k}{x-p}+q$꼴로 변형하여 구한다.

$y=\frac{3x+2}{x-2}=\frac{3(x-2)+8}{x-2}=\frac{8}{x-2}+3$이므로

점근선은 $x=2$, $y=3$

따라서 $m=2$, $n=3$이므로

$m+n=5$ 답 ⑤

[다른 풀이]

$y=\frac{3x+2}{x-2}$에서

(i) 분모가 0일 때의 x의 값은 2이므로 y축에 평행한 점근선은 $x=2$

(ii) 분모, 분자의 x항의 계수의 비는 3이므로 x축에 평행한 점근선은 $y=3$

따라서 $m=2$, $n=3$이므로

$m+n=5$

유형따라잡기 pp. 64~69

기출유형 01 ⑤	01. ①	02. 3	03. ④	04. 3
기출유형 02 ⑤	05. ④	06. ④	07. ②	08. 4
기출유형 03 ②	09. ④	10. ②	11. ⑤	12. ①
기출유형 04 ④	13. 5	14. ⑤	15. ①	16. ②
기출유형 05 ③	17. ④	18. ⑤	19. ②	20. ③
기출유형 06 ②	21. 14	22. ⑤	23. 3	24. 12

기출유형 01

Act① 좌변과 우변의 분모가 같도록 우변을 통분한 다음 항등식의 성질을 이용한다.

$\frac{a}{x-2}+\frac{bx}{x^2+1}$를 통분하여 정리하면

$$\frac{a}{x-2}+\frac{bx}{x^2+1}=\frac{a(x^2+1)+bx(x-2)}{(x+1)(x^2+1)}$$
$$=\frac{(a+b)x^2-2bx+a}{(x-2)(x^2+1)}$$

항등식의 성질에 의하여

$a+b=0$, $-2b=2$, $a=1$

따라서 $a=1$, $b=-1$이므로

$a-b=1-(-1)=2$

답 ⑤

01 **Act①** 양변에 x^2-1을 곱하여 정리한 다음 항등식의 성질을 이용한다.

양변에 x^2-1을 곱하여 정리하면

$3x+1=(a+b)x+(a-b)$

항등식의 성질에 의하여

$a+b=3$, $a-b=1$

두 식을 연립하여 풀면 $a=2$, $b=1$

$\therefore a+b=3$

답 ①

02 **Act①** 양변에 $(x+2)(x+4)$를 곱하여 정리한 다음 항등식의 성질을 이용한다.

주어진 식의 양변에 $(x+2)(x+4)$를 곱하여 정리하면

$(a+b)x+4a+2b=x+6$

항등식의 성질에 의하여

$a+b=1$, $4a+2b=6$

두 식을 연립하여 풀면 $a=2$, $b=-1$

$\therefore a-b=3$

답 3

03 **Act①** 양변에 $(x-1)(x^2+x+1)$을 곱하여 정리한 다음 항등식의 성질을 이용한다.

주어진 식의 양변에 $(x-1)(x^2+x+1)$을 곱하여 정리하면

$3x^2=(a+b)x^2+(a-b+1)x+a-1$

항등식의 성질에 의하여

$a+b=3$, $a-b+1=0$, $a-1=0$

따라서 $a=1$, $b=2$이므로

$ab=2$

답 ④

04 **Act①** 양변에 $(x-1)(x+1)^2$을 곱하여 정리한 다음 항등식의 성질을 이용한다.

주어진 등식의 양변에 $(x-1)(x+1)^2$을 곱하여 정리하면

$x^2-5=(a+b)x^2+(2a+2)x+a-b-2$

항등식의 성질에 의하여

$a+b=1$, $2a+2=0$, $a-b-2=-5$

따라서 $a=-1$, $b=2$이므로

$b-a=3$

답 3

기출유형 02

Act① $\frac{1}{AB}=\frac{1}{B-A}\left(\frac{1}{A}-\frac{1}{B}\right)$을 이용하여 부분분수로 변형하여 항등식의 성질을 이용한다.

$$\frac{1}{x(x+2)}+\frac{1}{(x+2)(x+4)}+\frac{1}{(x+4)(x+6)}$$
$$=\frac{1}{2}\left(\frac{1}{x}-\frac{1}{x+2}\right)+\frac{1}{2}\left(\frac{1}{x+2}-\frac{1}{x+4}\right)+\frac{1}{2}\left(\frac{1}{x+4}-\frac{1}{x+6}\right)$$
$$=\frac{1}{2}\left(\frac{1}{x}-\frac{1}{x+2}+\frac{1}{x+2}-\frac{1}{x+4}+\frac{1}{x+4}-\frac{1}{x+6}\right)$$
$$=\frac{1}{2}\left(\frac{1}{x}-\frac{1}{x+6}\right)$$
$$=\frac{1}{2}\times\frac{(x+6)-x}{x(x+6)}$$
$$=\frac{3}{x(x+6)}$$

따라서 $a=3$, $b=6$이므로

$a+b=9$

답 ⑤

05 **Act①** $\frac{1}{AB}=\frac{1}{B-A}\left(\frac{1}{A}-\frac{1}{B}\right)$을 이용하여 부분분수로 변형하여 항등식의 성질을 이용한다.

$$\frac{3}{x(x+3)}+\frac{4}{(x+3)(x+7)}+\frac{5}{(x+7)(x+12)}$$
$$=\frac{3}{3}\left(\frac{1}{x}-\frac{1}{x+3}\right)+\frac{4}{4}\left(\frac{1}{x+3}-\frac{1}{x+7}\right)$$
$$+\frac{5}{5}\left(\frac{1}{x+7}-\frac{1}{x+12}\right)$$
$$=\frac{1}{x}-\frac{1}{x+3}+\frac{1}{x+3}-\frac{1}{x+7}+\frac{1}{x+7}-\frac{1}{x+12}$$
$$=\frac{1}{x}-\frac{1}{x+12}$$
$$=\frac{(x+12)-x}{x(x+12)}$$
$$=\frac{12}{x(x+12)}$$

따라서 $a=12$, $b=12$이므로

$a+b=24$

답 ④

06 **Act①** 분모, 분자에 각각 x^2을 곱한다.

분모, 분자에 x^2을 곱하여 간단히 하면

$$\frac{x-\frac{1}{x}}{1-\frac{1}{x^2}}=\frac{x^3-x}{x^2-1}=\frac{x(x^2-1)}{x^2-1}=x$$

답 ④

07 **Act①** **분모의 제일 아래에서부터 차례로 같은 식을 곱하여 계산한다.**

$$1-\frac{1\times(1-x)}{\left(1-\frac{1}{1-x}\right)\times(1-x)}$$

$$=1-\frac{1-x}{1-x-1}$$

$$=1+\frac{1-x}{x}$$

$$=\frac{1}{x}$$

따라서 $a=1$, $b=0$ 이므로

$a+b=1$ 답 ②

08 **Act①** **분모의 제일 아래에서부터 차례로 같은 식을 곱하여 계산한다.**

$$\frac{x}{1+\frac{2}{x+1}}=\frac{x}{\frac{x+3}{x+1}}=\frac{x^2+x}{x+3}$$

$$=x-2+\frac{6}{x+3}$$

$$x-2+\frac{6}{x+3}=x+a+\frac{b}{x+3}$$

따라서 $a=-2$, $b=6$이므로

$a+b=4$ 답 4

기출유형 03

Act① $y=\frac{ax+b}{cx+d}$**의 그래프는** $y=\frac{k}{x-p}+q$ **꼴로 고쳐서 함수** $y=\frac{k}{x}$**의 그래프의 평행이동을 생각한다.**

$y=\frac{3x-1}{x-1}=\frac{3(x-1)+2}{x-1}=\frac{2}{x-1}+3$이므로

함수 $y=\frac{2}{x}$의 그래프를 x축의 방향으로 1만큼, y축의 방향으로 3만큼 평행이동하면 함수 $y=\frac{3x-1}{x-1}$의 그래프와 일치한다.

따라서 $a=1$, $b=3$이므로

$a+b=1+3=4$ 답 ②

[다른 풀이]

함수 $y=\frac{2}{x}$의 그래프를 x축의 방향으로 a만큼, y축의 방향으로 b만큼 평행이동하면

$$y=\frac{2}{x-a}+b=\frac{2+b(x-a)}{x-a}=\frac{bx+2-ab}{x-a}=\frac{3x-1}{x-1}$$

이므로 $a=1$, $b=3$

$\therefore a+b=1+3=4$

09 **Act①** $y=\frac{k}{x-q}+q$**는** $y=\frac{k}{x}$**의 그래프를** x**축의 방향으로** p**만큼,** y**축의 방향으로** q**만큼 평행이동한 것임을 생각한다.**

유리함수 $y=\frac{a}{x}$의 그래프를 x축의 방향으로 m만큼, y축의 방향으로 n만큼 평행이동하면 $y=\frac{a}{x-m}+n$이므로

두 함수 $y=\frac{a}{x-m}+n$과 $y=\frac{3}{x-2}+2$가 일치한다.

따라서 $a=3$, $m=2$, $n=2$이므로

$a+m+n=3+2+2=7$ 답 ④

10 **Act①** $y=\frac{ax+b}{cx+d}$**의 그래프는** $y=\frac{k}{x-p}+q$ **꼴로 고쳐서 함수** $y=\frac{k}{x}$**의 그래프의 평행이동을 생각한다.**

$y=\frac{2x+5}{x+1}=\frac{2(x+1)+3}{x+1}=\frac{3}{x+1}+2$이므로

이 그래프를 x축의 방향으로 1만큼, y축의 방향으로 -2만큼 평행이동하면 함수 $y=\frac{3}{x}$의 그래프와 일치한다.

따라서 $a=1$, $b=-2$, $k=3$이므로

$a+b+k=2$ 답 ②

11 **Act①** $y=\frac{k}{x}$**의 그래프를** x**축의 방향으로** p**만큼,** y**축의 방향으로** q**만큼 평행이동한 그래프의 식** $y=\frac{k}{x-p}+q$**에** $(5,\ a)$**를 대입한다.**

유리함수 $y=\frac{3}{x}$의 그래프를 x축의 방향으로 4만큼, y축의 방향으로 5만큼 평행이동한 그래프는 유리함수

$y=\frac{3}{x-4}+5$의 그래프와 같다.

$y=\frac{3}{x-4}+5$의 그래프가 점 $(5,\ a)$를 지나므로

$$a=\frac{3}{5-4}+5$$

$\therefore a=8$ 답 ⑤

12 **Act①** $y=\frac{k}{x-p}+q$**의 그래프를** y**축의 방향으로** a**만큼 평행이동한 그래프의 식** $y=\frac{k}{x-p}+q+a$**에** $(0,\ 0)$**을 대입한다.**

$y=\frac{1}{x+1}-3$의 그래프를 y축의 방향으로 a만큼 평행이동하면 $y=\frac{1}{x+1}-3+a$의 그래프이다.

이 그래프가 원점을 지나므로

$$0=\frac{1}{0+1}-3+a$$

$\therefore a=2$ 답 ①

[다른 풀이]

$y=\frac{1}{x+1}-3$의 그래프를 y축의 방향으로 a만큼 평행이동하면 원점을 지나므로 원점을 y축의 방향으로 $-a$만큼 평행이동한 점 $(0,\ -a)$는 $y=\frac{1}{x+1}-3$의 그래프를 지나므로

$$-a=\frac{1}{0+1}-3$$

$\therefore a=2$

기출유형 04

Act ① 유리함수 $y=\frac{ax+b}{cx+d}$의 그래프의 점근선은 $y=\frac{k}{x-p}+q$ 꼴로 변형하여 구한다.

$y=\frac{3x+1}{x-1}=\frac{4}{x-1}+3$이므로

점근선은 $x=1$, $y=3$

따라서 $a=1$, $b=3$이므로

$a+b=4$ 답 ④

13 **Act ①** 점근선의 교점이 (p, q)이면 $y=\frac{k}{x-p}+q$ 꼴이다.

두 점근선의 교점의 좌표가 $(-2, 3)$이므로

$y=\frac{k}{x+2}+3=\frac{3x+6+k}{x+2}=\frac{ax+2}{x+b}$

따라서 $a=3$, $b=2$이므로

$a+b=5$ 답 5

14 **Act ①** 유리함수 $y=\frac{ax+b}{cx+d}$의 그래프의 점근선은 $y=\frac{k}{x-p}+q$ 꼴로 변형하여 구한다.

$y=\frac{4x-5}{x-1}$

$=\frac{4(x-1)-1}{x-1}$

$=4+\frac{-1}{x-1}$

두 점근선은 $x=1$, $y=4$

따라서 $(a, b)=(1, 4)$이므로

$a+b=5$ 답 ⑤

15 **Act ①** $x=2$가 한 점근선이므로 $f(x)=\frac{x+b}{x-2}$ 꼴이고 $(3, 7)$을 대입하여 b의 값을 구한다.

직선 $x=2$가 한 점근선이므로 $a=2$

$\therefore f(x)=\frac{x+b}{x-2}$

유리함수 $f(x)$의 그래프가 점 $(3, 7)$을 지나므로

$7=\frac{3+b}{3-2}$, $b=4$

$\therefore a+b=6$ 답 ①

16 **Act ①** 유리함수의 그래프의 점근선을 이용하여 $f(x)$를 구해서 $f(4)$의 값을 계산한다.

점근선의 방정식이 $x=2$, $y=3$이므로

$f(x)=\frac{k}{x-2}+3$

$=\frac{3x-6+k}{x-2}$

$=\frac{ax+1}{x+b}$

$-6+k=1$에서 $k=7$

$f(x)=\frac{7}{x-2}+3$이므로

$f(4)=\frac{7}{4-2}+3=\frac{13}{2}$ 답 ②

[다른 풀이]

$f(x)=\frac{ax+1}{x+b}$

$=\frac{a(x+b)-ab+1}{x+b}$

$=\frac{-ab+1}{x+b}+a$

이때 함수 $f(x)$의 그래프의 점근선은

$x=-b$, $y=a$이므로

$a=3$, $b=-2$

$f(x)=\frac{7}{x-2}+3$이므로

$f(4)=\frac{7}{4-2}+3=\frac{13}{2}$

기출유형 05

Act ① 유리함수의 그래프의 대칭성에 의하여 $(-2, c)$가 점근선의 교점임을 이용하여 미지수를 구한다.

$y=\frac{3x+b}{x+a}$

$=\frac{-3a+b}{x+a}+3$ ……㉠

㉠의 그래프가 점 $(-2, c)$에 대하여 대칭이므로

$a=2$, $c=3$

㉠의 그래프가 점 $(2, 1)$을 지나므로

$1=\frac{6+b}{2+a}$에서 $a-b=4$

$\therefore b=-2$

따라서 $a+b+c=2+(-2)+3=3$

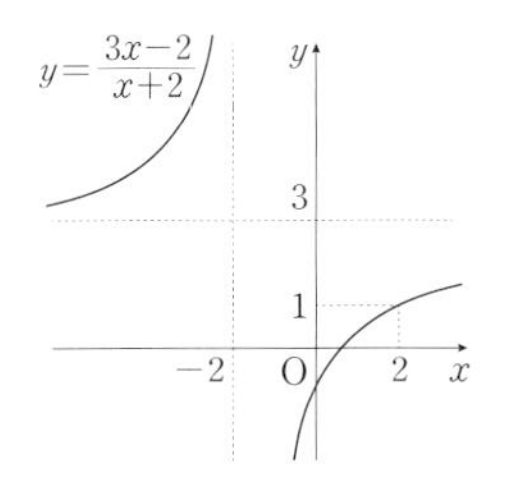

답 ③

17 **Act ①** 유리함수의 그래프의 성질을 이용하여 점근선의 교점을 구한다.

$f(x)=\frac{x+1}{2x-1}=\frac{\frac{1}{2}(2x-1)+\frac{3}{2}}{2x-1}$

$=\frac{\frac{3}{2}}{2x-1}+\frac{1}{2}$

$=\frac{\frac{3}{4}}{x-\frac{1}{2}}+\frac{1}{2}$

이므로 유리함수 $f(x)=\frac{\frac{3}{4}}{x-\frac{1}{2}}+\frac{1}{2}$의 그래프는 유리함수

$y=\dfrac{\frac{3}{4}}{x}$의 그래프를 x축의 방향으로 $\frac{1}{2}$만큼, y축의 방향으로 $\frac{1}{2}$만큼 평행이동한 그래프이다.

유리함수 $f(x)=\dfrac{\frac{3}{4}}{x-\frac{1}{2}}+\frac{1}{2}$의 그래프는 두 점근선의 교점 $\left(\frac{1}{2}, \frac{1}{2}\right)$에 대하여 대칭이므로 $p=\frac{1}{2}$, $q=\frac{1}{2}$이다.

$\therefore p+q=1$ 답 ④

보충

유리함수 $y=\dfrac{ax+b}{cx+d}$ (단, $ad-bc\neq0$, $c\neq0$)의 그래프의 점근선의 방정식은 $x=-\dfrac{d}{c}$, $y=\dfrac{a}{c}$이고, 그래프는 두 점근선의 교점 $\left(-\dfrac{d}{c}, \dfrac{a}{c}\right)$에 대하여 대칭이다.

18 **Act①** 유리함수 $y=\dfrac{k}{x-p}+q$의 그래프는 (p, q)를 지나고 기울기가 ±1인 직선에 대하여 대칭임을 이용하여 k의 값을 구한다.

$y=\dfrac{2x+1}{x-1}=\dfrac{2(x-1)+3}{x-1}=\dfrac{3}{x-1}+2$이므로

그래프의 점근선은 $x=1$, $y=2$

따라서 직선 $y=-x+k$는 점 $(1, 2)$를 지나므로

$k=3$ 답 ⑤

19 **Act①** 유리함수 $y=\dfrac{k}{x-p}+q$의 그래프는 (p, q)를 지나고 기울기가 ±1인 직선에 대하여 대칭임을 이용하여 k의 값을 구한다.

$y=\dfrac{3x-14}{x-5}=\dfrac{3(x-5)+1}{x-5}=\dfrac{1}{x-5}+3$

이므로 그래프의 점근선은 $x=5$, $y=3$

따라서 직선 $y=x+k$는 점 $(5, 3)$을 지나므로

$k=-2$ 답 ②

20 **Act①** 유리함수의 그래프의 성질을 이용하여 [보기]의 참, 거짓을 판별한다.

$y=\dfrac{3x+5}{x-1}=\dfrac{8}{x-1}+3$이므로 그 그래프는 다음과 같다.

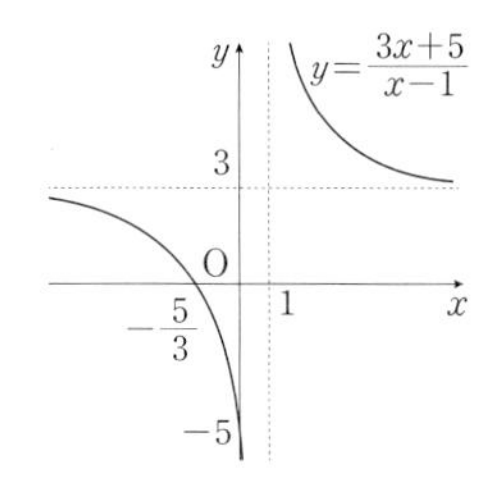

위의 그림에서

ㄱ. 점근선의 방정식은 $x=1$, $y=3$이다. (참)

ㄴ. 주어진 그래프는 제3사분면을 지난다. (참)

ㄷ. 주어진 그래프는 점근선의 교점 $(1, 3)$을 지나고 기울기가 1 또는 -1인 직선에 대하여 대칭이다.
이 직선의 방정식은
$y-3=\pm(x-1)$
즉 $y=x+2$ 또는 $y=-x+4$
이므로 주어진 그래프는 직선 $y=x+3$에 대하여 대칭이 아니다. (거짓)

따라서 옳은 것은 ㄱ, ㄴ이다. 답 ③

기출유형 06

Act① 주어진 함수와 그 역함수의 그래프가 일치하려면 점근선의 교점이 직선 $y=x$ 위에 있어야 함을 이용한다.

$y=\dfrac{2x-1}{x-a}=\dfrac{2(x-a)+2a-1}{x-a}$

$=\dfrac{2a-1}{x-a}+2$

이므로 점근선은 $x=a$, $y=2$

주어진 함수와 그 역함수의 그래프가 일치하려면 점근선의 교점이 직선 $y=x$ 위에 있어야 하므로 $a=2$ 답 ②

[다른 풀이]

함수 $y=\dfrac{2x-1}{x-a}$의 역함수를 구하면

$y=\dfrac{ax-1}{x-2}$

$y=\dfrac{2x-1}{x-a}$과 $y=\dfrac{ax-1}{x-2}$의 그래프가 일치하므로 $a=2$

21 **Act①** $f(x)$의 점근선에서 a, b의 값을 구한 후 $f^{-1}(a+b)=k$이면 $f(k)=a+b$임을 이용하여 푼다.

$f(x)=\dfrac{4x+9}{x-1}=\dfrac{4(x-1)+13}{x-1}$

$=\dfrac{13}{x-1}+4$

이므로 점근선은

$x=1$, $y=4$

따라서 $a=1$, $b=4$

$f^{-1}(a+b)=f^{-1}(5)=k$라 하면

$f(k)=\dfrac{4k+9}{k-1}=5$

$4k+9=5k-5$, $k=14$

$\therefore f^{-1}(a+b)=f^{-1}(5)=14$ 답 14

22 **Act①** 주어진 함수의 역함수를 구하고 $y=\dfrac{k}{x-p}+q$의 그래프가 점근선의 교점 (p, q)에 대하여 대칭임을 생각한다.

$f(x)=\dfrac{2x+5}{x+3}$의 역함수는

$f^{-1}(x)=\dfrac{-3x+5}{x-2}$

$=\dfrac{-3(x-2)-1}{x-2}=\dfrac{-1}{x-2}-3$

이므로 함수 $f^{-1}(x)$의 그래프는 점 $(2, -3)$에 대하여 대칭이다.

따라서 $p=2$, $q=-3$이므로

$p-q=5$ 답 ⑤

[다른 풀이]

$f(x)=\frac{2x+5}{x+3}=\frac{2(x+3)-1}{x+3}=\frac{-1}{x+3}+2$이므로 $f(x)$의 그래프는 점 $(-3,\ 2)$에 대하여 대칭이다.

또한 함수 $y=f(x)$의 그래프와 함수 $y=f^{-1}(x)$의 그래프는 직선 $y=x$에 대하여 대칭이다.

점 $(-3,\ 2)$를 직선 $y=x$에 대하여 대칭이동하면 점 $(2,\ -3)$이므로 $y=f^{-1}(x)$의 그래프는 점 $(2,\ -3)$에 대하여 대칭이다.

따라서 $p=2$, $q=-3$이므로

$p-q=5$

23 **Act①** **$f(x)$가 미지수를 포함하고 있으므로 $f^{-1}(x)=\frac{2x+3}{x+4}$의 역함수가 $f(x)=\frac{ax+b}{-x+c}$임을 이용한다.**

$(f^{-1})^{-1}(x)=f(x)$이므로

$f^{-1}(x)=\frac{2x+3}{x+4}$의 역함수는 $y=\frac{-4x+3}{x-2}$이다.

이때 $f(x)=\frac{ax+b}{-x+c}=\frac{-4x+3}{x-2}=\frac{4x-3}{-x+2}$이므로

$a=4$, $b=-3$, $c=2$

$\therefore a+b+c=3$ 답 3

24 **$y=\frac{ax+1}{2x-6}$, $y=\frac{bx+1}{2x+6}$의 그래프가 직선 $y=x$에 대하여 대칭이면 두 함수는 서로 역함수임을 이용한다.**

$y=\frac{ax+1}{2x-6}$, $y=\frac{bx+1}{2x+6}$의 그래프가 직선 $y=x$에 대하여 대칭이므로 두 함수는 서로 역함수이다.

$y=\frac{ax+1}{2x-6}$의 역함수는 $y=\frac{6x+1}{2x-a}$이다.

이때 $y=\frac{6x+1}{2x-a}=\frac{bx+1}{2x+6}$이므로

$a=-6$, $b=6$

$\therefore b-a=12$ 답 12

[다른 풀이]

두 분수함수의 그래프가 직선 $y=x$에 대하여 대칭이면 점근선의 교점도 직선 $y=x$에 대하여 대칭이다.

$y=\frac{ax+1}{2x-6}$의 점근선은 $x=3$, $y=\frac{a}{2}$이므로

점근선의 교점의 좌표는 $\left(3,\ \frac{a}{2}\right)$이다.

$y=\frac{bx+1}{2x+6}$의 점근선은 $x=-3$, $y=\frac{b}{2}$이므로

점근선의 교점의 좌표는 $\left(-3,\ \frac{b}{2}\right)$이다.

이때 두 점 $\left(3,\ \frac{a}{2}\right)$, $\left(-3,\ \frac{b}{2}\right)$가 직선 $y=x$에 대하여 대칭이려면 $3=\frac{b}{2}$, $\frac{a}{2}=-3$이어야 하므로

$a=-6$, $b=6$

$\therefore b-a=12$

VIT Very Important Test

pp. 70~71

01. ①	02. ③	03. ②	04. ③	05. ④
06. ③	07. ⑤	08. ②	09. 2	10. ④
11. ④	12. 8			

01

$$\frac{1}{1-x}+\frac{1}{x+1}+\frac{2}{x^2+1}+\frac{4}{x^4+1}$$
$$=\left(-\frac{1}{x-1}+\frac{1}{x+1}\right)+\frac{2}{x^2+1}+\frac{4}{x^4+1}$$
$$=\left\{\frac{-(x+1)+(x-1)}{x^2-1}+\frac{2}{x^2+1}\right\}+\frac{4}{x^4+1}$$
$$=\left(\frac{-2}{x^2-1}+\frac{2}{x^2+1}\right)+\frac{4}{x^4+1}$$
$$=\frac{-2(x^2+1)+2(x^2-1)}{x^4-1}+\frac{4}{x^4+1}$$
$$=\frac{-4}{x^4-1}+\frac{4}{x^4+1}$$
$$=\frac{-4(x^4+1)+4(x^4-1)}{(x^4-1)(x^4+1)}$$
$$=-\frac{8}{x^8-1}$$

답 ①

02

$(x+2)(x-1)=x^2+x-2$이므로

등식 $\frac{a}{x+2}-\frac{b}{x-1}=\frac{x-7}{x^2+x-2}$의 양변에 $(x+2)(x-1)$을 곱하면

$a(x-1)-b(x+2)=x-7$

$(a-b)x-a-2b=x-7$

이 식이 x에 대한 항등식이므로 양변의 동류항의 계수를 비교하면

$a-b=1$, $-a-2b=-7$

두 식을 연립하여 풀면 $a=3$, $b=2$

$\therefore ab=6$ 답 ③

03

$y=\frac{2x+7}{x+3}=\frac{2(x+3)+1}{x+3}=\frac{1}{x+3}+2$

이므로 함수 $y=\frac{1}{x}$의 그래프를 x축의 방향으로 -3만큼, y축의 방향으로 2만큼 평행이동한 것이다.

따라서 $m=-3$, $n=2$이므로

$m+n=-1$ 답 ②

04

$(g\circ f)(1)=g(f(1))$
$=g(-1)=2$

$(f\circ g)(1)=f(g(1))$
$=f(1)=-1$

$\therefore (g\circ f)(1)-(f\circ g)(1)=2-(-1)=3$ 답 ③

05

점근선의 방정식이 $x=3$, $y=4$이므로 주어진 함수를

$y=\dfrac{k}{x-3}+4\ (k\neq0)$로 놓을 수 있다.

이 함수의 그래프가 점 $(1,\ 2)$를 지나므로

$2=\dfrac{k}{1-3}+4 \quad \therefore k=4$

따라서 $y=\dfrac{4}{x-3}+4=\dfrac{4x-8}{x-3}$이므로

$a=4$, $b=-8$, $c=-3$

$\therefore a+b+c=-7$ 답 ④

06

주어진 함수의 그래프의 점근선의 방정식이 $x=3$,

$y=2$이므로 $y=\dfrac{k}{x-3}+2\ (k\neq0)$로 놓는다.

주어진 그래프가 점 $(-1,\ 0)$을 지나므로

$0=\dfrac{k}{-4}+2$, 즉 $k=8$

따라서 $y=\dfrac{8}{x-3}+2=\dfrac{8+2x-6}{x-3}=\dfrac{2x+2}{x-3}$이므로

$a=2$, $b=1$, $c=-3$

$\therefore a+b+c=2+1-3=0$ 답 ③

07

주어진 함수는

$y=\dfrac{2x-1}{x-2}=\dfrac{2(x-2)+3}{x-2}=\dfrac{3}{x-2}+2$

이므로 함수 $y=\dfrac{2x-1}{x-2}$의 그래프는 함수 $y=\dfrac{3}{x}$의 그래프를 x축의 방향으로 2만큼, y축의 방향으로 2만큼 평행이동한 것으로 그림과 같다.

이때

$x=3$일 때 $y=5$,

$x=8$일 때 $y=\dfrac{5}{2}$

이므로

$M=5$, $m=\dfrac{5}{2}$

$\therefore M+m=\dfrac{15}{2}$ 답 ⑤

08

$y=\dfrac{3x+k}{x+1}=\dfrac{k-3}{x+1}+3$

에서 점근선의 방정식이 $x=-1$, $y=3$이므로 주어진 함수의 그래프가 모든 사분면을 지나려면 그림과 같이

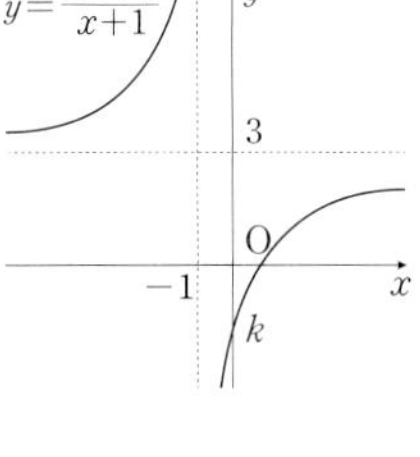

$k-3<0$, 즉 $k<3$ ……㉠

이고

$f(0)=k<0$ ……㉡

이어야 한다.

따라서 ㉠, ㉡을 동시에 만족시키는 모든 k의 값의 범위는 $k<0$이므로 구하는 정수 k의 최댓값은 -1이다. 답 ②

09

$y=\dfrac{2x+1}{x-3}=\dfrac{2(x-3)+7}{x-3}=\dfrac{7}{x-3}+2$

이고, 주어진 함수를 x축의 방향으로 2만큼, y축의 방향으로 -1만큼 평행이동하면

$y-(-1)=\dfrac{7}{(x-2)-3}+2$

즉 $y=\dfrac{7}{x-5}+1$ ……㉠

이때 ㉠의 그래프는 점 $(5,\ 1)$에 대하여 대칭이므로

$p=5$, $q=1$

또, $y=\dfrac{7}{x-5}+1$의 그래프는 기울기가 1이고, 점근선의 교점 $(5,\ 1)$을 지나는 직선에 대하여 대칭이므로 직선 $y=x+k$는 점 $(5,\ 1)$을 지나야 한다.

즉 $1=5+k$에서 $k=-4$

$\therefore p+q+k=5+1+(-4)=2$ 답 2

10

$f(x)=\dfrac{ax+b}{x-1}$의 그래프가 점 $(2,\ 3)$을 지나므로

$3=\dfrac{2a+b}{2-1} \quad \therefore 2a+b=3$ ……㉠

또 $f(x)=\dfrac{ax+b}{x-1}$의 역함수의 그래프가 점 $(2,\ 3)$을 지나므로

$f(x)=\dfrac{ax+b}{x-1}$의 그래프는 점 $(3,\ 2)$를 지난다.

$2=\dfrac{3a+b}{3-1} \quad \therefore 3a+b=4$ ……㉡

㉠, ㉡을 연립하여 풀면 $a=1$, $b=1$

$\therefore a+b=2$ 답 ④

11

$(f\circ g)(x)=x$에서 함수 $g(x)$는 함수 $f(x)$의 역함수이다.

$y=\dfrac{3x-4}{x+2}$로 놓으면

$(x+2)y=3x-4$

$x(y-3)=-2y-4$

$x=\dfrac{-2y-4}{y-3}$

이때 x와 y를 서로 바꾸면

$y=\dfrac{-2x-4}{x-3}$, 즉 $g(x)=\dfrac{-2x-4}{x-3}$

따라서 $a=-2$, $b=-4$, $c=-3$이므로

$a-2b+3c=-2-2\times(-4)+3\times(-3)=-3$ 답 ④

12

$y=\dfrac{ax+1}{x-3}$로 놓고 x를 y로 나타내면

$x=\dfrac{3y+1}{y-a}$

x와 y를 서로 바꾸면 $y=\frac{3x+1}{x-a}$

이때 $y=\frac{ax+1}{x-3}$과 $y=\frac{3x+1}{x-a}$이 일치하므로

$\frac{ax+1}{x-3}=\frac{3x+1}{x-a}$, 즉 $a=3$

$\therefore f(5)=\frac{3\times5+1}{5-3}=8$ 답 8

07 무리함수

pp. 72~73

01. ① **02.** 20 **03.** ③ **04.** ③

01 무리식의 값이 실수가 되려면
(근호 안의 식의 값)≥0이어야 한다.
$8x^2+10x-3\geq0$에서 $(2x+3)(4x-1)\geq0$

$\therefore x\leq-\frac{3}{2}$ 또는 $x\geq\frac{1}{4}$

따라서 $a=-\frac{3}{2}$, $b=\frac{1}{4}$이므로 $a-b=-\frac{7}{4}$ 답 ①

02 $\frac{1}{\sqrt{x+1}+\sqrt{x}}+\frac{1}{\sqrt{x+1}-\sqrt{x}}$

$=\frac{\sqrt{x+1}-\sqrt{x}+\sqrt{x+1}+\sqrt{x}}{x+1-x}$

$=2\sqrt{x+1}$

구하는 식의 값은 $x=99$를 대입하면 20 답 20

03 그래프가 x축 위쪽에 있으므로 $y=p\sqrt{ax}$에서 p의 부호는 양수이다.
그래프가 y축 왼쪽에 있으므로 $x\leq0$이고 $ax\geq0$이어야 하므로
$a<0$ ($\because a\neq0$) 답 ③

04 함수 $y=\sqrt{x}$의 그래프를 x축의 방향으로 -2만큼, y축의 방향으로 9만큼 평행이동하면 $y=\sqrt{x+2}+9$의 그래프와 일치하므로

$a=-2$, $b=9$

$\therefore a+b=-2+9=7$ 답 ③

유형따라잡기

pp. 74~80

기출유형 01 ②	01. ③	02. ①	03. ③	04. 2
기출유형 02 ④	05. ③	06. ②	07. 2	08. ③
기출유형 03 ②	09. ④	10. ①	11. ③	12. ②
기출유형 04 ②	13. ③	14. ②	15. ①	16. ⑤
기출유형 05 ⑤	17. ②	18. ④	19. 17	20. 35
기출유형 06 ③	21. ①	22. ④	23. 7	24. ④
기출유형 07 3	25. ③	26. ①	27. 3	28. ④

기출유형 01

Act① 무리식의 값이 실수가 되려면 (근호 안의 식의 값)≥0, (분모)≠0임을 이용한다.

$3x+1\geq0$에서 $x\geq-\frac{1}{3}$

$1-2x>0$에서 $x<\frac{1}{2}$

$\therefore -\frac{1}{3}\leq x<\frac{1}{2}$

따라서 구하는 정수 x는 0으로 그 개수는 1이다. 답 ②

01 **Act①** 무리식의 값이 실수가 되려면 (근호 안의 식의 값)≥0임을 이용한다.

$-2x^2+2x+24\geq0$에서

$x^2-x-12\leq0$

$(x-4)(x+3)\leq0$

$\therefore -3\leq x\leq4$

따라서 정수 x는 -3, -2, $\cdots$, 3, 4로 그 개수는 8이다. 답 ③

02 **Act①** 무리식의 값이 실수가 되려면 (근호 안의 식의 값)≥0, (분모)≠0임을 이용한다.

$10-3x\geq0$에서 $x\leq\frac{10}{3}$

$x-3\neq0$에서 $x\neq3$

따라서 구하는 자연수 x는 1, 2로 그 합은 3이다. 답 ①

03 **Act①** 무리식의 값이 실수가 되려면 (근호 안의 식의 값)≥0, (분모)≠0임을 이용한다.

$x^2+x+1=\left(x+\frac{1}{2}\right)^2+\frac{3}{4}\geq\frac{3}{4}$

따라서 $x^2+x+1\geq0$의 해는 모든 실수이다.

$4-x\geq0$에서 $x\leq4$

$2x-3>0$에서 $x>\frac{3}{2}$

$\therefore \frac{3}{2}<x\leq4$

따라서 구하는 정수 x는 2, 3, 4로 그 개수는 3이다. 답 ③

04 **Act①** 무리식의 값이 실수가 되려면 (근호 안의 식의 값)≥0, (분모)≠0임을 이용한다.

$x+1\geq0$에서 $x\geq-1$

$3-x>0$에서 $x<3$

$\therefore -1\leq x<3$

따라서 구하는 정수 x는 -1, 0, 1, 2로 그 합은 2이다. 답 2

기출유형 02

Act① 그래프에서 대칭축의 위치와 y절편으로 a, b의 부호를 판별한 후 제곱근의 성질을 이용하여 주어진 식을 간단히 한다.

그래프에서 대칭축은 y축의 오른쪽이고 y절편은 음수이다.

$y=-x^2+ax+b$에서

(i) 대칭축 $x=\frac{a}{2}>0$이므로 $a>0$

(ii) y절편이 음수이므로 $b<0$

$\sqrt{(b-a)^2}+(\sqrt{a-b})^2=(a-b)+(a-b)=2a-2b$ 답 ④

05 Act① 제곱근의 성질을 이용하여 주어진 식을 간단히 한다.

$a+b=2-\sqrt{3}+\sqrt{2}>0$

이므로

$\sqrt{(a+b)^2}=|a+b|$

$=|2-\sqrt{3}+\sqrt{2}|=2-\sqrt{3}+\sqrt{2}$

또, $a-b=2-\sqrt{3}-\sqrt{2}=(1-\sqrt{3})+(1-\sqrt{2})<0$

이므로

$\sqrt{(a-b)^2}=|a-b|$

$=|2-\sqrt{3}-\sqrt{2}|=-2+\sqrt{3}+\sqrt{2}$

$\therefore \sqrt{(a+b)^2}+\sqrt{(a-b)^2}$

$=(2-\sqrt{3}+\sqrt{2})+(-2+\sqrt{3}+\sqrt{2})$

$=2\sqrt{2}$ 답 ③

06 Act① 분모를 통분하는 과정에서 분모가 유리화 되므로 분모를 통분하여 계산한다.

$\frac{1}{\sqrt{x+1}+\sqrt{x}}+\frac{1}{\sqrt{x+1}-\sqrt{x}}$

$=\frac{(\sqrt{x+1}-\sqrt{x})+(\sqrt{x+1}+\sqrt{x})}{(\sqrt{x+1}+\sqrt{x})(\sqrt{x+1}-\sqrt{x})}$

$=2\sqrt{x+1}$

따라서 $x=8$일 때 구하는 값은 6 답 ②

07 Act① 주어진 식의 좌변을 간단히 정리하여 a의 값을 구한다.

$\frac{\sqrt{x}}{\sqrt{x+1}-\sqrt{x-1}}\times\frac{\sqrt{x}}{\sqrt{x+1}+\sqrt{x-1}}$

$=\frac{(\sqrt{x})^2}{(\sqrt{x+1})^2-(\sqrt{x-1})^2}$

$=\frac{x}{(x+1)-(x-1)}$

$=\frac{x}{2}$

따라서 구하는 a의 값은 2 답 2

08 Act① 분모의 아래쪽부터 차례로 유리화를 한다.

$\frac{1}{2+(\sqrt{2}-1)}$의 분모를 유리화하면

$\frac{1}{2+(\sqrt{2}-1)}=\frac{1}{\sqrt{2}+1}$

$=\frac{(\sqrt{2}-1)}{(\sqrt{2}+1)(\sqrt{2}-1)}$

$=\sqrt{2}-1$

이와 같은 방법으로 주어진 식을 차례대로 유리화하면

$2+\cfrac{1}{2+\cfrac{1}{2+\cfrac{1}{2+(\sqrt{2}-1)}}}$

$=2+\cfrac{1}{2+\cfrac{1}{2+(\sqrt{2}-1)}}$

$=2+\frac{1}{2+(\sqrt{2}-1)}$

$=2+(\sqrt{2}-1)$

$=\sqrt{2}+1$ 답 ③

기출유형 03

Act① $y=f(x)$의 그래프를 x축의 방향으로 m, y축의 방향으로 n만큼 평행이동한 그래프의 식은 $y-n=f(x-m)$임을 이용한다.

함수 $y=\sqrt{x}+k$의 그래프를 x축의 방향으로 -1만큼, y축의 방향으로 1만큼 평행이동하면

$y=\sqrt{x+1}+k+1$

이 그래프가 점 $(0,\ 4)$를 지나므로

$k+2=4$

$\therefore k=2$ 답 ②

09 Act① $y=f(x)$의 그래프를 x축의 방향으로 m, y축의 방향으로 n만큼 평행이동한 그래프의 식은 $y-n=f(x-m)$임을 이용한다.

$y=\sqrt{3x}$의 그래프를 x축의 방향으로 1만큼, y축의 방향으로 2만큼 평행이동하면

$y-2=\sqrt{3(x-1)}$

$y=\sqrt{3x-3}+2$가 $y=\sqrt{3x+a}+b$와 일치하므로

$a=-3,\ b=2$

$\therefore a+b=-3+2=-1$ 답 ④

10 Act① $y=f(x)$의 그래프를 x축의 방향으로 m, y축의 방향으로 n만큼 평행이동한 그래프의 식은 $y-n=f(x-m)$임을 이용한다.

$y=\sqrt{a(x+3)}+2$의 그래프를 x축의 방향으로 b만큼, y축의 방향으로 c만큼 평행이동하면

$y=\sqrt{a(x+3-b)}+2+c=\sqrt{-3x}-2$

이므로

$a=-3,\ 3-b=0,\ 2+c=-2$

따라서 $a=-3,\ b=3,\ c=-4$이므로

$abc=36$ 답 ①

11 Act① $y=f(x)$의 그래프를 x축의 방향으로 m, y축의 방향으로 n만큼 평행이동한 그래프의 식은 $y-n=f(x-m)$임을 이용한다.

함수 $y=\sqrt{2x}$의 그래프를 x축의 방향으로 1만큼, y축의 방향으로 3만큼 평행이동하면

$y=\sqrt{2(x-1)}+3$

함수 $y=\sqrt{2(x-1)}+3$의 그래프가 점 $(9,\ a)$를 지나므로

$a=\sqrt{2(9-1)}+3=4+3=7$ 답 ③

12 Act① $y=f(x)$의 그래프를 x축의 방향으로 m, y축의 방향으로 n만큼 평행이동한 그래프의 식은 $y-n=f(x-m)$임을 이용한다.

무리함수 $y=\sqrt{ax}$의 그래프를 x축의 방향으로 1만큼, y축의 방향으로 -2만큼 평행이동하면

$y=\sqrt{a(x-1)}-2$
이 함수의 그래프가 원점을 지나므로
$0=\sqrt{a\times(0-1)}-2$
$\sqrt{-a}=2$
$-a=4$
$\therefore a=-4$ 답 ②

기출유형 04

Act① 무리함수의 그래프가 시작하는 점의 좌표가 (p, q)이면 함수의 식은 $y=\sqrt{k(x-p)}+q$ 꼴이다.

$y=-\sqrt{2x+a}+3=-\sqrt{2\left(x+\frac{a}{2}\right)}+3$이므로
함수 $y=-\sqrt{2x+a}+3$의 그래프는 함수 $y=-\sqrt{2x}$의 그래프를 x축의 방향으로 $-\frac{a}{2}$만큼, y 축의 방향으로 3만큼 평행이동시킨 그래프이다.
주어진 그림에 의하여
$-\frac{a}{2}=2$, $b=3$
$\therefore a+b=(-4)+3=-1$ 답 ②

13 **Act① 무리함수의 그래프가 시작하는 점의 좌표가 (p, q)이면 함수의 식을 $y=\sqrt{k(x-p)}+q$ 꼴로 놓는다.**
함수 $f(x)$는 함수 $y=\sqrt{-x}$를 x축의 방향으로 2만큼, y축의 방향으로 1만큼 평행이동한 것이므로
$f(x)=\sqrt{-(x-2)}+1=\sqrt{-x+2}+1$
$\sqrt{-x+a}+b=\sqrt{-x+2}+1$에서
$a=2$, $b=1$
$\therefore a+b=3$ 답 ③

14 **Act① 무리함수의 그래프가 시작하는 점의 좌표가 (p, q)이면 함수의 식을 $y=\sqrt{k(x-p)}+q$ 꼴로 놓는다.**
무리함수 $y=f(x)$의 그래프는 무리함수 $y=\sqrt{x}$의 그래프를 x축의 방향으로 -2만큼, y축의 방향으로 -1만큼 평행이동한 것이므로
$f(x)=\sqrt{x+2}-1$
$f(7)=\sqrt{7+2}-1=2$ 답 ②

15 **Act① 주어진 그래프는 $(b, 1)$에서 시작하고 $(0, 3)$을 지남을 이용하여 a, b의 값을 구한다.**
그래프가 점 $(b, 1)$을 지나므로
$f(b)=\sqrt{-2b+4}+a=1$ ……㉠
그래프가 점 $(0, 3)$을 지나므로
$f(0)=2+a=3$ ……㉡
㉠, ㉡을 연립하여 풀면 $a=1$, $b=2$
$\therefore a+b=3$ 답 ①

16 **Act① 무리함수의 그래프가 시작하는 점의 좌표가 (p, q)이면 함수의 식을 $y=\sqrt{k(x-p)}+q$ 꼴로 놓고 $(1, 0)$을 지남을 이용하여 a, b의 값을 구한다.**

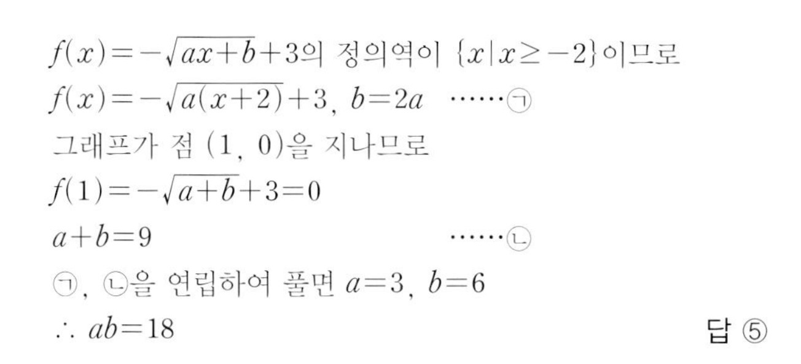

$f(x)=-\sqrt{ax+b}+3$의 정의역이 $\{x|x\geq-2\}$이므로
$f(x)=-\sqrt{a(x+2)}+3$, $b=2a$ ……㉠
그래프가 점 $(1, 0)$을 지나므로
$f(1)=-\sqrt{a+b}+3=0$
$a+b=9$ ……㉡
㉠, ㉡을 연립하여 풀면 $a=3$, $b=6$
$\therefore ab=18$ 답 ⑤

기출유형 05

Act① 정의역이 $\{x|x_1\leq x\leq x_2\}$인 무리함수 $f(x)=\sqrt{a(x-p)}+q$에서 $a>0$이면 $x=x_1$에서 최솟값을 가짐을 이용한다.

$1\leq x\leq 3$에서 무리함수 $f(x)=\sqrt{x}+a$는
$x=1$일 때 최솟값 6을 가지므로
$6=1+a$
$\therefore a=5$ 답 ⑤

17 **Act① 정의역이 $\{x|x_1\leq x\leq x_2\}$인 무리함수 $f(x)=\sqrt{a(x-p)}+q$에서 $a>0$이면 $x=x_1$에서 최솟값을 가짐을 이용한다.**
$-3\leq x\leq 5$에서 무리함수
$y=\sqrt{x+4}+5$는 $x=-3$일 때 최솟값을 가지므로
$\sqrt{-3+4}+5=6$ 답 ②

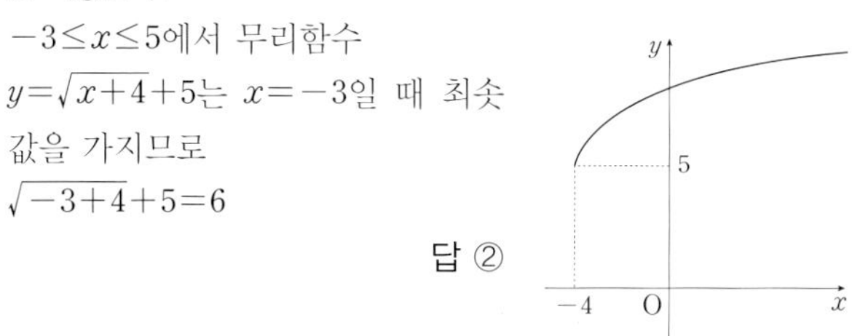

18 **Act① 정의역이 $\{x|x_1\leq x\leq x_2\}$인 무리함수 $f(x)=\sqrt{a(x-p)}+q$에서 $a<0$이면 $x=x_2$에서 최솟값을 가짐을 이용한다.**
$-1\leq x\leq 2$에서
무리함수 $y=\sqrt{k-x}+1$은 $x=2$에서 최솟값 2를 가지므로
$2=\sqrt{k-2}+1$, $\sqrt{k-2}=1$
$\therefore k=3$ 답 ④

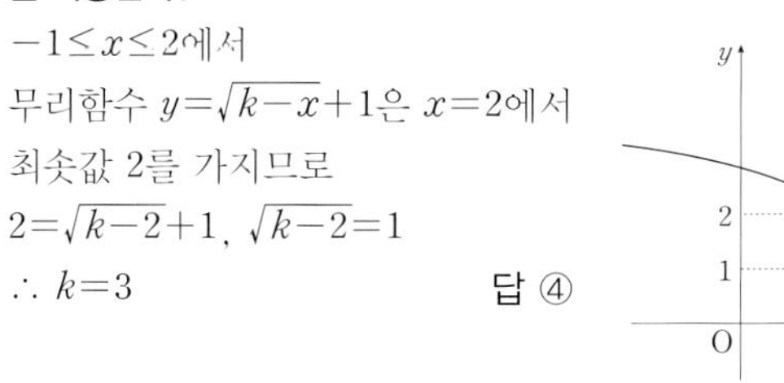

19 **Act① 정의역이 $\{x|x_1\leq x\leq x_2\}$인 무리함수 $f(x)=\sqrt{a(x-p)}+q$에서 $a>0$이면 $x=x_1$에서 최솟값, $x=x_2$에서 최댓값을 가짐을 이용한다.**
$0\leq x\leq 3$에서
무리함수 $y=2\sqrt{x+1}+k$는
$x=0$일 때 최솟값 m, $x=3$일 때 최댓값 M을 가지므로
$m=2\sqrt{0+1}+k=2+k$,
$M=2\sqrt{3+1}+k=4+k$
에서
$M+m=(4+k)+(2+k)$
$=6+2k$
$=40$
$\therefore k=17$ 답 17

20 **Act①** **정의역이 $\{x|x_1 \le x \le x_2\}$인 무리함수 $f(x)=\sqrt{a(x-p)}+q$에서 $a>0$이면 $x=x_1$에서 최솟값, $x=x_2$에서 최댓값을 가짐을 이용한다.**

$10 \le x \le a$에서 무리함수 $y=\sqrt{2x-4}-3$은
$x=10$일 때 최솟값, $x=a$일 때 최댓값을 가진다.
$x=10$일 때 최솟값이 m이므로
$m=\sqrt{2\times10-4}-3$
$=\sqrt{16}-3$
$=1$
$x=a$일 때 최댓값이 5이므로
$5=\sqrt{2a-4}-3$
$\sqrt{2a-4}=8$
$2a-4=64$
$a=34$
$\therefore a+m=35$ 답 35

기출유형 06

Act① **$y=f(x)$의 그래프와 그 역함수 $y=f^{-1}(x)$의 그래프의 교점의 좌표는 $y=f(x)$의 그래프와 직선 $y=x$의 교점의 좌표와 같음을 이용한다.**

$y=f(x)$의 그래프는 $y=\sqrt{x}$의 그래프를 x축의 방향으로 -4만큼, y축의 방향으로 1만큼 평행이동한 것이므로
$f(x)=\sqrt{x+4}+1$
이때 $y=f(x)$의 그래프와 그 역함수 $y=f^{-1}(x)$의 그래프의 교점의 좌표는 $y=f(x)$의 그래프와 직선 $y=x$의 교점의 좌표와 같다. 즉
$\sqrt{x+4}+1=x$
$\sqrt{x+4}=x-1$
$x+4=(x-1)^2$
$x^2-3x-3=0$
$\therefore x=\dfrac{3+\sqrt{21}}{2}$ $(\because x\ge1)$
따라서 함수 $y=f(x)$의 그래프와 그 역함수 $y=f^{-1}(x)$의 그래프의 교점의 좌표가 $\left(\dfrac{3+\sqrt{21}}{2}, \dfrac{3+\sqrt{21}}{2}\right)$이므로
$p=\dfrac{3+\sqrt{21}}{2}$, $q=\dfrac{3+\sqrt{21}}{2}$
$\therefore p+q=3+\sqrt{21}$ 답 ③

21 **Act①** **$y=\sqrt{x+2}$, $x=\sqrt{y+2}$는 서로 역함수이고, 두 그래프의 교점의 좌표는 $y=f(x)$의 그래프와 직선 $y=x$의 교점의 좌표와 같음을 이용한다.**

$y=\sqrt{x+2}$, $x=\sqrt{y+2}$는 서로 역함수이므로 두 함수의 그래프는 직선 $y=x$에 대하여 대칭이다. 두 함수의 그래프의 교점은 $y=\sqrt{x+2}$의 그래프와 직선 $y=x$의 교점과 같다.
$\sqrt{x+2}=x$의 양변을 제곱하면
$x+2=x^2$, $x^2-x-2=0$
$(x+1)(x-2)=0$ $\quad\therefore x=2$ $(\because x\ge0)$
따라서 주어진 두 함수의 그래프의 교점의 좌표는 $(2, 2)$이므로
$a+b=2+2=4$ 답 ①

22 **Act①** **역함수의 성질에서 $f^{-1}(10)=3$이면 $f(3)=10$임을 이용하여 상수 a의 값을 구한다.**

$f^{-1}(10)=3$이면 $f(3)=10$이므로
$f(3)=a\sqrt{3+1}+2$
$=2a+2=10$
$\therefore a=4$ 답 ④

23 **Act①** **역함수의 그래프가 $(2, 0)$, $(5, 7)$을 지나므로 주어진 함수의 그래프는 $(0, 2)$, $(7, 5)$를 지남을 이용한다.**

함수 $y=\sqrt{ax+b}$의 역함수의 그래프가 두 점 $(2, 0)$, $(5, 7)$을 지나므로 함수 $y=\sqrt{ax+b}$의 그래프는 두 점 $(0, 2)$, $(7, 5)$를 지난다.
$2=\sqrt{b}$에서 $b=4$
$5=\sqrt{7a+b}$에서 $7a+b=25$
따라서 $a=3$, $b=4$이므로
$a+b=7$ 답 7

24 **Act①** **$y=\sqrt{x+11}+1$의 그래프와 그 역함수의 그래프의 교점의 좌표는 $y=\sqrt{x+11}+1$의 그래프와 직선 $y=x$의 교점의 좌표와 같음을 이용한다.**

무리함수 $y=\sqrt{x+11}+1$의 그래프와 그 역함수의 그래프의 교점은 $y=\sqrt{x+11}+1$의 그래프와 직선 $y=x$의 교점과 같다.
$\sqrt{x+11}+1=x$에서
$\sqrt{x+11}=x-1$
양변을 제곱하면
$x+11=x^2-2x+1$
$x^2-3x-10=0$
$(x+2)(x-5)=0$
$x=-2$ 또는 $x=5$
이때 무리함수 $y=\sqrt{x+11}+1$의 정의역이 $\{x|x\ge-11\}$, 치역이 $\{y|y\ge1\}$이므로 점 A의 좌표는 $\mathrm{A}(5, 5)$이다.
$\therefore \overline{\mathrm{OA}}=\sqrt{5^2+5^2}=5\sqrt{2}$ 답 ④

기출유형 07

Act① **$(g\circ f)(5)=g(f(5))$이므로 $f(5)$의 값을 먼저 계산한다.**

두 함수 $f(x)=\dfrac{4}{x-1}+4$, $g(x)=\sqrt{x+4}$에서
$f(5)=\dfrac{4}{5-1}+4=5$,
$g(5)=\sqrt{5+4}=3$
이므로
$(g\circ f)(5)=g(f(5))=g(5)=3$ 답 3

25 **Act①** **$(g\circ f)(3)=g(f(3))$이므로 $f(3)$의 값을 먼저 계산한다.**

두 함수 $f(x)=\sqrt{x+1}-3$, $g(x)=x+1$에서
$f(3)=\sqrt{3+1}-3=-1$,
$g(-1)=0$
이므로
$(g\circ f)(3)=g(f(3))=g(-1)=0$ 답 ③

26 **Act ①** $(f\circ g)(1)=f(g(1))$이므로 $g(1)$의 값을 먼저 계산한다.

두 함수 $f(x)=x^2-1$, $g(x)=\sqrt{x+3}+1$에서

$g(1)=\sqrt{1+3}+1=3$,

$f(3)=3^2-1=8$

이므로

$(f\circ g)(1)=f(g(1))=f(3)=8$ 답 ①

27 **Act ①** $(g\circ f)(\sqrt{7})=g(f(\sqrt{7}))$이므로 $f(\sqrt{7})$의 값을 먼저 계산한다.

두 함수 $f(x)=x^2+3$, $g(x)=\sqrt{x-1}$에서

$f(\sqrt{7})=(\sqrt{7})^2+3=10$,

$g(10)=\sqrt{10-1}=3$

이므로

$(g\circ f)(\sqrt{7})=g(f(\sqrt{7}))=g(10)=3$ 답 3

28 **Act ①** $(f^{-1}\circ g)^{-1}=g^{-1}\circ f$, $f\circ f^{-1}=I$ (I는 항등함수)를 이용하여 합성함수를 간단히 한다.

$$(f\circ(f^{-1}\circ g)^{-1}\circ f^{-1})(2)=(f\circ g^{-1}\circ f\circ f^{-1})(2)$$
$$=(f\circ g^{-1})(2)$$
$$=f(g^{-1}(2))$$

Act ② $g^{-1}(2)=k$이면 $g(k)=2$임을 이용하여 k의 값을 구한다.

$g^{-1}(2)=k$라 하면 $g(k)=2$

$\sqrt{k-1}=2$에서 $k-1=4$, $k=5$

$\therefore f(g^{-1}(2))=f(5)=\dfrac{4}{5-1}+1=2$ 답 ④

VIT Very Important Test pp. 81~83

01. ⑤	02. ③	03. ①	04. ③	05. ⑤
06. 4	07. ④	08. ③	09. ②	10. ④
11. ⑤	12. ②	13. ④	14. ①	15. ③
16. ①	17. ②	18. 3		

01

$$\frac{\sqrt{x}+\sqrt{y}}{\sqrt{x}-\sqrt{y}}+\frac{\sqrt{x}-\sqrt{y}}{\sqrt{x}+\sqrt{y}}=\frac{(\sqrt{x}+\sqrt{y})^2+(\sqrt{x}-\sqrt{y})^2}{x-y}$$
$$=\frac{2x+2y}{x-y}=\frac{2(x+y)}{x-y}$$

답 ⑤

02

$f(x)=\sqrt{2x+1}+\sqrt{2x-1}$에서

$$\frac{1}{f(x)}=\frac{1}{\sqrt{2x+1}+\sqrt{2x-1}}$$
$$=\frac{\sqrt{2x+1}-\sqrt{2x-1}}{(2x+1)-(2x-1)}$$
$$=\frac{1}{2}(\sqrt{2x+1}-\sqrt{2x-1})$$

$$\therefore \frac{1}{f(1)}+\frac{1}{f(2)}+\cdots+\frac{1}{f(24)}$$
$$=\frac{1}{2}\{(\sqrt{3}-1)+(\sqrt{5}-\sqrt{3})+\cdots+(\sqrt{49}-\sqrt{47})\}$$
$$=\frac{1}{2}(\sqrt{49}-1)$$
$$=\frac{1}{2}(7-1)=3$$

답 ③

03

$y=\sqrt{4x-12}+7=\sqrt{4(x-3)}+7$

$=2\sqrt{x-3}+7$

이므로 주어진 함수의 그래프는 함수 $y=2\sqrt{x}$의 그래프를 x축의 방향으로 3만큼, y축의 방향으로 7만큼 평행이동한 것이다.

따라서 $a=2$, $p=3$, $q=7$이므로

$a+p+q=12$ 답 ①

04

$y=\sqrt{-2x+2}-1=\sqrt{-2(x-1)}-1$

즉 $y=\sqrt{-2x+2}-1$의 그래프는 $y=\sqrt{-2x}$의 그래프를 x축의 방향으로 1, y축의 방향으로 -1만큼 평행이동한 것이므로 다음 그림과 같다.

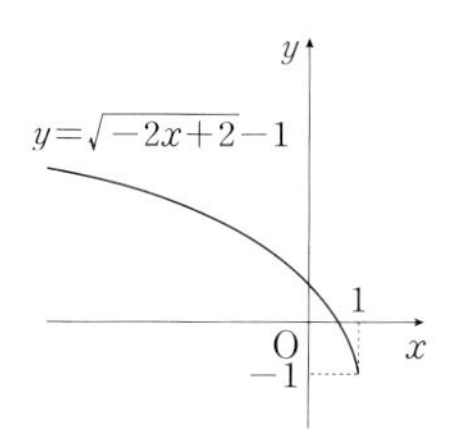

따라서 $y=\sqrt{-2x+2}-1$의 그래프가 지나지 않는 사분면은 제3사분면이다. 답 ③

05

$y=\sqrt{-2x+6}+1=\sqrt{-2(x-3)}+1$의 그래프는 다음과 같다.

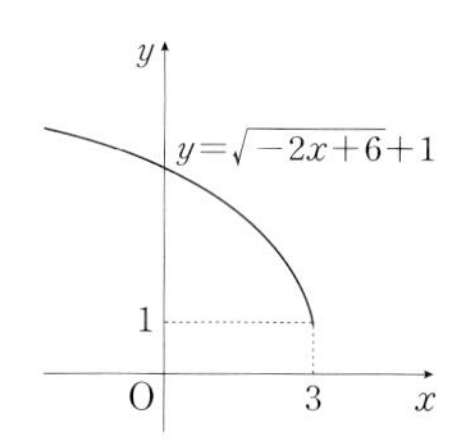

ㄱ. 정의역은 $\{x|x\le 3\}$, 치역은 $\{y|y\le 1\}$이다. (참)

ㄴ. $y=\sqrt{-2x}$의 그래프를 x축의 방향으로 3만큼, y축의 방향으로 1만큼 평행이동한 그래프이다. (거짓)

ㄷ. 제3, 4사분면을 지나지 않는다. (참)

따라서 옳은 것은 ㄱ, ㄷ이다. 답 ⑤

06

주어진 그래프는 $y=-\sqrt{ax}$ $(a<0)$의 그래프를 x축의 방향으로 4만큼, y축의 방향으로 1만큼 평행이동한 것이므로

$y=-\sqrt{a(x-4)}+1$ $(a<0)$

로 놓을 수 있다.

이 그래프가 점 $(0, -1)$을 지나므로

$-1=-\sqrt{-4a}+1$, $\sqrt{-4a}=2$,

$a=-1$

따라서 주어진 무리함수는

$y=-\sqrt{-(x-4)}+1=-\sqrt{-x+4}+1$

이므로 $a=-1$, $b=4$, $c=1$

$\therefore a+b+c=4$ 답 4

07

주어진 함수의 그래프는 $y=-\sqrt{ax}$ $(a>0)$의 그래프를 x축의 방향으로 -2만큼, y축의 방향으로 1만큼 평행이동한 것이므로 함수의 식을

$y=-\sqrt{a(x+2)}+1$ $(a>0)$

로 놓을 수 있다.

이 그래프가 점 $(0, -1)$을 지나므로

$-1=-\sqrt{2a}+1$, $\sqrt{2a}=2$

$\therefore a=2$

따라서

$y=-\sqrt{2(x+2)}+1=-\sqrt{2x+4}+1$

이므로 $a=2$, $b=4$, $c=1$

$\therefore abc=8$ 답 ④

08

주어진 함수의 그래프는 $y=\sqrt{ax}$ $(a>0)$의 그래프를 x축의 방향으로 p만큼, y축의 방향으로 q만큼 평행이동한 것이므로 $y=\sqrt{a(x-p)}+q$이다.

이 함수는

$y=\sqrt{ax+b}+c=\sqrt{a\left(x+\frac{b}{a}\right)}+c$

와 같으므로 $-\frac{b}{a}=p$, $c=q$

주어진 그래프에서 $a>0$, $p>0$, $q<0$

이므로

$a>0$, $b<0$, $c<0$ 답 ③

09

주어진 직선의 기울기는 음수이고 y절편은 양수이므로

$a<0$, $b>0$

즉 $-a>0$, $b>0$이므로 무리함수 $y=b\sqrt{-ax}$의 그래프의 개형은 ②와 같다. 답 ②

10

함수 $y=-2\sqrt{x+3}$의 그래프를 x축의 방향으로 1만큼, y축의 방향으로 3만큼 평행이동하면

$y-3=-2\sqrt{(x-1)+3}+3$, 즉 $y=-2\sqrt{x+2}+3$

이 그래프를 x축에 대하여 대칭이동하면

$-y=-2\sqrt{x+2}+3$

즉 $y=2\sqrt{x+2}-3=\sqrt{4x+8}-3$이므로

$a=4$, $b=8$, $c=-3$

$\therefore a+b+c=9$ 답 ④

11

ㄱ. $y=2\sqrt{-x}$의 그래프를 y축에 대하여 대칭이동하면 $y=2\sqrt{x}$의 그래프와 일치한다.

ㄴ. $y=-2\sqrt{x}+1=-(2\sqrt{x}-1)$의 그래프를 x축에 대하여 대칭이동한 후 y축의 방향으로 1만큼 평행이동하면 $y=2\sqrt{x}$의 그래프와 일치한다.

ㄷ. $y=-2\sqrt{-x}-1$의 그래프를 원점에 대하여 대칭이동한 후 y축의 방향으로 -1만큼 평행이동하면 $y=2\sqrt{x}$의 그래프와 일치한다.

따라서 주어진 그래프와 일치하는 것은 ㄱ, ㄴ, ㄷ이다. 답 ⑤

12

$y=\sqrt{2x}+2$에

$x=0$을 대입하면 $y=2$

$x=8$을 대입하면 $y=\sqrt{16}+2=6$

따라서 구하는 값은 $2+6=8$ 답 ②

13

$y=2-\sqrt{x+1}$의 그래프는 $y=-\sqrt{x}$의 그래프를 x축의 방향으로 -1만큼, y축의 방향으로 2만큼 평행이동한 것이다.

이때 $0\le x\le 3$에서 주어진 함수의 그래프는 오른쪽 그림과 같다.

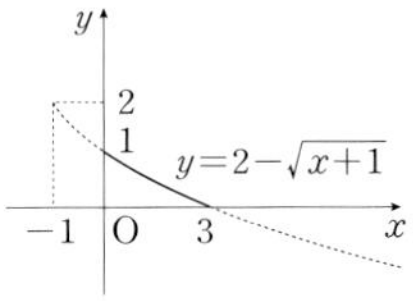

따라서 $x=0$일 때 최댓값이 1, $x=3$일 때 최솟값이 0이므로 $M=1$, $m=0$

$\therefore M+m=1$ 답 ④

14

$y=-\sqrt{3x+a}+b=-\sqrt{3\left(x+\frac{a}{3}\right)}+b$

따라서 $y=-\sqrt{3x+a}+b$는 $x=-\frac{a}{3}$일 때 최댓값을 가지므로

$b=4$

또, $x=4$일 때 함숫값이 1이므로

$-\sqrt{12+a}+b=1$, $-\sqrt{12+a}+4=1$

$-\sqrt{12+a}=-3$

양변을 제곱하면

$12+a=9$, $a=-3$

$\therefore a^2+b^2=(-3)^2+4^2=25$ 답 ①

15

$y=\sqrt{x-2}$로 놓고 양변을 제곱하면

$y^2=x-2$

x를 y의 식으로 나타내면 $x=y^2+2$

x와 y를 서로 바꾸면

$y=x^2+2$ $(x\ge 0)$

따라서 $f^{-1}(x)=x^2+2$ $(x\ge 0)$이므로

$a=1$, $b=0$, $c=2$

$\therefore a+b+c=3$ 답 ③

16

$f^{-1}(3)=k$라 하면

$f(k)=3$

$\frac{k+1}{k-1}=3$, $k+1=3k-3$

$2k=4$, $k=2$

$\therefore (g \circ f^{-1})(3)=g(f^{-1}(3))=g(2)$

$=\sqrt{5\times2-1}=3$ 답 ①

17

$f(2)=\frac{2-1}{2}=\frac{1}{2}$이므로

$(f \circ (g \circ f)^{-1} \circ f)(2)=(f \circ f^{-1} \circ g^{-1} \circ f)(2)$

$=(g^{-1} \circ f)(2)$

$=g^{-1}(f(2))=g^{-1}\left(\frac{1}{2}\right)$

$g^{-1}\left(\frac{1}{2}\right)=k$라 하면 $g(k)=\frac{1}{2}$이므로 $\sqrt{2k-1}=\frac{1}{2}$

양변을 제곱하면

$2k-1=\frac{1}{4}$, $k=\frac{5}{8}$

$\therefore (f \circ (g \circ f)^{-1} \circ f)(2)=\frac{5}{8}$ 답 ②

18

$g^{-1}(2)=k$라 하면 $g(k)=2$

$\sqrt{2k-3}=2$

양변을 제곱하면

$2k-3=4$, $k=\frac{7}{2}$

따라서 $g^{-1}(2)=\frac{7}{2}$이고

$(f \circ g^{-1})(2)=f(g^{-1}(2))=f\left(\frac{7}{2}\right)$

$=1+\frac{5}{\frac{7}{2}-1}=1+\frac{10}{5}=3$ 답 3

answers and explanations

Ⅲ 경우의 수

08 경우의 수

p. 84

01. ③ 02. ③ 03. ③

01. 6의 약수는 1, 2, 3, 6이다.

(ⅰ) 눈의 수의 합이 1인 경우는 없다.

(ⅱ) 눈의 수의 합이 2인 경우는 (1, 1)의 1가지

(ⅲ) 눈의 수의 합이 3인 경우는 (1, 2), (2, 1)의 2가지

(ⅳ) 눈의 수의 합이 6인 경우는 (1, 5), (5, 1), (2, 4), (4, 2), (3, 3)의 5가지

(ⅰ)~(ⅳ)의 경우는 동시에 일어날 수 없으므로 구하는 경우의 수는 합의 법칙에 의하여

$1+2+5=8$ 답 ③

02 십의 자리에 올 수 있는 숫자는 2, 4, 6, 8의 4가지이고, 일의 자리에 올 수 있는 숫자는 1, 3, 5, 7, 9의 5가지이므로 구하는 수의 개수는

$4\times5=20$ 답 ③

03 세 자리 자연수가 홀수가 되려면 일의 자리의 숫자가 홀수이어야 한다.

일의 자리의 숫자가 될 수 있는 것은

1, 3, 5, 7, 9의 5가지,

십의 자리의 숫자가 될 수 있는 것은 일의 자리에 사용된 숫자를 뺀 9가지,

백의 자리의 숫자가 될 수 있는 것은 일의 자리와 십의 자리에 사용된 숫자를 뺀 7가지

따라서 구하는 경우의 수는 $5\times8\times7=280$ 답 ③

유형따라잡기

pp. 85~89

기출유형 01 ③	01. ⑤	02. 10	03. 10	04. 6
기출유형 02 ①	05. ②	06. 60	07. ⑤	08. 12
기출유형 03 15	09. ③	10. ④	11. ③	12. ⑤
기출유형 04 ④	13. 12	14. ③	15. ③	16. ②
기출유형 05 ③	17. ②	18. ⑤	19. ②	20. ⑤

기출유형 01

Act① **눈의 수의 차가 3인 경우와 4인 경우를 나누어 구한다.**

(ⅰ) 차가 3인 경우:

(1, 4), (2, 5), (3, 6), (4, 1), (5, 2), (6, 3)의 6가지

(ii) 차가 4인 경우 :

(1, 5), (2, 6), (5, 1), (6, 2)의 4가지

(i), (ii)에서 중복되는 경우가 없으므로 구하는 경우의 수는

$6+4=10$

답 ③

01 **Act①** 눈의 수가 같은 경우와 눈의 수의 차가 3인 경우를 나누어 구한다.

두 주사위의 눈의 수를 각각 x, y라 하면

(i) 눈의 수가 같은 경우:

(1, 1), (2, 2), (3, 3), (4, 4), (5, 5), (6, 6)의 6가지

(ii) 눈의 수의 차가 3인 경우:

(1, 4), (2, 5), (3, 6), (6, 3), (5, 2), (4, 1)의 6가지

(i), (ii)에서 중복되는 경우가 없으므로 구하는 경우의 수는

$6+6=12$

답 ⑤

02 **Act①** 눈의 수의 차가 2인 경우와 5인 경우를 나누어 구한다.

(i) 차가 2인 경우:

(1, 3), (3, 1), (2, 4), (4, 2), (3, 5), (5, 3), (4, 6), (6, 4)로 8가지

(ii) 차가 5인 경우:

(1, 6), (6, 1)로 2가지

(i), (ii)에서 중복되는 경우가 없으므로 구하는 경우의 수는

$8+2=10$

답 10

03 **Act①** 두 자리 숫자의 합이 4인 경우와 6인 경우를 나누어 구한다.

십의 자리의 숫자를 a, 일의 자리의 숫자를 b라 할 때,

각 자리 숫자의 합이 4 또는 6인 수의 개수는 $a+b=4$ 또는 $a+b=6$을 만족시키는 순서쌍 (a, b)의 개수와 같다.

(i) $a+b=4$인 경우:

(4, 0), (3, 1), (2, 2), (1, 3)의 4가지

(ii) $a+b=6$인 경우:

(6, 0), (5, 1), (4, 2), (3, 3), (2, 4), (1, 5)의 6가지

(i), (ii)에서 중복되는 경우가 없으므로 구하는 경우의 수는

$4+6=10$

답 10

04 **Act①** $a=2$, $a=4$, $a=7$인 경우로 나누어 $a<b$를 만족시키는 경우의 수를 구한다.

(i) $a=2$인 경우

주어진 조건을 만족시키는 b의 값은

$b=3$ 또는 $b=5$ 또는 $b=8$

따라서 3가지 경우가 있다.

(ii) $a=4$인 경우

주어진 조건을 만족시키는 b의 값은

$b=5$ 또는 $b=8$

따라서 2가지 경우가 있다.

(iii) $a=7$인 경우

주어진 조건을 만족시키는 b의 값은

$b=8$뿐이므로 1가지 경우가 있다.

(i), (ii), (iii)에서 구하는 경우의 수는 6이다.

답 6

[다른 풀이]

(i) $b=2$일 때

주어진 조건을 만족시키는 a의 값은 없다.

(ii) $b=3$일 때

$a=2$뿐이므로 1가지 경우가 있다.

(iii) $b=5$일 때

$a=2$ 또는 $a=4$

따라서 2가지 경우가 있다.

(iv) $b=8$일 때

$a=2$ 또는 $a=4$ 또는 $a=7$

따라서 3가지 경우가 있다.

(i), (ii), (iii), (iv)에서 구하는 경우의 수는 6이다.

기출유형 02

Act① 첫 번째에는 짝수의 눈이 나오고 두 번째에는 3의 배수의 눈이 나오는 사건이 동시에 일어나므로 곱의 법칙을 이용한다.

첫 번째에 짝수의 눈이 나오는 경우는 2, 4, 6의 3가지이고, 그 각각에 대하여 두 번째에 3의 배수의 눈이 나오는 경우는 3, 6의 2가지이므로 구하는 경우의 수는 곱의 법칙에 의하여

$3\times2=6$

답 ①

05 **Act①** 각 사건이 동시에 일어나므로 곱의 법칙을 이용한다.

모자 4개 중에서 1개를 뽑는 경우의 수는 4,

목도리 2개 중에서 1개를 뽑는 경우의 수는 2

따라서 구하는 경우의 수는 곱의 법칙에 의하여

$4\times2=8$

답 ②

06 **Act①** 각 사건이 동시에 일어나므로 곱의 법칙을 이용한다.

백의 자리의 숫자가 될 수 있는 것은 2, 4, 6, 8의 4개

십의 자리의 숫자가 될 수 있는 것은 3, 6, 9의 3개

일의 자리의 숫자가 될 수 있는 것은 1, 3, 5, 7, 9의 5개

따라서 구하는 자연수의 개수는 곱의 법칙에 의하여

$4\times3\times5=60$

답 60

07 **Act①** 각 사건이 동시에 일어나므로 곱의 법칙을 이용한다.

십의 자리에 올 수 있는 숫자는 2, 4, 6, 8의 4가지이고,

일의 자리에 올 수 있는 숫자는 2, 3, 5, 7의 4가지이므로

구하는 수의 개수는 곱의 법칙에 의하여

$4\times4=16$

답 ⑤

08 **Act①** 각 사건이 동시에 일어나므로 곱의 법칙을 이용한다.

홀수의 눈의 수가 나오는 경우는 1, 3, 5로 3가지

6의 약수의 눈의 수가 나오는 경우는 1, 2, 3, 6으로 4가지

따라서 구하는 경우의 수는 곱의 법칙에 의하여

$3\times4=12$

답 12

기출유형 03

Act① 이어지는 길이면 곱의 법칙을 이용하고, 동시에 갈 수 없는 길이면 합의 법칙을 이용한다.

(i) A→B→C→D로 가는 경우: $2\times3\times2=12$(가지)

(ii) A→C→B→D로 가는 경우: $1\times3\times1=3$(가지)

(i), (ii)는 동시에 일어날 수 없으므로

구하는 경우의 수는 합의 법칙에 의하여 $12+3=15$ 답 15

09 **Act① 이어지는 길이면 곱의 법칙을 이용하고, 동시에 갈 수 없는 길이면 합의 법칙을 이용한다.**

(i) A→B→C→D로 가는 경우: $3\times2\times1=6$(가지)

(ii) A→C→D로 가는 경우: $2\times1=2$(가지)

(i), (ii)에서 지점 A에서 지점 D까지 가는 경우의 수는

$6+2=8$ 답 ③

10 **Act① 이어지는 길이면 곱의 법칙을 이용하고, 동시에 갈 수 없는 길이면 합의 법칙을 이용한다.**

(i) A→B→D로 가는 경우: $1\times3=3$(가지)

(ii) A→C→D로 가는 경우: $4\times2=8$(가지)

(i), (ii)에서 지점 A에서 지점 D까지 가는 경우의 수는

$3+8=11$ 답 ④

11 **Act① 이어지는 길이면 곱의 법칙을 이용하고, 동시에 갈 수 없는 길이면 합의 법칙을 이용한다.**

(i) A→B→D로 가는 경우: $2\times3=6$(가지)

(ii) A→C→D로 가는 경우: $2\times2=4$(가지)

(i), (ii)에서 A지점에서 B지점까지 가는 경우의 수는

$6+4=10$ 답 ③

12 **Act① 이어지는 길이면 곱의 법칙을 이용하고, 동시에 갈 수 없는 길이면 합의 법칙을 이용한다.**

(i) A→P→B→Q→A로 왕복하는 경우:

$3\times2\times4\times2=48$(가지)

(ii) A→Q→B→P→A로 왕복하는 경우:

$2\times4\times2\times3=48$(가지)

(i), (ii)에서 A지점에서 B지점까지 왕복하는 경우의 수는

$48+48=96$ 답 ⑤

기출유형 04

Act① 곱해지는 각 항이 모두 다른 문자이면 동류항이 생기지 않으므로 곱의 법칙을 이용한다.

주어진 식에서 $(a+b)$, $(p+q+r)$, $(x+y+z)$의 항은 각각 2개, 3개, 3개이다.

이때 곱해지는 각 항이 모두 다른 문자이므로 동류항이 생기지 않는다.

따라서 구하는 항의 개수는 곱의 법칙에서

$2\times3\times3=18$ 답 ④

13 **Act① 곱해지는 각 항이 모두 다른 문자이면 동류항이 생기지 않으므로 곱의 법칙을 이용한다.**

주어진 식에서 $(1+x+x^2)$, $(1+y+y^2+y^3)$의 항은 각각 3개, 4개이다.

이때 곱해지는 각 항이 모두 다른 문자이므로 동류항이 생기지 않는다.

따라서 구하는 항의 개수는 곱의 법칙에서

$3\times4=12$ 답 12

14 **Act① p를 포함하는 항은 $(a+b+c)(x+y+z)$의 전개식에 p를 곱한 것임을 생각한다.**

p를 포함하는 항은 $(a+b+c)(x+y+z)$의 전개식에 p를 곱한 것이다.

$(a+b+c)(x+y+z)$를 전개하였을 때의 전개식의 항의 개수는 곱의 법칙에 의하여 $3\times3=9$이다.

따라서 구하는 항의 개수는 9이다. 답 ③

15 **Act① 144를 소인수분해하였을 때, a^pb^q (a, b는 서로소)의 양의 약수의 개수는 $(p+1)(q+1)$임을 이용한다.**

144를 소인수분해하면

$144=2^4\times3^2$

2^4의 약수의 집합을 A, 3^2의 약수의 집합을 B라 하면

$A=\{1, 2, 2^2, 2^3, 2^4\}$

$B=\{1, 3, 3^2\}$

$\times$	1	3	3^2
1	1	3	3^2
2	2	2×3	2×3^2
2^2	2^2	$2^2\times3$	$2^2\times3^2$
2^3	2^3	$2^3\times3$	$2^3\times3^2$
2^4	2^4	$2^4\times3$	$2^4\times3^2$

이때 2^4의 약수 각각에 대하여 3^2의 약수를 각각 곱하면 144의 약수가 되므로 144의 양의 약수의 개수는

$n(A)\times n(B)=5\times3=15$(개) 답 ③

16 **Act① 최대공약수를 a^pb^q (a, b는 서로소)꼴로 나타내었을 때, 양의 약수의 개수는 $(p+1)(q+1)$임을 이용한다.**

$216=2^3\times3^3$, $360=2^3\times3^2\times5$이므로

216과 360의 최대공약수는 $2^3\times3^2$이다.

이때 216과 360의 공약수 개수는 $2^3\times3^2$의 약수의 개수와 같으므로 구하는 공약수의 개수는

$(3+1)\times(2+1)=12$ 답 ②

기출유형 05

Act① 각 영역을 A, B, C, D로 나타낸 다음, 각 영역에 색을 칠하는 사건은 잇달아 일어나므로 곱의 법칙을 이용한다.

4가지 색을 a, b, c, d라 하고, 각 영역을 다음 그림과 같이 A, B, C, D라 하자.

A에 a를 칠하는 경우를 수형도로 나타내어 보면

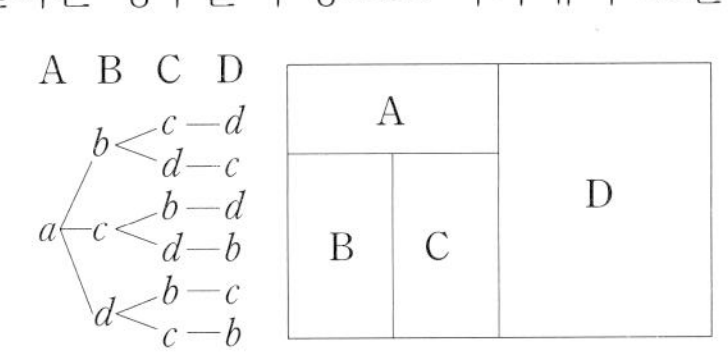

의 6가지이고, A에 b, c, d가 오는 경우가 있으므로

구하는 경우의 수는 곱의 법칙에 의하여 $4\times6=24$이다.

답 ③

17 **Act①** 각 영역에 색을 칠하는 사건은 잇달아 일어나므로 곱의 법칙을 이용한다.

A에 칠할 수 있는 색은 4가지,
B에 칠할 수 있는 색은 A에 칠한 색을 제외한 3가지,
C에 칠할 수 있는 색은 A와 B에 칠한 색을 제외한 2가지,
D에 칠할 수 있는 색은 B와 C에 칠한 색을 제외한 2가지이다.
따라서 구하는 방법의 수는
$4\times3\times2\times2=48$ 답 ②

18 **Act①** 각 영역을 A, B, C, D, E로 나타낸 다음, 각 영역에 색을 칠하는 사건은 잇달아 일어나므로 곱의 법칙을 이용한다.

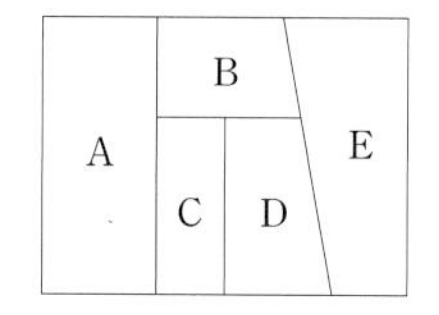

그림에서
(i) A에 칠할 수 있는 색은 4 가지이다.
(ii) B에 칠할 수 있는 색은 A에 칠한 색을 제외한 3 가지이다.
(iii) C에 칠할 수 있는 색은 A, B에 칠한 색을 제외한 2가지이다.
(iv) D에 칠할 수 있는 색은 B, C에 칠한 색을 제외한 2가지이다.
(v) E에 칠할 수 있는 색은 B, D에 칠한 색을 제외한 2가지이다.
따라서 구하는 방법의 수는
$4\times3\times2\times2\times2=96$ 답 ⑤

19 **Act①** 각 영역을 A, B, C, D, E로 나타낸 다음, 각 영역에 색을 칠하는 사건은 잇달아 일어나므로 곱의 법칙을 이용한다.

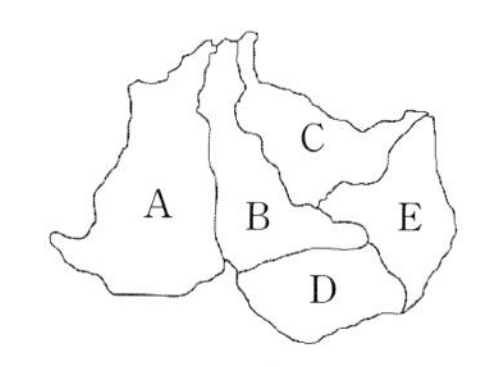

위의 지도에서
B지역 → E지역 → C지역 → D지역 → A지역
순으로 색을 칠하는 경우의 수는
$4\times3\times2\times2\times3=144$ 답 ②

[다른 풀이]
위의 지도에서
B지역 → C지역 → D지역 → E지역 → A지역 순으로 색을 칠할 때
(i) C, D지역에 같은 색을 칠하는 경우
$4\times3\times1\times2\times3=72$
(ii) C, D지역에 다른 색을 칠하는 경우
$4\times3\times2\times1\times3=72$
(i), (ii)에서 구하는 경우의 수는
$72+72=144$

20 **Act①** 이웃하지 않고 대칭인 위치에 있는 두 영역이 있으면 두 영역에 다른 색을 칠하는 경우와 두 영역에 같은 색을 칠하는 경우로 나누어서 구한다.

A에 칠할 수 있는 색은 5가지
B에 칠할 수 있는 색은 A에 칠한 색을 제외한 4가지
C에 칠할 수 있는 색은 A와 B에 칠한 색을 제외한 3가지
(i) D에 B와 같은 색을 칠하는 경우의 수는
$5\times4\times3\times1\times3=180$
(ii) D에 B와 다른 색을 칠하는 경우의 수는
$5\times4\times3\times2\times2=240$
따라서 구하는 경우의 수는
$180+240=420$ 답 ⑤

VIT Very Important Test pp. 90~91

01. ⑤	**02.** ③	**03.** 36	**04.** 150	**05.** ②
06. ④	**07.** ①	**08.** ③	**09.** ②	**10.** 16
11. ②	**12.** 48			

01

세 주사위 A, B, C에서 나오는 눈의 수를 각각 a, b, c라 하고 순서쌍 (a, b, c)로 나타낼 때, 눈의 수의 합이 5 이하가 되는 경우는 다음의 세 가지로 나누어 생각할 수 있다.
(i) $a+b+c=3$인 경우: (1, 1, 1) ⇨ 1가지
(ii) $a+b+c=4$인 경우:
(1, 1, 2), (1, 2, 1), (2, 1, 1) ⇨ 3가지
(iii) $a+b+c=5$인 경우:
(1, 1, 3), (1, 3, 1), (3, 1, 1), (1, 2, 2), (2, 1, 2), (2, 2, 1) ⇨ 6가지
(i), (ii), (iii)의 경우는 동시에 일어날 수 없으므로 합의 법칙에 의하여 구하는 경우의 수는
$1+3+6=10$(가지) 답 ⑤

02

십의 자리의 숫자와 일의 자리의 숫자의 합이 짝수인 경우는 두 숫자가 모두 짝수이거나 모두 홀수일 때이다.
(i) 십의 자리 숫자와 일의 자리 숫자가 모두 짝수일 때
십의 자리에 올 수 있는 숫자는 2, 4, 6, 8의 4개이고, 그 각각에 대하여 일의 자리에 올 수 있는 숫자는 0, 2, 4, 6, 8의 5개이므로
$4\times5=20$
(ii) 십의 자리 숫자와 일의 자리 숫자가 모두 홀수일 때
십의 자리에 올 수 있는 숫자는 1, 3, 5, 7, 9의 5개이고, 그 각각에 대하여 일의 자리에 올 수 있는 숫자는 1, 3, 5, 7, 9의 5개이므로
$5\times5=25$
(i), (ii)에서 구하는 두 자리 자연수의 개수는
$20+25=45$ 답 ③

03

(ⅰ) 4의 배수가 되는 경우의 수는 25
(ⅱ) 7의 배수가 되는 경우의 수는 14
(ⅲ) 28의 배수가 되는 경우의 수는 3
따라서 구하는 경우의 수는
$25+14-3=36$ 답 36

04

백의 자리에 올 수 있는 숫자는 2, 3, 4의 3가지
십의 자리에 올 수 있는 숫자는 0, 1, 2, …, 9의 10가지
일의 자리에 올 수 있는 숫자는 0, 2, 4, 6, 8의 5가지
따라서 구하는 짝수의 개수는
$3\times10\times5=150$ 답 150

05

(ⅰ) 일의 자리에 올 수 있는 수는 1, 3, 5의 3가지
백의 자리에 올 수 있는 수는 0과 일의 자리의 수를 제외한 4가지
십의 자리에 올 수 있는 수는 4가지
이므로 홀수의 개수는
$a=3\times4\times4=48$
(ⅱ) 백, 십, 0인 경우 : $5\times4=20$
백, 십, 5인 경우 : $4\times4=16$
즉 5의 배수의 개수는 $b=20+16=36$
$\therefore a-b=48-36=12$ 답 ②

06

(ⅰ) 자음－모음－자음으로 택한 경우 : $3\times2\times2=12$
(ⅱ) 모음－자음－모음으로 택한 경우 : $2\times3\times1=6$
(ⅰ), (ⅱ)의 경우는 동시에 일어날 수 없으므로
구하는 경우의 수는 합의 법칙에 의하여
$12+6=18$ 답 ④

07

100 이하의 자연수 중에서 2의 배수는 50개, 5의 배수는 20개, 2와 5의 최소공배수인 10의 배수는 10개이다.
이때 100 이하의 자연수 중에서 2로 나누어떨어지거나 5로 나누어떨어지는 자연수의 개수는
$50+20-10=60$
따라서 구하는 자연수의 개수는
$100-60=40$ 답 ①

08

(ⅰ) $x+y=0$인 경우: (0, 0)의 1개
(ⅱ) $x+y=1$인 경우: (0, 1), (1, 0)의 2개
(ⅲ) $x+y=2$인 경우: (0, 2), (1, 1), (2, 0)의 3개
(ⅳ) $x+y=3$인 경우: (0, 3), (1, 2), (2, 1), (3, 0)의 4개
(ⅴ) $x+y=4$인 경우:
(0, 4), (1, 3), (2, 2), (3, 1), (4, 0)의 5개
(ⅵ) $x+y=5$인 경우:
(0, 5), (1, 4), (2, 3), (3, 2), (4, 1), (5, 0)의 6개
따라서 구하는 순서쌍의 개수는
$1+2+3+4+5+6=21$ 답 ③

09

A에서 두 지점 B, C를 경유하여 D로 가는 방법의 수는
(ⅰ) A → B → C → D인 경우: $2\times1\times1=2$
(ⅱ) A → C → B → D인 경우: $2\times1\times3=6$
(ⅰ), (ⅱ)에서 구하는 경우의 수는
$2+6=8$ 답 ②

10

520을 소인수분해하면
$520=2^3\times5\times13$
2^3의 약수는 1, 2^1, 2^2, 2^3의 4개
5의 약수는 1, 5의 2개
13의 약수는 1, 13의 2개
따라서 520의 양의 약수의 개수는 곱의 법칙에 의하여
$4\times2\times2=16$ 답 16

11

$120=2^3\times3\times5$이므로 120의 양의 약수의 개수는
$(3+1)\times(1+1)\times(1+1)=16$
이 중 3의 배수가 아닌 약수는 $2^3\times5$의 약수이므로
그 개수는 $(3+1)\times(1+1)=8$이다.
따라서 구하는 3의 배수의 개수는
$16-8=8$ 답 ②

12

A에 칠할 수 있는 색은 4가지
B에 칠할 수 있는 색은 A에 칠한 색을 제외한 3가지
C에 칠할 수 있는 색은 A, B에 칠한 색을 제외한 2가지
D에 칠할 수 있는 색은 B, C에 칠한 색을 제외한 2가지
따라서 구하는 방법의 수는
$4\times3\times2\times2=48$ 답 48

09 순열

p. 92

01. ③ **02.** ④ **03.** ④

01 서로 다른 것에서 뽑아야 하고, 뽑은 것끼리 순서를 생각할 수 있는 것이어야 순열이다.
ㄱ. 뽑은 것끼리 순서를 생각하지 않은 경우
ㄹ. 같은 것이 2개가 있는 경우
이므로 ㄱ, ㄹ은 ${}_4P_2$가 아니다.
따라서 ${}_4P_2$로 나타낼 수 있는 것은 ㄴ, ㄷ이다. 답 ③

02 ${}_8P_2=8\times7=56$ 답 ④

03 ${}_{n}P_{2}=n(n-1)=n^2-n=56$이므로
$n^2-n-56=0$
$(n-8)(n+7)=0$
n은 자연수이므로 $n=8$ 답 ④

유형따라잡기 pp. 93~97

기출유형 01 ⑤	01. 24	02. 11	03. ①	04. 5
기출유형 02 ④	05. 870	06. ⑤	07. ②	08. ①
기출유형 03 ④	09. ③	10. ②	11. ⑤	12. 144
기출유형 04 ④	13. ④	14. 48	15. ⑤	16. ⑤
기출유형 05 ④	17. 60	18. ⑤	19. ⑤	20. ②

기출유형 01

Act① 순열의 수와 관련된 등식이 주어진 경우는 자연수 n에 대한 방정식을 푸는 것으로 생각한다.
${}_{n}P_{2}\times 3!=336$에서 $n(n-1)\times 6=336$이므로
$n(n-1)=56=8\times 7$
n은 자연수이므로 $n=8$ 답 ⑤

01 **Act①** ${}_{n}P_{r}$는 n부터 시작해서 하나씩 작아지는 수를 r개 곱한 수이다.
${}_{4}P_{3}=4\times 3\times 2=24$ 답 24

02 **Act①** 순열의 수와 관련된 등식이 주어진 경우는 자연수 n에 대한 방정식을 푸는 것으로 생각한다.
${}_{n}P_{2}=n(n-1)=110$이므로
$n^2-n-110=0$
$(n-11)(n+10)=0$
n은 자연수이므로 $n=11$ 답 11

03 **Act①** 순열의 수와 관련된 등식이 주어진 경우는 자연수 n에 대한 방정식을 푸는 것으로 생각한다.
${}_{n}P_{3}={}_{n-1}P_{3}+3\times {}_{4}P_{2}$에서
$n(n-1)(n-2)=(n-1)(n-2)(n-3)+3\times(4\times 3)$
$(n-1)(n-2)\{n-(n-3)\}-36=0$
$3(n-1)(n-2)-36=0$
$n^2-3n-10=0$
$(n+2)(n-5)=0$
n은 자연수이므로 $n=5$ 답 ①

04 **Act①** 순열의 수와 관련된 등식이 주어진 경우는 자연수 n에 대한 방정식을 푸는 것으로 생각한다.
$4{}_{n}P_{1}+2{}_{n}P_{2}={}_{n}P_{3}$에서
$4n+2n(n-1)=n(n-1)(n-2)$
$2n^2+2n=n^3-3n^2+2n$
$n^3-5n^2=0$
$n^2(n-5)=0$
n은 자연수이므로 $n=5$ 답 5

기출유형 02

Act① 10명에서 3명을 뽑아 일렬로 배열하는 것과 같으므로 순열의 수를 이용한다.
10명 중에서 3명을 택하는 순열의 수이므로
${}_{10}P_{3}=10\times 9\times 8$
$=720$ 답 ④

05 **Act①** 30명에서 2명을 뽑아 일렬로 배열하는 것과 같으므로 순열의 수를 이용한다.
학생 30명 중에서 대표 1명, 부대표 1명을 뽑는 경우의 수는 30명 중에서 2명을 택하는 순열의 수이므로
${}_{30}P_{2}=30\times 29=870$ 답 870

06 **Act①** 6명을 일렬로 배열하여 앞의 4명은 첫째 날에, 나머지 2명은 둘째 날에 상담하는 경우의 수와 같음을 이용한다.
한 사람씩 순서대로 상담하므로 6명을 일렬로 배열하는 방법의 수와 같다.(앞에 배열된 4명은 첫째 날, 나머지는 둘째 날 상담한다.)
$\therefore 6!=720$ 답 ⑤

07 **Act①** 여학생 2명이 먼저 입장하고 남학생 3명이 나중에 입장하는 경우이므로 각각의 경우의 수를 구해 곱의 법칙을 이용한다.
여학생 2명을 배열하는 방법의 수는 $2!$(가지), 남학생 3명을 배열하는 방법의 수는 $3!$(가지)이므로
$2!\times 3!=12$ 답 ②

08 **Act①** 10부터 시작해서 하나씩 작아지는 수를 r개 곱해 90이 되는 r의 값을 구한다.
${}_{10}P_{r}=90$이고 $10\times 9=90$이므로 $r=2$ 답 ①

기출유형 03

Act① 남학생 3명을 한 묶음으로 하여 순열의 수를 구한 다음, 남학생 3명이 자리를 바꾸는 경우의 수를 곱한다.
남학생 3명을 1명으로 생각하여 5명의 학생을 일렬로 세우는 경우의 수는
$5!=5\times 4\times 3\times 2\times 1=120$
남학생 3명이 순서를 바꾸는 경우의 수는
$3!=3\times 2\times 1=6$
따라서 구하는 경우의 수는
$120\times 6=720$ 답 ④

09 **Act①** 여학생 2명을 한 묶음으로 하여 5명을 일렬로 세우는 순열의 수를 구한 다음, 여학생 2명이 자리를 바꾸는 경우의 수를 곱한다.
여학생 2명을 한 묶음으로 생각하여 5명의 학생을 일렬로 세우는 경우의 수는
$5!=5\times 4\times 3\times 2\times 1=120$
여학생 2명이 순서를 바꾸는 경우의 수는 $2!=2$

따라서 구하는 경우의 수는

$120\times2=240$ 답 ③

10 **Act ①** A, B가 이웃하는 경우의 수와 C, D가 이웃하는 경우의 수의 합에서 A, B도 이웃하고 C, D도 이웃하는 경우의 수를 뺀다.

(i) A, B가 이웃하는 경우

A, B를 묶어 1개의 문자로 생각하면 4개의 문자를 일렬로 나열하는 경우의 수는 4!이고, 그 각각의 경우에 A, B의 자리를 바꾸는 경우의 수는 2!이므로

$4!\times2!=24\times2=48$

(ii) C, D가 이웃하는 경우 (i)과 같은 방법으로 구하면

$4!\times2!=48$

(iii) A, B도 이웃하고 C, D도 이웃하는 경우

A, B를 묶어 1개의 문자로 생각하고, C, D를 묶어 다른 1개의 문자로 생각하면 3개의 문자를 일렬로 나열하는 경우의 수는 3!이다.

이때 A와 B, C와 D가 자리를 바꾸는 경우의 수는 각각 2!, 2!이므로

$3!\times2!\times2!=6\times2\times2=24$

(i), (ii), (iii)에서 구하는 경우의 수는

$48+48-24=72$ 답 ②

11 **Act ①** 남학생 4명을 일렬로 세우는 경우의 수를 구한 다음, 남학생의 양 끝과 사이사이 5곳 중 3곳에 여학생을 세우는 경우의 수를 곱한다.

남학생 4명을 일렬로 세우는 방법의 수는 $4!=24$

남학생의 양 끝과 사이사이의 5곳 중 3곳에 여학생을 세우는 방법의 수는 ${}_5P_3=60$

따라서 구하는 방법의 수는

$24\times60=1440$ 답 ⑤

12 **Act ①** 세 개의 문자 D, E, F를 일렬로 나열하는 방법의 수를 구한 다음, D, E, F의 양 끝과 사이사이 4곳 중 3곳에 A, B, C를 나열하는 경우의 수를 곱한다.

세 개의 문자 D, E, F를 일렬로 나열하는 방법의 수는

$3!=6$

이 세 개의 문자의 양 끝과 사이사이의 4개의 자리에 A, B, C 세 문자를 나열하는 방법의 수는 ${}_4P_3$

따라서 구하는 방법의 수는

$6\times24=144$ 답 144

기출유형 04

Act ① 주어진 조건에 맞도록 남자를 양 끝에 먼저 배열하고 나머지를 배열한다.

남자를 먼저 양 끝에 배열하고 나머지 5명을 배열하면 되므로

${}_3P_2\times5!=720$ 답 ④

13 **Act ①** 주어진 조건에 맞도록 양 끝에 소수를 먼저 배열하고 나머지를 배열한다.

소수는 2, 3, 5, 7의 4개이므로 양 끝에 소수가 오는 경우의 수는

${}_4P_2=4\times3=12$

양 끝의 2개의 숫자를 제외한 나머지 5개의 숫자를 일렬로 나열하는 경우의 수는

$5!=5\times4\times3\times2\times1=120$

따라서 구하는 경우의 수는

$12\times120=1440$ 답 ④

14 **Act ①** 주어진 조건에 맞도록 일의 자리의 수와 백의 자리의 수를 먼저 배열하고 나머지를 배열한다.

일의 자리의 수와 백의 자리의 수가 모두 3의 배수인 경우는 다음 두 가지이다.

□□□3□6, □□□6□3

이때 나머지 네 자리에 1, 2, 4, 5의 숫자를 배열하는 방법의 수는 각각

$4!=4\times3\times2\times1=24$(가지)

따라서 구하는 경우의 수는 $2\times24=48$ 답 48

15 **Act ①** 주어진 조건에 맞도록 아버지, 어머니를 먼저 배열하고 나머지를 배열한다.

홀수 번호가 적힌 3개의 의자 중에서 2개의 의자를 택하여 아버지, 어머니가 앉는 경우의 수는

${}_3P_2=3\times2=6$

나머지 3개의 의자에 할머니, 아들, 딸이 앉는 경우의 수는

${}_3P_3=3\times2\times1=6$

따라서 구하는 경우의 수는 $6\times6=36$ 답 ⑤

16 **Act ①** 주어진 조건에 맞도록 E□□O를 먼저 배열하고 나머지를 배열한다.

E와 O를 배열하는 경우의 수는 $2!=2$

E와 O를 제외한 4개의 문자 F, L, W, R 중에서 서로 다른 2개를 택하여 일렬로 나열하는 경우의 수는

${}_4P_2=12$

6개의 문자 중에서 4개의 문자 E□□O를 묶어 1개의 문자로 생각하면 3개의 문자를 일렬로 나열하는 경우의 수는

$3!=6$

따라서 구하는 경우의 수는 $2\times12\times6=144$ 답 ⑤

기출유형 05

Act ① $x_1\neq x_2$이면 $f(x_1)\neq f(x_2)$를 만족시키는 함수 f는 일대일함수이다.

일대일함수는 집합 X의 서로 다른 원소에 집합 Y의 서로 다른 원소가 대응되어야 하므로 이 경우의 수는 집합 Y의 4개의 원소 중에서 3개를 택하여 일렬로 나열하는 경우의 수와 같다.

$\therefore {}_4P_3=24$ 답 ④

17 **Act ①** 집합 Y의 5개의 원소 중에서 3개를 택하여 일렬로 나열하는 경우의 수와 같다.

일대일함수는 집합 X의 서로 다른 원소에 집합 Y의 서로

다른 원소가 대응되어야 하므로 이 경우의 수는 집합 Y의 5개의 원소 중에서 3개를 택하여 일렬로 나열하는 경우의 수와 같다.

$\therefore {}_5P_3=5\times4\times3=60$ 답 60

18 **Act①** **일대일대응은 일대일함수이고 치역과 공역이 같은 함수이다.**

함수 f의 개수는 일대일함수와 마찬가지로 집합 X의 4개의 원소 중에서 4개를 택하여 일렬로 나열하는 경우의 수와 같다.

$\therefore {}_4P_4=4!=24$ 답 ⑤

19 **Act①** **$f(a)$의 값이 될 수 있는 것은 4가지이고 그 각각에 대하여 일대일대응인 함수의 개수를 구한다.**

$f(a)\neq e$이므로 $f(a)$의 값이 될 수 있는 것은 a, b, c, d의 4개

그 각각에 대하여 일대일대응인 함수 f의 개수는 $4!=24$

따라서 구하는 함수 f의 개수는 $4\times24=96$ 답 ⑤

20 **Act①** **$f(1)=2$ 또는 $f(1)=4$인 경우와 $f(1)=3$인 경우로 나누어 생각한다.**

(i) $f(1)=2$ 또는 $f(1)=4$인 경우

$f(3)$의 값이 될 수 있는 것은 $f(1)$의 값과 3을 제외한 2개이므로 일대일대응인 f의 개수는

$2\times2\times2!=8$

(ii) $f(1)=3$인 경우

$f(3)$의 값이 될 수 있는 것은 1, 2, 4의 3개이므로 일대일대응인 f의 개수는

$1\times3\times2!=6$

(i), (ii)에서 함수 f의 개수는 $8+6=14$ 답 ②

VIT Very Important Test pp. 98~99

01. ②	02. ①	03. ④	04. ⑤	05. 48
06. ③	07. ④	08. ④	09. ④	10. 3
11. ⑤	12. 120			

01

$n(n-1)+4n=28$, $n^2+3n-28=0$

$(n+7)(n-4)=0$

n은 자연수이므로 $n=4$ 답 ②

02

앞에 배열된 3명은 첫째 날, 나머지는 둘째 날 상담하면 되므로 5명을 일렬로 배열하는 방법의 수와 같다.

따라서 구하는 경우의 수는

$5!=120$ 답 ①

03

4개의 도시를 여행하는 데 파리를 첫 번째 여행 도시로 선택한다면 가능한 여행 도시는 남은 5개의 도시 중 3개를 선택하는 순열의 수와 같으므로

${}_5P_3=5\times4\times3=60$ 답 ④

04

맨 앞과 맨 뒤에 남학생을 세우는 방법의 수는 ${}_4P_2=12$

여학생 3명을 한 묶음으로 생각하여 남학생 2명과 총 3명을 일렬로 세우는 방법의 수는 $3!=6$

여학생끼리 서로 자리를 바꾸는 방법의 수는 $3!=6$

따라서 구하는 방법의 수는

$12\times6\times6=432$ 답 ⑤

05

(i) 여학생 3명을 묶어서 한 사람으로 생각하면 남학생 2명과 함께 모두 3명이다.

3명을 일렬로 세우는 방법의 수는 $3!$이고 그 각각에 대하여 여학생 3명이 서로 자리를 바꾸는 방법의 수는 $3!$이므로

$a=3!\times3!=36$

(ii) 양 끝에 남학생을 세우는 방법의 수는 ${}_2P_2$, 그 각각에 대하여 가운데에 나머지 3명의 여학생을 일렬로 세우는 방법의 수는 $3!$

따라서 구하는 방법의 수 b는

${}_2P_2\times3!=2\times3!=12$

(i), (ii)에서 $a+b=36+12=48$ 답 48

06

6개의 문자를 일렬로 나열하는 경우의 수는

$6!=6\times5\times4\times3\times2\times1=720$

양 끝에 모두 모음이 오게 나열하는 경우의 수는 모음 e, i를 양 끝에 나열하는 경우의 수 2이고, 양 끝의 모음을 제외한 나머지 4개의 문자를 일렬로 나열하는 경우의 수는 $4!$이므로

$2\times4!=2\times24=48$

따라서 구하는 경우의 수는

$720-48=672$ 답 ③

07

300 이상의 세 자리의 자연수를 만들려면 3, 4, 5 중에서 하나를 택하여 백의 자리의 숫자로 정하고, 나머지 4개의 숫자 중에서 서로 다른 2개를 일렬로 나열하면 되므로

$3\times{}_4P_2=3\times12=36$

2000 이하의 네 자리의 자연수를 만들려면 1을 천의 자리의 숫자로 정하고, 나머지 4개의 숫자 중에서 서로 다른 3개를 택하여 일렬로 나열하면 되므로

${}_4P_3=24$

따라서 구하는 자연수의 개수는

$36+24=60$ 답 ④

08

(i) 홀수, 짝수의 순서로 교대로 오는 경우의 수는

$4!\times4!=(4\times3\times2\times1)\times(4\times3\times2\times1)$
$=24\times24=576$

(ii) 짝수, 홀수의 순서로 교대로 오는 경우의 수는

$4!\times4!=(4\times3\times2\times1)\times(4\times3\times2\times1)$
$=24\times24=576$

따라서 구하는 경우의 수는
$576+576=1152$ 답 ④

09

6개의 숫자를 일렬로 나열할 때, 짝수가 짝수 번째에 오도록 나열하려면 오른쪽 그림에서 ○에 해당하는 수가 짝수이어야 한다. 주어진 수 중에서 짝수는 2, 6의 2개이므로 ○에 짝수를 나열하는 방법의 수는 $_3P_2=6$

■○■○■○

짝수를 나열하고 나머지 4개의 자리에 홀수를 나열하는 방법의 수는 $4!=24$
따라서 구하는 방법의 수는
$6\times24=144$ 답 ④

10

남학생을 n명이라 하면
$_{10}P_2-{_nP_2}=48$, $90-n(n-1)=48$
$n^2-n-42=0$, $(n+6)(n-7)=0$
이때 $n>0$이므로 $n=7$
따라서 여학생의 수는
$10-7=3$ 답 3

11

첫 번째 카드와 다섯 번째 카드에 적힌 숫자의 합이 짝수이면서 다섯 번째 카드에 적힌 숫자가 5 이상인 경우는

(i) 짝 □□□ 6의 꼴:
맨 앞에 짝수가 오는 2가지 경우에 대하여 가운데 세 자리에 오는 경우의 수는 나머지 5개의 수 중에 3개를 뽑아 나열하는 순열의 수와 같으므로
$2\times{_5P_3}=2\times5\times4\times3=120$

(ii) 홀 □□□ 5, 홀 □□□ 7의 꼴:
맨 앞에 홀수, 맨 뒤에 홀수 5, 7이 오는 경우의 수 $3\times2=6$(가지)에 대하여 가운데 세 자리에는 나머지 5개의 수 중에 3개를 뽑아 나열하는 순열의 수와 같으므로
$6\times{_5P_3}=6\times5\times4\times3=360$

따라서 구하는 방법의 수는
$120+360=480$ 답 ⑤

12

일대일함수가 되려면 집합 X의 서로 다른 원소에 집합 Y의 서로 다른 원소가 대응되어야 하므로 이 경우의 수는 집합 Y의 6개의 원소 중에서 3개를 택하여 일렬로 나열하는 경우의 수와 같다.
따라서 구하는 일대일함수의 개수는
$_6P_3=6\times5\times4=120$ 답 120

10 조합

p. 100

01. ① **02.** ⑤ **03.** ①

01 서로 다른 것에서 뽑아야 하고, 뽑은 것끼리 순서를 생각하지 않아야 조합이다.
ㄴ. 뽑은 것끼리 순서를 생각한 경우
ㄹ. 같은 것이 2개가 있는 경우
이므로 ㄴ, ㄹ은 $_4C_2$가 아니다.
따라서 $_4C_2$로 나타낼 수 있는 ㄱ, ㄷ이다. 답 ①

02 $_6C_3=\dfrac{6!}{3!3!}=\dfrac{6\times5\times4}{3!}=20$ 답 ⑤

03 $_5P_2+{_5C_3}=5\times4+\dfrac{5!}{3!\times2!}=20+10=30$ 답 ①

유형따라잡기

pp. 101~108

기출유형 01 8	01. 15	02. ②	03. ①	04. 11
기출유형 02 ①	05. ②	06. ⑤	07. 60	08. ②
기출유형 03 ①	09. ③	10. ③	11. 20	12. ②
기출유형 04 ②	13. ④	14. ④	15. ③	16. 20
기출유형 05 ①	17. ⑤	18. 205	19. ④	20. ②
기출유형 06 240	21. ④	22. ③	23. ⑤	24. ③
기출유형 07 ②	25. ③	26. ②	27. ③	28. ④
기출유형 08 ⑤	29. ②	30. 20	31. 1680	32. ③

기출유형 01

Act① 순열과 조합의 공식을 이용하여 주어진 방정식을 푼다.
$_nP_3=12\times{_nC_2}$에서
$n(n-1)(n-2)=12\times\dfrac{n(n-1)}{2}$
$n\ge3$이므로 양변을 $n(n-1)$로 나누면
$n-2=6$
$\therefore n=8$ 답 8

01 **Act①** 순열과 조합의 공식을 이용하여 주어진 식의 값을 구한다.
$_6P_2-{_6C_2}=6\times5-\dfrac{6\times5}{2\times1}$
$=30-15$
$=15$ 답 15

02 **Act①** 순열과 조합의 공식을 이용하여 주어진 방정식을 푼다.
$_nP_2-{_7C_2}=n(n-1)-\dfrac{7\times6}{2\times1}=21$
$n^2-n-42=0$
$(n-7)(n+6)=0$
n은 자연수이므로 $n=7$ 답 ②

03 Act① ${}_nC_r={}_nC_{n-r}$임을 이용하여 주어진 방정식을 푼다.

${}_{n+1}C_{n-1}={}_{n+1}C_{n+1-(n-1)}={}_{n+1}C_2$이므로

$(n-1)(n-2)+4=\frac{(n+1)n}{2}$

$2n^2-6n+12=n^2+n$

$n^2-7n+12=0$

$(n-3)(n-4)=0$

$\therefore n=3$ 또는 $n=4$

따라서 모든 n의 값의 합은 7 　답 ①

04 Act① 순열과 조합의 공식을 이용하여 주어진 방정식을 푼다.

$2\times{}_nC_3=2\times\frac{n(n-1)(n-2)}{3\times2\times1}$

$=\frac{n(n-1)(n-2)}{3}$

$3\times{}_nP_2=3\times n(n-1)$

이므로

$\frac{n(n-1)(n-2)}{3}=3\times n(n-1)$

$n\geq3$이므로 양변을 $n(n-1)$로 나누면

$\frac{n-2}{3}=3$, $n-2=9$

$\therefore n=11$ 　답 11

기출유형 02

Act① 두 사람이 던진 12번 중에서 앞면이 6번 나온 사건은 순서를 생각하지 않으므로 조합의 수를 이용한다.

앞면이 나온 횟수의 합이 6인 경우의 수는 갑, 을 두 사람이 던진 12번 중에서 앞면이 6번 나온 경우의 수와 같으므로

${}_{12}C_6=\frac{12\times11\times10\times9\times8\times7}{6\times5\times4\times3\times2\times1}=924$ 　답 ①

05 Act① 순서를 생각하지 않으므로 조합의 수를 이용한다.

색이 모두 다른 색종이 7장 중에서 3장을 택하는 경우의 수는 ${}_7C_3=\frac{7\times6\times5}{3\times2\times1}=35$ 　답 ②

06 Act① 남자 대표를 뽑는 사건과 여자 대표를 뽑는 사건의 경우의 수를 각각 구해 곱의 법칙을 이용한다.

남자 6명 중에서 3명을 선출하는 경우의 수는 ${}_6C_3$

그 각각에 대하여 여자 4명 중에서 2명을 선출하는 경우의 수는 ${}_4C_2$

따라서 구하는 경우의 수는 곱의 법칙에 의하여

${}_6C_3\times{}_4C_2=\frac{6!}{3!3!}\times\frac{4!}{2!2!}=20\times6=120$ 　답 ⑤

07 Act① 1학년 학생을 뽑는 사건, 2학년 학생을 뽑는 사건의 경우의 수를 각각 구해 곱의 법칙을 이용한다.

${}_6C_4\times{}_4C_3={}_6C_2\times{}_4C_1=15\times4=60$ 　답 60

08 Act① 3개의 돌을 밟는 사건과 4개의 돌을 밟는 사건으로 나누어 생각한다.

5개의 돌 중에서 3개의 돌을 밟는 경우의 수는

${}_5C_3={}_5C_2=\frac{5\times4}{2}=10$

5개의 돌 중에서 4개의 돌을 밟는 경우의 수는

${}_5C_4={}_5C_1=5$

따라서 전체 경우의 수는

$10+5=15$ 　답 ②

기출유형 03

Act① A, B, C를 뺀 5명 중에서 2명을 뽑는 경우의 수를 구한다.

A는 선출되지 않고 B, C는 함께 선출되려면 남은 5명 중 2명을 뽑은 다음 B, C를 포함시키면 된다.

따라서 구하는 경우의 수는 ${}_5C_2=10$ 　답 ①

09 Act① A와 B를 뺀 8명 중에서 2명을 뽑는 경우의 수를 구한다.

두 학생 A, B는 반드시 선발되어야 하므로 구하는 경우의 수는 A, B를 제외한 나머지 8명의 지원자 중에서 2명을 선발하는 조합의 수와 같다.

따라서 구하는 경우의 수는

${}_8C_2=\frac{8!}{2!(8-2)!}=\frac{8\times7}{2\times1}=28$ 　답 ③

10 Act① A와 B를 뺀 8명 중에서 3명을 뽑는 경우의 수를 구한다.

A는 먼저 뽑아 놓고, A와 B를 제외한 나머지 8명 중에서 3명의 위원을 뽑으면 되므로 구하는 경우의 수는

${}_8C_3=56$ 　답 ③

11 Act① 10개의 구슬 중에서 특정한 구슬 4개를 뺀 6개에서 3개를 뽑는 경우의 수를 구한다.

2가 적힌 구슬은 뽑지 않고, 3, 5, 7이 적힌 구슬 3개는 모두 뽑는다고 하면 2, 3, 5, 7을 제외한 서로 다른 6개의 구슬 중에서 3개를 뽑으면 된다.

따라서 구하는 경우의 수는

${}_6C_3=\frac{6!}{3!3!}=\frac{6\times5\times4}{3\times2\times1}=20$ 　답 20

12 Act① 특정한 2명을 뺀 5명 중에서 $(n-2)$명을 뽑는 경우의 수가 10이 됨을 생각한다.

특정한 2명은 포함되었다고 생각하면 나머지 5명 중에서 $(n-2)$명을 뽑는 경우의 수가 10이어야 하므로

${}_5C_{n-2}=10$

이때 ${}_5C_3={}_5C_2=\frac{5\times4}{2\times1}=10$이므로

$n-2=2$ 또는 $n-2=3$

$\therefore n=4$ 또는 $n=5$

따라서 모든 n의 값의 합은

$4+5=9$ 　답 ②

기출유형 04

Act① 두 종류의 사건이 함께 일어날 경우는 곱의 법칙을 이용한다.

남학생 4명 중 2명을 선발하는 방법의 수는 ${}_4C_2$가지이고, 그 각각에 대하여 여학생 5명 중 3명을 선발하는 방법의 수는 ${}_5C_3$이다.
따라서 곱의 법칙에 의하여 구하는 방법의 수는
${}_4C_2 \times {}_5C_3 = \frac{4\times3}{2\times1} \times \frac{5\times4\times3}{3\times2\times1} = 60$ 답 ②

13 **Act①** **두 종류의 사건이 함께 일어날 경우는 곱의 법칙을 이용한다.**
4개의 학교 중에서 3개를 택하는 경우의 수는
${}_4C_3 = {}_4C_1 = 4$
택한 3개의 학교에서 각각 1명씩 뽑는 경우의 수는
${}_2C_1 \times {}_2C_1 \times {}_2C_1 = 2\times2\times2 = 8$
따라서 구하는 경우의 수는
$4\times8=32$ 답 ④

14 **Act①** **두 종류의 사건이 함께 일어날 경우는 곱의 법칙을 이용한다.**
남자 6명 중에서 2명을 뽑는 경우의 수는 ${}_6C_2$이고,
그 각각에 대하여 여자 4명 중에서 2명을 뽑는 경우의 수는 ${}_4C_2$이다.
따라서 구하는 경우의 수는
${}_6C_2 \times {}_4C_2 = 15\times6=90$ 답 ④

15 **Act①** **두 종류의 사건이 함께 일어날 경우는 곱의 법칙을 이용한다.**
남자 6명 중에서 3명을 뽑는 경우의 수는 ${}_6C_3$이고,
여자 4명 중에서 2명을 뽑는 경우의 수는 ${}_4C_2$이다.
따라서 구하는 경우의 수는
${}_6C_3 \times {}_4C_2 = 20\times6=120$ 답 ③

16 **Act①** **두 종류의 사건이 함께 일어날 경우는 곱의 법칙을 이용한다.**
지음 5개 중에서 3개를 택하는 경우의 수는 ${}_5C_3$이고,
모음 2개 중에서 1개를 택하는 경우의 수는 ${}_2C_1$이다.
따라서 구하는 경우의 수는
${}_5C_3 \times {}_2C_1 = {}_5C_2 \times {}_2C_1 = \frac{5\times4}{2\times1}\times2=20$ 답 20

기출유형 05

Act① **전체 경우의 수에서 짝수가 적힌 공만 뽑는 경우의 수를 뺀다.**
6개의 공 중에서 2개의 공을 뽑는 경우의 수는 ${}_6C_2=15$
이때 짝수 2, 4, 6이 적힌 3개의 공 중에서 2개를 뽑는 경우의 수는 ${}_3C_2=3$
따라서 홀수가 적힌 공이 적어도 1개 포함되도록 뽑는 경우의 수는
$15-3=12$ 답 ①

17 **Act①** **전체 경우의 수에서 남학생만 뽑는 경우의 수를 뺀다.**
8명의 학생 중에서 2명의 대표를 뽑는 경우의 수는
${}_8C_2=28$
이때 남학생 4명 중에서 2명의 대표를 뽑는 경우의 수는
${}_4C_2=6$
따라서 구하는 경우의 수는
$28-6=22$ 답 ⑤

18 **Act①** **전체 경우의 수에서 짝수가 적힌 카드만 뽑는 경우의 수를 뺀다.**
10장의 카드에서 4장을 뽑는 경우의 수는
${}_{10}C_4 = \frac{10\times9\times8\times7}{4!} = 210$
이때 짝수가 적힌 카드만 4장을 뽑는 경우의 수는
${}_5C_4=5$
따라서 구하는 경우의 수는
$210-5=205$ 답 205

19 **Act①** **전체 경우의 수에서 남학생만 뽑는 경우와 여학생만 뽑는 경우의 수를 뺀다.**
대표 3명을 뽑는 경우의 수는 ${}_9C_3=84$
여학생만 3명을 뽑는 경우의 수는 ${}_4C_3=4$
남학생만 3명을 뽑는 경우의 수는 ${}_5C_3=10$
따라서 구하는 경우의 수는
$84-(4+10)=70$ 답 ④

20 **Act①** **전체 경우의 수에서 남자 회원만 뽑는 경우의 수를 뺀 것이 30임을 이용한다.**
10명의 회원 중에서 2명을 뽑는 경우의 수는
${}_{10}C_2=45$
남자 회원 수를 n명이라 하면 남자 회원 중에서 2명을 뽑는 경우의 수는
${}_nC_2 = \frac{n(n-1)}{2}$
이때 적어도 한 명은 여자 회원이 뽑히는 경우의 수가 30이므로
$45-\frac{n(n-1)}{2}=30$, $\frac{n(n-1)}{2}=15$
$n(n-1)=30=6\times5$ $\therefore n=6$
따라서 구하는 여자 회원 수는
$10-6=4$ 답 ②

기출유형 06

Act① **아버지와 어머니를 뺀 5명 중에서 2명을 뽑는 경우의 수와 아버지와 어머니를 포함한 4명을 일렬로 세우는 경우의 수를 곱한다.**
아버지와 어머니를 뽑고 남은 5명의 가족 중에서 2명을 뽑는 경우의 수는
${}_5C_2 = \frac{5\times4}{2\times1}=10$
4명을 일렬로 세우는 경우의 수는
$4!=4\times3\times2\times1=24$
따라서 구하는 경우의 수는
$10\times24=240$ 답 240

21 **Act①** **1, 2를 뺀 3, 4, 5, 6 중에서 2개의 숫자를 뽑는 경우의 수와 4개의 수를 일렬로 나열하는 경우의 수를 곱한다.**
3, 4, 5, 6에서 2개의 숫자를 택하는 경우의 수는

$_4C_2=6$

1, 2와 함께 4개의 숫자를 일렬로 나열하는 경우의 수는

$4!=24$

따라서 구하는 자연수의 개수는

$6\times24=144$ 답 ④

22 **Act①** **A, B를 뺀 4가지 업무 중 2가지를 뽑는 경우의 수와 4가지 업무를 일렬로 나열하는 경우의 수를 곱한다.**

오늘 처리할 업무를 택하는 방법은 A, B를 제외한 4가지 업무 중 2가지를 택하는 조합이므로 $_4C_2=6$(가지)

택한 4가지 업무 중 A, B는 순서가 정해져 있으므로 이를 같은 업무로 생각하면 이 4가지 업무의 처리 순서를 정하는 경우의 수는 $\frac{4!}{2!}=12$(가지)

따라서 구하는 경우의 수는

$6\times12=72$(가지) 답 ③

23 **Act①** **3개의 풍선과 2개의 깃발을 뽑는 경우의 수와 뽑은 5개를 일렬로 배열하는 경우의 수를 곱한다.**

(i) 5개의 풍선 중에서 3개를 뽑는 경우의 수는

$_5C_3={}_5C_2=\frac{5\times4}{2\times1}=10$

3개의 깃발 중에서 2개를 뽑는 경우의 수는

$_3C_2={}_3C_1=3$

따라서 3개의 풍선과 2개의 깃발을 뽑는 경우의 수는

$10\times3=30$

(ii) 뽑은 3개의 풍선과 2개의 깃발을 일렬로 배열하는 경우의 수는 $5!=120$

(i), (ii)에서 구하는 경우의 수는

$30\times120=3600$ 답 ⑤

24 **Act①** **경수와 효린이를 뺀 6명 중에서 3명을 뽑는 경우의 수와 경수와 효린이를 이웃하지 않게 세우는 경우의 수를 곱한다.**

경수와 효린이를 뽑고 남은 6명의 학생 중에서 3명을 뽑는 경우의 수는

$_6C_3=\frac{6\times5\times4}{3\times2\times1}=20$

경수와 효린이를 제외한 3명을 일렬로 세우는 방법의 수는

$3!=3\times2\times1=6$

3명의 양 끝과 사이사이의 4곳 중 2곳에 경수와 효린이를 일렬로 세우는 방법의 수는

$_4P_2=4\times3=12$

따라서 구하는 경우의 수는

$20\times6\times12=1440$ 답 ③

기출유형 07

Act① **가로 방향의 평행선 중 2개, 세로 방향의 평행선 중 2개를 선택하면 한 개의 평행사변형이 만들어짐을 이용한다.**

4개의 평행선 중에서 2개를 택하는 경우의 수는

$_4C_2=\frac{4\times3}{2\times1}=6$

6개의 평행선 중에서 2개를 택하는 경우의 수는

$_6C_2=\frac{6\times5}{2\times1}=15$

따라서 평행선으로 만들 수 있는 평행사변형의 개수는

$6\times15=90$ 답 ②

25 **Act①** **어느 세 점도 일직선 위에 있지 않으므로 6개의 점 중 2개의 점을 택하는 경우의 수를 구한다.**

점 6개 중 2개를 선택하는 경우의 수이므로

$_6C_2=\frac{6\times5}{2\times1}=15$ 답 ③

26 **Act①** **8개의 점 중 3개의 점을 택하는 경우에서 일직선 위의 점 중 3개의 점을 택하는 경우를 제외한다.**

8개의 점 중에서 3개의 점을 택하는 경우의 수는

$_8C_3=56$

이때 일직선 위에 있는 3개의 점으로는 삼각형을 만들 수 없으므로 삼각형을 만들 수 없는 경우의 수는

$_5C_3+{}_4C_3=10+4=14$

따라서 구하는 삼각형의 개수는

$56-14=42$ 답 ②

27 **Act①** **쌍으로 선택되는 평행선은 색칠한 부분의 양쪽에 있어야 한다.**

가로 방향의 평행선 2개를 택하는 경우의 수는

$2\times3=6$

세로 방향의 평행선 2개를 택하는 경우의 수는

$2\times3=6$

따라서 평행사변형의 개수는

$6\times6=36$ 답 ③

28 **Act①** **모든 사각형 중에서 정사각형을 제외한다.**

만들 수 있는 사각형의 개수는 $_5C_2\times{}_5C_2=100$

이 중에서 정사각형인 것은 한 변의 길이가 1, 2, 3, 4인 것이 각각 16개, 9개, 4개, 1개 있으므로 모두

$16+9+4+1=30$

따라서 정사각형이 아닌 직사각형의 개수는

$100-30=70$ 답 ④

기출유형 08

Act① **2명, 2명, 3명의 조에서 같은 수의 조가 2개 있으므로 같은 분할이 2!가지가 생긴다.**

7명을 2명, 2명, 3명의 3개 조로 나누는 방법의 수는

$_7C_2\times{}_5C_2\times{}_3C_3\times\frac{1}{2!}=105$

그런데 3개 조로 나누어 세 곳의 지사에 파견하므로

구하는 방법의 수는

$105\times3!=630$ 답 ⑤

29 Act① 같은 수의 조가 n개 있으면 같은 분할이 $n!$가지가 생긴다.

(i) 1명, 1명, 4명으로 나누는 방법의 수는

$${}_6C_1 \times {}_5C_1 \times {}_4C_4 \times \frac{1}{2!} = 15$$

(ii) 1명, 2명, 3명으로 나누는 방법의 수는

$${}_6C_1 \times {}_5C_2 \times {}_3C_3 = 60$$

(iii) 2명, 2명, 2명으로 나누는 방법의 수는

$${}_6C_2 \times {}_4C_2 \times {}_2C_2 \times \frac{1}{3!} = 15$$

(i)~(iii)에서 구하는 경우의 수는

$15+60+15=90$ 답 ②

30 Act① 두 바구니 A, B에 분배하는 경우의 수는 (분할하는 경우의 수)$\times 2!$이다.

6개를 3개, 3개의 2개 조로 나눈 다음 두 바구니 A, B에 담는 방법의 수는

$${}_6C_3 \times {}_3C_3 \times \frac{1}{2!} \times 2! = 20$$ 답 20

31 Act① 3명에게 분배하는 경우의 수는 (분할하는 경우의 수)$\times 3!$이다.

8종류의 꽃을 2종류, 3종류, 3종류로 묶어 세 개의 꽃다발을 만든 다음, 3명에게 나누어 주는 방법의 수는

$$\left({}_8C_2 \times {}_6C_3 \times {}_3C_3 \times \frac{1}{2!}\right) \times 3! = 1680$$ 답 1680

32 Act① 3개의 원소에 분배하는 경우의 수는 (분할하는 경우의 수)$\times 3!$이다.

X의 원소 4개를 1개, 1개, 2개로 나누어 Y의 원소 a, b, c에 대응시키는 방법의 수는

$$\left({}_4C_1 \times {}_3C_1 \times {}_2C_2 \times \frac{1}{2!}\right) \times 3! = 36$$ 답 ③

VIT Very Important Test pp. 109~111

01. 14	02. ④	03. 840	04. ④	05. ④
06. ③	07. ⑤	08. ⑤	09. ③	10. ④
11. ③	12. ②	13. ⑤	14. 5	15. ①
16. ②	17. ④	18. ⑤		

01

${}_nC_3 = \frac{n!}{(n-3)!3!}$, ${}_nP_2 = n(n-1)$이므로

$$\frac{n!}{(n-3)!3!} = 2n(n-1)$$

$$\frac{n!}{(n-3)!} = 12n(n-1)$$

$n(n-1)(n-2) = 12n(n-1)$

$n-2=12$, 즉 $n=14$ 답 14

02

${}_{12}C_{r+2} = {}_{12}C_{12-(r+2)} = {}_{12}C_{2r-5}$

(i) ${}_{12}C_{r+2} = {}_{12}C_{2r-5}$일 때

$r+2=2r-5$, 즉 $r=7$

(ii) ${}_{12}C_{12-(r+2)} = {}_{12}C_{2r-5}$일 때

$12-(r+2)=2r-5$

$10-r=2r-5$, $3r=15$, 즉 $r=5$

따라서 자연수 r의 값의 합은 $7+5=12$ 답 ④

03

남학생 6명 중에서 2명을 뽑는 경우의 수는 ${}_6C_2=15$

여학생 8명 중에서 3명을 뽑는 경우의 수는 ${}_8C_3=56$

따라서 구하는 경우의 수는

$15 \times 56 = 840$ 답 840

04

B의 원소에서 3개를 뽑아 가장 큰 수는 3에, 두 번째로 큰 수는 2에, 가장 작은 수는 1에 대응시키면 된다.

따라서 구하는 함수의 개수는 서로 다른 네 개에서 세 개를 뽑은 조합의 수이므로

${}_4C_3 = {}_4C_1 = 4$ 답 ④

05

4, 5, 6, 7, 8에서 서로 다른 3개의 수를 뽑아 $f(1)<f(2)<f(3)$이 되도록 대응하는 방법과 같으므로 5개 중 3개를 뽑는 조합이다.

$\therefore {}_5C_3 = {}_5C_2 = 10$ 답 ④

06

$A=\{2, 3, 5, 7, 11, 13, 17, 19\}$

이때 집합 A의 원소가 모두 소수이므로 집합 A에서 서로 다른 두 원소를 택하여 곱한 결과는 모두 다른 값을 가지게 된다.

따라서 집합 B의 원소의 개수는 집합 A의 8개의 원소 중에서 2개를 택하는 경우의 수와 같으므로

${}_8C_2=28$ 답 ③

07

10 이하의 자연수 중에서 소수는 2, 3, 5, 7의 4개이고, 합성수는 4, 6, 8, 9, 10의 5개이므로 구하는 부분집합의 개수는

${}_4C_2 \times {}_5C_2 = 6 \times 10 = 60$ 답 ⑤

08

네 개의 숫자 2, 4, 6, 8 중에서 서로 다른 세 개를 택하는 경우의 수는

${}_4C_3=4$

네 개의 숫자 1, 3, 5, 7 중에서 서로 다른 두 개를 택하는 경우의 수는

${}_4C_2=6$

이때 다섯 개의 숫자를 일렬로 나열하는 경우의 수는 $5!$이므로 구하는 자연수의 개수는

$_4C_3 \times {}_4C_2 \times 5! = 4 \times 6 \times 120 = 2880$ 답 ⑤

09

택한 두 수의 합이 짝수가 되는 경우는

(홀수)+(홀수) 또는 (짝수)+(짝수)이다.

(i) (홀수)+(홀수)인 경우의 수는

$_5C_2 = \frac{5 \times 4}{2 \times 1} = 10$

(ii) (짝수)+(짝수)인 경우의 수는

$_4C_2 = \frac{4 \times 3}{2 \times 1} = 6$

따라서 구하는 경우의 수는

$10 + 6 = 16$ 답 ③

10

순서를 생각하지 않으므로 조합을 이용한다.

(i) 선택한 세 곳이 모두 A지역일 경우 1(가지)

(ii) 선택한 세 곳이 모두 B지역일 경우

이는 B지역의 네 곳 중 세 곳을 선택한 경우와 같으므로

$_4C_3 = 4$(가지)

(iii) 선택한 세 곳이 모두 C지역일 경우

위와 같은 방법으로 $_5C_3 = 10$(가지)

(iv) 선택한 세 곳이 모두 D지역일 경우

위와 같은 방법으로 $_6C_3 = 20$(가지)

따라서 (i), (ii), (iii), (iv)에 의하여

$1 + 4 + 10 + 20 = 35$(가지) 답 ④

11

4명이 택시 A에 타는 사건과 3명이 택시 A에 타는 사건으로 나누어 생각한다.

(i) 7명 중 4명이 택시 A에 타는 경우

$_7C_4 \times {}_3C_3 = 35$

(ii) 7명 중 3명이 택시 A에 타는 경우

$_7C_3 \times {}_4C_4 = 35$

(i), (ii)에서 구하는 방법의 수는

$35 + 35 = 70$ 답 ③

12

8명에서 3명을 뽑는 경우에서 여자를 1명도 뽑지 않는 경우, 즉 남자 5명에서 3명을 선출하는 경우를 빼면 된다.

$\therefore {}_8C_3 - {}_5C_3 = \frac{8 \times 7 \times 6}{3 \times 2 \times 1} - \frac{5 \times 4 \times 3}{3 \times 2 \times 1} = 46$ 답 ②

13

대표 3명을 뽑는 경우의 수는

$_8C_3 = \frac{8 \times 7 \times 6}{3 \times 2 \times 1} = 56$

여학생만 3명을 뽑는 경우의 수는

$_5C_3 = {}_5C_2 = \frac{5 \times 4}{2 \times 1} = 10$

남학생만 3명을 뽑는 경우의 수는

$_3C_3 = {}_3C_0 = 1$

따라서 구하는 경우의 수는

$56 - (10 + 1) = 45$ 답 ⑤

14

남학생의 수를 n명이라 하면 전체에서 3명을 뽑는 경우의 수는 $_{15}C_3$이고, 남학생만 3명 뽑는 경우의 수는 $_nC_3$이므로

$_{15}C_3 - {}_nC_3 = 445$

$455 - \frac{n(n-1)(n-2)}{3!} = 445$

$\frac{n(n-1)(n-2)}{6} = 10$

$n(n-1)(n-2) = 60 = 5 \times 4 \times 3$

$\therefore n = 5$ 답 5

15

8개의 점 중에서 2개의 점을 택하는 경우의 수는

$_8C_2 = \frac{8 \times 7}{2!} = 28$

지름 위에 있는 4개의 점 중에서 2개의 점을 택하는 경우의 수는

$_4C_2 = \frac{4 \times 3}{2!} = 6$

따라서 구하는 직선의 개수는

$28 - 6 + 1 = 23$ 답 ①

16

정팔각형의 8개의 꼭짓점 중에서 어느 세 점도 일직선 위에 있지 않으므로 3개의 점만 택하면 하나의 삼각형이 만들어진다.

따라서 구하는 삼각형의 개수는

$_8C_3 = \frac{8 \times 7 \times 6}{3 \times 2 \times 1} = 56$ 답 ②

17

같은 수의 조가 n개 있으면 같은 분할이 $n!$가지가 생긴다.

(i) 여섯 개의 사탕을 1개, 5개로 나누는 방법의 수는

$_6C_1 = 6$

(ii) 여섯 개의 사탕을 2개, 4개로 나누는 방법의 수는

$_6C_2 = 15$

(iii) 여섯 개의 사탕을 3개, 3개로 나누는 방법의 수는

$_6C_3 \times \frac{1}{2!} = 10$

(i), (ii), (iii)에서 구하는 경우의 수는

$6 + 15 + 10 = 31$ 답 ④

18

같은 수의 조가 n개 있으면 같은 분할이 $n!$가지가 생긴다.

$a = {}_9C_2 \times {}_7C_3 \times {}_4C_4 = 1260$

$b = {}_9C_4 \times {}_5C_4 \times {}_1C_1 \times \frac{1}{2!} = 315$

$c = {}_9C_3 \times {}_6C_3 \times {}_3C_3 \times \frac{1}{3!} = 280$

$\therefore a - b + c = 1260 - 315 + 280 = 1225$ 답 ⑤

memo

조금이라도 달라지고 싶다면
지금 이 순간부터 변해야 한다.
-로버트 스미스

당신이 친구들이 보고 싶으면
친구들이 당신에게 관심을 가지게 하려 하지 말고
당신이 먼저 친구들에게 관심을 가져라.
-데일 카네기

좋은 기회를 만나지 못한 사람은 아무도 없다.
다만 그것을 붙잡지 못했을 뿐이다.
-앤드류 카네기

memo

조금이라도 달라지고 싶다면
지금 이 순간부터 변해야 한다.
-프레드 스미스

당신이 친구들이 보고 싶으면
친구들이 당신에게 관심을 가지게 하려 하지 말고
당신이 먼저 친구들에게 관심을 가져라.
- 데일 카네기

좋은 기회를 만나지 못한 사람은 아무도 없다.
다만 그것을 붙잡지 못했을 뿐이다.
- 앤드류 카네기

참 쉬운
3정 수학